JN093151

月を捕まえようと、必死に月を追いかけて走っていくと、月はだんだん遠く逃げていく。

――幼い日の想い出

「依存」を考えながら追いかけていくと、「依存」はだんだん向う側にかくれていく。

――老学の記念

ファシズムは、しばしば笑顔でやってくる。

優生思想は、くりかえし顔をかえてやってくる。

Doing と Being、クロノス（kronos）とカイロス（kairos）、成功と幸福、生成と定着——われわれはどの時間に生きるべきか。

悩みを語らない。衰えを語らない。死を語らない。
悲しみを語らない。そんな教育（学）に……「緊箍児（きんそうじゅ）」を。
人を憂える優しさに溢れた教育（学）に……「金箍棒（きんそうぼう）」を。

世界には何種類の木があるだろうか？
緑の木と枯れた木――マサイ民族
世界には何種類の人間があるだろうか？
他者を気遣う人と顧りみない人――耄耋（ぼうてつ）小言

響きあう。聴きあう。
寄りあう。結いあう。
支えあう。

——尊厳死から尊厳生へ

「依存」の思想　◎目次◎

◉第一話◉

イタチを忘れない

女の子・桃は父とある村にやってきた。ある晩、桃が窓のカーテンを閉めようとした時、窓の外に大きな丸い目をした鳥が飛んできたのにぶつかった。梟は桃に「来てはもらえないか」と誘い出し、桃を乗せて羽を大きくふるわせて空高く舞い上った。暗闇をすぎ、いくつかの山を越え、梟は杉の木のこずえに降りた。梟は桃にささやいた。実は「今夜、この森でおわかれ会があるのです。」

こんな情景から話が展開されるのが『夜くる鳥』[1]の絵本である。自著の紹介によれば、作者は岩瀬成子、『朝はだんだん見えてくる』で日本児童文学者協会新入賞受賞、『「うそじゃないよ」と谷川くんはいった』で産経児童出版文化賞、小学館文学賞受賞、絵は味戸ケイコ、『あのこがみえる』でボローニャ国際図書展グラフィック賞受賞、『花豆の煮えるまで』で赤い鳥さし絵賞を受賞し、幻想的風景の中に描かれた少女の数々の作品は独特の魅力を醸しだしている。本書のもう一つの主人公・桃も同じように独特の存在として描かれている。

話を『夜くる鳥』の情景にもどそう。桃は杉の木の上から「おわかれ会」を目の当たりにした。「おわかれ会」の風景は次のようであった。森の庭の中央に、臨終に近いイタチが横たわっている。イタチのまわりには、イタチの仲間だった熊、鹿、猪、猿、野鼠、野兎、狸が見守っている。周囲には、自分自身が身を寄せている杉の木以外に、栃、橅（ぶな）、楓などの木々が厳粛な雰囲気をつくっている。

「おわかれ会」がいよいよ始まった。厳粛な中で、イタチと親友たちの別れの問答が始まった。

狸　〈みんなから一歩前に出て、背すじをのばしてきいた。〉「どこまでもつづくと思うといきなり消えるもの、なあんだ？」

イタチ　〈よわよわしい声で〉「いのち。」

図1-1　『夜くる鳥』より

狸　「いいえ、イタチの足あとです。」

野鼠　〈イタチに近づいてきいた〉「ピカピカ光って美しいもの、なあんだ？」

イタチ　〈具合が悪く、手足はだらんとのばされ、鼻先は泥にうまりながら〉「星。」

野鼠　「いいえ、イタチの目玉です。」

鹿　〈みんなのうしろからきいた〉「聞こえなくても、いつまでも聞こえているもの、なあんだ？」

イタチ　〈目は閉じたまま、耳がかすかにふるえていた〉〈こたえる力はなかったようだ〉

鹿　「イタチの声です。」

〈イタチは動かなくなる〉〈動物たちは、しばらくイタチを見つめていたが、やがて、だれからともなく拍手がおこった。〉〈風がふき、栃、橅、楓などの木がざわざわとゆれた〉

「おわかれ会」はこうして終演となった。イタチは大自然に身をまかせて臨終となった。動物たちは最後まで、単にイタチの死を悲しむのではなく、イタチの存在をしっかりと確認しあっていた。記憶にとどめていた。「イタチの足あと」、「イタチの目玉」、「イタチの声」

――それは動物たちが、イタチにやさしく美しく寄り添った満足感に裏打ちされた記憶である。報恩感謝でもあろうか、清らかなあの世への即身成仏の願いでもあったのであろうか。そこには「寂滅為楽」の世界をみることができる。

動物たちの言葉は、イタチへの〝誄〟である。誄は他者への悼詞でもある。鶴見俊輔は、竹内好、野上弥生子、貝塚茂樹、渋谷定輔、加藤芳郎ら一二五人への悼詞をまとめている。(2) 鶴見は「後藤新平の孫として生まれたことで、小学校の同級生から始まり、数知れず不当に傷つけた人がいる」と回顧している。しかしである。一方で、かれがまとめた悼詞の「この本を読みなおしてみると、私がつきあいの中で傷つけた人のことを書いていない」といい切っている。誄や悼詞のもつ性質は他者を傷つけない、そういうものである。「おわかれ会」は他者への恩や祈りである。

われわれは臨終に近い人に向かって、なにができるか、どんな言葉を贈るべきか。信仰をもっている場合、キリスト教徒はキリスト教徒として、仏教徒は仏教徒として、ある程度共通の説き方がある。例えば、キリスト教徒であれば、臨終者に対して神の愛を、復活の教えを説くであろうし、仏教徒であれば極楽浄土を、即身成仏を説くのではないか。儒教の場合はどうであろうか。招魂再生の誓いにたてば、

〝あなたのことは絶対に忘れない。〟

〝みんながあなたのことを知っている。〟

〝あなたのことを、いつまでもいつまでも忘れない〟(3)

儒教の招魂再生の構造によれば、残しうるもの、それは生命である。個体としての死はあっても、依存しあってきた生命体は生きているのである。イタチの「おわかれ会」――イタチの生命、それはイタチの個体の生命のみで

はなく、イタチの住んでいた森の、イタチが生活していた土地や地面の、イタチと遊んだ森の動物の一族の生命の連続がある。イタチの生命は、依存しあってきた熊や鹿や猪や猿や野鼠や野兎や狸の命の連続である。イタチ、いつまでもいつまでも忘れない。

注

(1) 岩瀬成子(文)、味戸ケイコ(絵)『夜くる鳥』PHP研究所、一九九七年。
(2) 鶴見俊輔『悼詞』編集グループSURE、二〇〇八年。
(3) 加地伸行『沈黙の宗教――儒教』筑摩書房、二〇一一年。

◉第二話◉

「臭い」から「匂い」へ

——藤川幸之助の人間論

一　認知症と人間学
二　「ポ」と「ユ」の間
三　「臭い」の構図
四　支える側が支えられて生かされていく——依存への道

一　認知症と人間学

超高齢社会は慶事である。平均寿命の進化も、健康寿命の進化を含んで慶事である。けれども老いがすすめばすすむほど招かざる病の素が否応なしに襲いかかってくる。超高齢社会では二人に一人の割合で癌の発生がみられるようになり、認知症は二〇二〇年で八人に一人、二〇二五年では五人に一人の割合で発生するという予測がある。

現在のわが国は、まさに超高齢社会で認知症患者が増加傾向にあり、日常臨床を行う場合のみでなく、われわれの日常世間の中で認知症を理解することは必須である。いうまでもなく、われわれは日常生活において、会話、運動、計算、計画などさまざまな能力を駆使して生活している。しかしこれらの能力は生まれつき身につけたものではなく、人々が成長とともに学習・習得したものである。認知症は、記憶障害に加えて上記の能力の一部を喪失してしまうことを指す。つまり認知症は、主として記憶障害、失語、失行、失認、遂行機能障害などをいう。認知症の分類として、一般的にはアルツハイマー型認知症、レビー小体型認知症、前頭側頭型認知症、脳血管性認知症、アルコール性認知症、その他の認知症がある（小山真輝「認知症の分類と症状」〈看護技術〉二〇一六年四月）。

総合誌として知られる〈選択〉（二〇一六年四月）は、いまや誰の身にも襲いかかる病として深刻さを増す認知症をとりあげ、問題の核心は厚生労働省の無為無策にも起因していると報じている。つまり、介護保険制度では介護度を身体能力の低下によって困難になる排泄や入浴などの所要時間で判定し、徘徊する高齢者の見守り行為はそもそも介護行為としての評価が低い点をあげている。さらに症状が見えにくい軽度の認知症ならば、ほとんどが健常者扱いにされてしまうらしい。そんなことで同誌の見出しは、「「軽度認知症」が氾濫する日本」となっている。

〝氾濫〟とはやや過激な表現ではあるが、当局の福祉政策行政によって、高齢者が「徘徊する凶器」として、あるいは「徘徊・暴走予備軍」として世の中に量産されていく現状を訴えている。

認知症についての国民の意識は、介護施設での生活を希望する率は高い。その理由としては、「周りの人に迷惑をかけたくない」、「身の回りのことができなくなってしまうから」という回答が多いのが通例である。しかし、国が示している「認知症施策推進総合戦略（新オレンジプラン）」では、在宅誘導政策をとっている。施策において美辞麗句を配しても、老老世帯において徘徊する認知症患者をみることは困難である。現在、認知症高齢者の行方不明者は、二〇一四年のみでみても一万七八三人にのぼるとみられる。自死者が年間三万人をようやく下回った時点において、行方不明者一万人越えの現実は大きな社会問題にちがいない。

社会的孤立の観点でみるならば、認知症がらみの介護殺人も悲しい現実である。認知症に限らず、老老介護、老認介護などに起因する介護疲れによる問題は、家族として当事者として、また社会全体の問題として、いたたまれない出来事である。前頭側頭型認知症の場合では、前頭葉機能の喪失パターンによるルールを守れない反社会的行為としての万引行為が見受けられる。このような症状に伴う行為に対する社会（世間）の向き合い方も今後の課題である。

延命手段の選択としての人工呼吸器や胃ろうの装置の問題も、本人や家族の意志決定の困難さを伴う問題である（会田薫子「『胃ろう問題』とはなにか」〈臨床精神学〉第四五巻第五号）。かつそれは、「医療職も揺れている」問題でもある（結城康博・平野芳子『介護と看取り』毎日新聞社、二〇一一年）。ある調査によると、認知症高齢者に胃ろう装置の意向を聞くと、約八割が即座に「否」と答え、嫌悪感の表情を浮かべるという。しかし半年後経過の意向では、初めに「否」と答えた人の約三割が言語的意思疎通が不可能な状態で、多く誤嚥性肺炎を引き起こす場合が多いようである。同時に大方は「否」と答えた人でも、医師と家族との合意で胃ろうが造られる結果に落ちつくようである（大井玄『病から詩がうまれる』朝日新聞社、二〇一四年）。大井はこんな風に結んでいる。「二度目の調査で言語的意思疎通が取れなくなった人たちの認知能力は、ふたたび「いやだ」と答えた人よりも更に低かった。これから歩む死への過程において、その能力は必要ではない。しかし、しゃべることができる間は、それぞれの個性が、重く灰色に空を覆う雲間から一瞬射す入日のように窺われることもあった。その人たちは、野原の末の林の木々や草花や虫たちとともに自然に戻りつつある存在のようだった。」

眼を転じて「認知症高齢者列車事故訴訟」（最高裁判決）について触れてみよう。この訴訟は、当時九一歳の男性（アルツハイマー型認知症患者で認知症自立度Ⅴ、要介護四）が、デイサービスから帰宅した夕刻、妻（八五歳、要介護一）が数分間まどろんだ際に外出（徘徊）し、ＪＲホームに入り列車にはねられ死亡したことが発端となった。ＪＲ東海は、列車の運休に伴う代行輸送で生じた被害の賠償を男性遺族に求めた訴訟である。その結果は意外にも、原審名古屋高判、一審名古屋地判ともに「家族に賠償責任あり」の判決であった。しかし一転して最高裁判決では、「家族に賠償責任はない」とするものであった（〈戸籍時報〉二〇一六年五月）。最高裁の判断は当然の結果だと思われるし、むしろ男性は被害者の立場のようにも思われる。前述したように、認知症高齢者の徘徊を社会全体の問題として、われわれ自身の問題として考えねばならない。つまり最高裁判決は、介護する家族を全面的に擁護したわけではなく、求められるのは認知症家族の負担を社会全体で分散するための仕組みと法制度の整備を含めた議論である。徘徊などについての監督責任を問う前に、「認知症になっても社会のなかで生き、自由に安全に外出できる仕組みについて国民的議論」が必要であろう（日下部雅喜「家族の責任を問う前にすべきこと」〈福祉のひろば〉二〇一六年五月）。

改めて認知症問題で目を疑うようなニュースもある。海外の話題であるが、オランダは世界で最も早く安楽を合法化し、その理解も国民の間に浸透しているという。二〇一四年のデータによれば、オランダでの安楽死の申告数は五三〇六件に上る。安楽死の要件としては、①患者の自由意志による明確な意思表示、②病気による患者の耐え難い苦痛、③回復の見込みがない、④代替の治療方法がない、⑤複数の医師の承認、であって、当然のことながらこの時点として安楽死の要件として認知症は含まれていない。ところが「体は元気でも認知症を理由に命を絶った」七九歳の男性は認知症による安楽死で写真入りで報道された。その男性の妻は、「夫はとても悲しそうでしたが、とても幸せそうでもありました。シープ（男性の名）らしい、美しい死に方だったと、私は今でも信じているのよ」と語っている（SAPIOⅤ、二〇一六年六月）。認知症は果たして「耐えられない痛みなのか」、肉体的な痛み以外にも、人間には誰しもが精神的痛みをもっていて当然である。安易な拡大解釈は、人間のもつ命の重みを自ら消しかねない。

さて、ここで認知症に関し示唆に富む二つの提言に耳を傾けたい。

一、宮崎和加子は、「生活支援学」の確立を提唱されている（『認知症の人の歴史を学びませんか』中央法規出版、二〇一五年）。生活支援学とは、「『介護学』という概念ではなく、自分の力だけでは生活できずに支援（経済的支援を除く）が必要な人々の生活・生きることとの支援のあり方を根本からつくり上げ、体系的に確立していくことが必要」な学問である。その対象は、日常生活上誰かの支援が必要な精神障害者、知的障害者、身体障害者、視聴覚障害者、発達途上の子ども、病人（病気のために一時的に）、認知症の人たちを念頭において、「憲法で保障された人権をもった一人の人間として、自分が描く人生を自分らしく主体的に生けるよう支援していく」ことを目的としている。

二、三好春樹は、「医学より人間学」を提示している（『新しい認知症ケア　介護編』講談社、二〇一三年）。三好の「人間学」の提示は以下のとおりである。十分に味読する価値がある。

私は認知症については「重度」とか「重い」という言葉を使いません。その代わり、「深い認知症」という言い方をしています。

初めて、その「深い」認知症の男性に出会ったのは、二四歳のとき偶然に就職した特別養護老人ホームでのことでした。帽子を被り、なぜか腰のベルトにタオルをいっぱいぶらさげて施設から出ていこうとするのです。「どこに行くんですか」と尋ねると「ロシアに行ってくる」。この〝ロシア〟っていったい何のことだろう、と考え始めたのが、私が「認知症」と呼ばれるようになった老人たちに関わるきっかけでした。

「認知症は脳の病気なんだから、訳の判らないことを言ってるだけだ」と周りの人たちは言いました。しかし、例えばこの男性の場合は、その生活史をたどっていけば、〝ロシア〟が〝象徴〟や〝隠喩〟であることが判ってくるのです。認知症老人の表現は、言語とは何かという問題にまで関わる人間的なものであるらしいと考え始めました。（中略）

どうやら必要なのは「医学」よりは「人間学」であると言えそうです。医学は、認知症の原因とされる脳を究明することで問題を解決できると考えたがっています。

つまり認知症の問題は、「異常」として認識するのではなく、認知症の人たちの精神の世界そのものと向き合うことである。そこに、「人間学」の提唱につながるのである。

二　「ポ」と「ユ」の間

宮崎の「生活支援学」といい、三好の「医学より人間学」といい、認知症を考えるうえで、さらには人間の生き方を考えるうえで貴重な提案である。

この「人間学」の実践者の一人が、これから学ぶ藤川幸之助の詩である。藤川は自らの母親の認知症介護の体験から、こんな発言をしている。

　超高齢化とか、認知症の介護などの問題は、現代社会において足かせのようにも思えるが、実は人と人とのつながりを取り戻す良い機会ではないかと私は思う。どんなに便利な社会になっても、自分一人では乗り越えられないことがあり、自分がそんな弱い存在であることに気づくこと。これが、コミュニティー再生の鍵だと思うのだ。（藤川幸之助『命が命を生かす瞬間』真宗大谷派宗務所出版部、二〇一三年）

藤川幸之助は次のように紹介されている。一九六二年熊本県生れ。長崎大学教育学部大学院修士課程修了。小学校教諭を経て文筆活動。詩人・児童文学作家、日本児童文学者協会会員。以上であるが、藤川は主として認知症の母親の介護を通した、文字どおり「命が命を生かす」詩人として知られている。人間にレッテルを貼るのは不見識であるが、藤川は単なる詩人ではなく、崇高な生命倫理、教育、哲学に通ずるひとである。

藤川は認知症の母を看取る前に、妻と父親を看取っている。本稿の主題である藤川の母の詩を語る前に、妻の死と父の死の看取り介護を綴ってみよう。「妻の死」について藤川は、母の認知症の病状がすすむ最中のとき、一緒に懸命に母の介護をしていた妻に乳癌がみつかり、その治療に約五年の歳月を要した。途中、癌を切除してしばらく病状が平穏になったものの、二年後に皮膚に転移し、その後骨髄、骨、最後には肝臓に転移する。その間、妻は抗がん剤の投与を拒否し続けるが、藤川の説得で抗がん剤を打つことになる（藤川幸之助『手をつないで見上げた空は』ポプラ社、二〇一二年）。別のところで藤川は、「私の妻は、まず乳がんが出て、その後、二年間どうもなかったので温存手術をしたのです。その乳がんが反対側の皮膚に転移して、その皮膚から今度は骨髄にいきました。骨髄にいって、そのがんが骨に出ました。骨に出た後に肝臓にいって、最後は腹水が腫れて最後は亡くなる」状況を悲しく記している（藤川幸之助「支える側が支えられるとき」『セミナー講演集』第三〇巻、大阪府市町村振興協会、二〇一三年）。

改めて、妻の死については、『君を失って、言葉が生まれた』（ポプラ社、二〇〇六年）に特別に詳しい。書中では妻の死の四年前のことからの記録が載せられていて、読者の心をゆさぶる。その中の、「君が死んだ朝」の項の詩を抄録してみよう。

君は、明け方突然苦しがり、
何の言葉も残さず、
「さよなら」も言わず、
痛みと闘いながら力んだまま死んだ。
息が止まり、次の息が来ないのだ。
まだまだ心電図は動いている。
何度も何度も君の名を呼んだ。
まだ、君が生き返り、元気になるとぼくは思っていた。

「ご臨終です」と医師が言った。
機械が次々に取り外されていく。
イマジネーションが貧困なのか、
希望を強く強く持ち続けているのか、
まだ温かい君を抱きしめながら、
生き返って元気になるかもしれないと
ぼくはまだ思っていたんだ。

妻の看取りにおける治療対処の苦悩について藤川は、「彼女が受けたくないと云い続けた抗がん剤を受けさせ、つらい思いをさせ、結局のところその一年後には彼女は死んだのです。最後は意識朦朧となり抗がん剤の名前を呼び続けながら、亡くなりました。本当に抗がん剤治療を受けさせてよかったのか?」(『手をつないで見上げた空は』)と反問する。このことは母親の治療対処の苦悩につながる問題ともなる。

藤川は妻を亡くして、「ぱっと目をつぶると、亡くなった妻が料理を作ってくれた最後の日をふっと思い出す」、「目をつぶって、あれが妻と最後に散歩したときだったなと思う」、と追憶する。そんなところから、「本当は彼女が生きていたときに、目の前にいるときに大切にしなくてはいけなかった。亡くなってから人間は思うのですよ。だから、私は思うのです。目の前にいる人間を大切に生きていかなくてはならない」という考えに到達する。これは藤川の妻への想いだけでなく、父への想い、母への想い、さらには人間への想いにつながっていく思想である。

藤川が母の介護を背負う前に、父が母の介護を一二年間もの間にわたり命懸けで行っていた。ここに父の母の介護の日課が残されている(『命が命を生かす瞬間』)。「二人の日課表」がそれである。前半部分を記してみる。

日課表にあわせて二人は暮らしていた
六時三〇分◆お母さんといっしょに起きる
六時四〇分◆お母さんと布団をたたむ
六時五〇分◆お母さんと歯を磨く
こんなふうに一日は始まって
十時〇〇分◆お母さんといっしょに散歩
昼食が終われば
三時〇〇分◆お母さんといっしょに歌う
二人で「旅愁（りょしゅう）」を歌っていた
認知症が進んで母が歌えなくなると
「更（ふ）けゆく秋の夜　旅の空の……」
と、父は母の手を握って毎日歌っていた
調子のはずれた下手な歌だったけれど
母はとても嬉（うれ）しそうだった

二人の日課表はまだまだ続くが、父亡き後も藤川自身も父と同じ役割で実践していた。ところが父は心臓を患っていて、バイパス手術をしており、かつ自身は身体障害者一級の手帳を持っていた。そんな父が一人で毎日毎日認知症の母を懸命に介護していたせいか、無理がたたり心臓発作で倒れ、そのまま帰らぬ人となってしまう（『手をつないで見上げた空は』）。父の死は突然だったようである。「スピード」（父危篤の知らせを聞き車を走らせる）の詩がある（藤川幸之助『マザー』ポプラ社、二〇〇〇年）。紹介しよう。

ぐちゃぐちゃに潰していく
前が見えなくなったので
車を止めて〈命〉をふき取る
そしてまた急ぐ
病院に着いてみると
もう父も
潰れてしまっていた
猛スピードですぎた自分の人生に
押しつぶされて
ここまで父を急がせた
母がゆっくりと
父の亡骸（なきがら）に近づいてくる
母がふっと
死から上手に遠ざかる
死と程々に距離を保って
上手にふっと死を避ける
おれが先に死んだら

一緒に連れていきたいなあ
と言う父の言葉を知ってか知らずか
秋茜が飛んでいる
秋のある日
父の死を噛みしめて

藤川の詩には、すべて独特の感性が湧き出ているが、その中でも一際ユニークな詩が《「ポ」と「ユ」の間》（藤川幸之助『徘徊と笑うなかれ』中央法規出版、二〇一三年）であろうか。この詩の前半と後半を割愛して、中間部分を読んでみよう。

父は家族にも囲まれず
ポックリと死んだ
迷惑はかからなかったが
深い悲しみと後悔が残った
母が認知症になってから二十三年
母は私に付き添われユックリと死んでいく
母の介護は父の遺言でいやいや始めたことだ
いやな顔で母を何度にらんだことか
「ポ」と「ユ」だけの違いなのに
こんなにも隔たりがあって

「ポ」と「ユ」の間で
このままでは俺の人生が台無しだと迷い
おれの母さんなんだろうと悲しみ
なんでこんなことも分からないのかと怒り
どうにか母さん生きていてくれと祈り
言葉のない母の心を分かろうと足掻(あが)いた

「ポ」は父の突然の死であり、「ユ」は闘病二四年の母の死を意味していることがわかる。この詩の最後の四行は、
ある夜、ふと目を覚ますと仏壇の前で
最初は迷惑そうな顔をしていたが
息子は少しばかり人間味豊かになったと
「ポ」と「ユ」が嬉しそうに話していた

となっている。父と母が藤川幸之助の成長を喜び合う構図になっている。しかし、おそらく「ポ」と「ユ」の間には、藤川にとって大切な妻の死が隠されているのではないだろうか。つまり父と母と妻と本人の四人がみつめ合う交奏曲なのである。

三　「臭い」の構図

さてここで、本題の藤川自身による一二年間にわたる認知症の母の介護に移ろう。母の介護についての物凄い情

況が映し出されているいくつかの詩がある。母を叱りつけたり、母がいなくなれば楽になるかもと考えたり、母を殺してしまおうと考えたり、認知症からくる母の惹き起こす生々しい出来事から、人々の胸をうつ三編を並べる。
正座して朗読してみよう。

「おむつ」

母が車の中でウンコをした
臭いが車に充満した
おむつから染み出て
車のシートにウンコが染み込んだ
急いでトイレを探し男子トイレで
尿の始末をした
母を立たせたまま
おむつを替える
狭い便所の中で
母のスカートをおろす
まだ母は恥ずかしがる
「おとなしくしとかんとだめよ」
と言って
母のお尻をポンポンとたたいてみた

子供の頃のお返しのようで
少し嬉しくなった
母のお尻についたウンコや
性器に詰まったウンコを
ティッシュで何度も何度も拭いてやる
かぶれないように拭いてやる
母が私のウンコを拭いてくれたように
私は母で
母は私で
母の死を私のものとして見つめる
私の死を母のものとして見つめてみる
母と一緒に死を見つめてみる
狭い棺桶のような直方体の
白い便所の中で
鍵を開け母の手を引いて
便所から出る
そして
左手で母をつかまえたまま

私も便器に向かい
右の手で小便を済ませた

「そんなときがあった」

母よ
私はあなたを殺してしまおうかと
思ったことがあった
あなたの子どもの私が
あなたの親になったとき
私の親のあなたが
私の子どもになったとき
大便を触りたがるあなたに
大便に触りたくない私が
「おれの母さんだろう」と叫んだ日
よだれが垂れるあなた
よだれで呼吸ができなくなるあなた
「何やってんだ」と苛（いら）つく私
どうしても指をくわえるあなた

（『手をつないで見上げた空は』）

指をくわえさせたくない私
歩き回るあなた
石になってもらいたい私

（藤川幸之助『満月の夜、母を施設に置いて』中央法規出版、二〇〇八年）

「悲しみ」

よくよく考えてみると
あの笑っているような母の声は
ぼけた自分をまのあたりにした
悲しみだった
公衆便所で母を立たせたまま
オムツを替えた
「カッカッカッ」と
母が笑うように何か言ったので
「何ば笑いよるとね
お母さんのウンコぞ」と
母を叱りつけたが
「カッカッカッ」と
まだ笑い続けるので

オムツを床にたたきつけた
オムツを替え終わり
ウンコの飛び散った床を拭いていたら
いつの間にか母がいなくなっていた
「もういいかげんにしてくれ！」
母を捜しながら私は
このまま母がいなくなってくれれば
楽になるかもしれないと

（『徘徊と笑うなかれ』）

藤川は、妻の治療の選択に悩んだのと同様に、母の治療の選択に悩む。母は六〇歳のころ、アルツハイマー型認知症になった最初のころから、言葉も、歩行も、食事も、意思行為も不自由となり、胃ろう施行の選択に悩みに悩むことになる。二四年間にわたる治療介護の中で、ある時「この脳の状態ならば、もう息が止まりますよ。あと一年後とか一か月後とかいう話でなくて、一〇日後でもないです、一時間後に息が切れる可能性がある」と医師から宣言される。そこで医師から人工呼吸器を付けるか否か問われる。藤川は、「先生、もういいです。もうはめないでください。もう母は二三年間この病気を背負って必死に生きてきました。先生、その一日一日を私は知っているので、もうゆっくり休ませたいと思う。先生、もう人工呼吸器は付けないでください」と答えている。けれども藤川は、「ふと頭の中で、私のあの一言で母を殺してしまっていいのだろうか」と反問する。迷いに迷った末に、やはり人工呼吸器を付けることになる（「支える側が支えられるとき」）。この迷いの葛藤が藤川の豊かな人間味溢れる詩として表現される。そんな迷いの詩二編を並べてみよう。

「本当のところ」

胃瘻から栄養を入れることができないので
高カロリー輸液を
中心静脈から入れるかどうか
するとそう延命というわけでもないし
入れていいいんじゃないかと
言い出す者も出てきて
本当は私の一存で
母を殺していいのかと思っていたので
安心したというのも本当のところ
静脈から高カロリーを入れて
元気になっても
この肺の状態では一、二ヶ月後肺炎になって
またこんな状態になるのは目に見えている
抗生剤を入れるのも延命のように思えて
母を生かし続けるのに
罪のようなものを感じた
実はこれも本当のところなんだ

いつもは不携帯の私が
便所に入るときも
風呂に入るときも携帯して
夜中何度も何度も枕元の携帯電話を確かめる
母の死にびくびくするこんな日々が
また続くのかとも思った
「私はもうくたびれています
もうゆっくりしたいので
入れないでください」
と、私は言いたかったのかもしれない
これもまた本当のところ

「そよ風のような幸せ」
母が死に向かって
一歩一歩
歩いている
私は見えない幸せを探して
一歩一歩

（『徘徊と笑うなかれ』）

歩いている
ときには私の道を
母の道に重ねて歩く
いつか必ずと言える
幸せが見つからない
死に向かっている母の中に
どんな幸せを
見つけていけばいいのか
母の死を見つめている私の中に
母とのどんな幸せを
願えばいいのか
食べ物を飲み込めなくなった母

（藤川幸之助『まなざしかいご』中央法規出版、二〇一〇年）

藤川の母の介護治療の選択についての話を挿入してしまったが、話題を先に述べた《おむつ》《そんなときがあった》《悲しみ》に戻そう。この三編は、いずれも母の汚れの断面を表現したものである。藤川には詩のみでなく、散文がそれこそ散見されるが、母の汚れについて《臭い》（『まなざしかいご』）という散文がある。本稿の主題と深くかかわるので味わってみたい。

「臭い」

眠れず真夜中海へ行った。海の臭いが鼻を突いた。死んでいるのか生きているのか。明か暗か。不安なのか安心なのか。希望なのか絶望なのか。喜んでいるのか悲しんでいるのか。ゼロなのか無限なのか。愛なのか悪なのか。黒なのか透明なのか。……真夜中の海はそんな臭いがした。

四　支える側が支えられて生かされていく――依存への道

ところがである。ここで藤川の大転換が生じる。圧巻のコペルニクス的転回である。それは《匂い》（『徘徊と笑うなかれ』）の作品である。まさに、先の四編の母の汚れを含んだ「臭い」から「匂い」の展開の一大ドラマである。「匂い」こそが、人々が求めていた人間愛の極致ではないだろうか。「匂い」こそが人間讃歌である。「匂い」を心ゆくまで嗅いでみよう。

「匂い」

母の匂いがあった
もう忘れてしまったけれど
母といっしょにいるあかし
石けんの匂いのような
そんな母の匂いがあった
父の遺言でしかたなく始めた
認知症の母の世話
オムツを替える時のうんこの臭いに

何でおれがこんなことを
と、父を恨んだ
鼻を突くおしっこの臭いに
おれは忙しいんだ
と、母をにらみつけた
よだれの臭いをかぐたびに
しっかりしろよ
と、情けなくなり叱りつけた
あれから二十数年
いつの間にか
母のうんことおしっことよだれの
臭いが匂いになった
母の匂いになった
もう決して忘れない
母が必死で生きているあかし
石けんの匂いを遠くに感じながら
これが母の匂いになった

《臭い》から《匂い》を人間讃歌と書いたが、人間讃歌の内実には〈人間化への構図〉がみてとれる。この〈人間化への構図〉には四つの構図が認識される。いうまでもなく、第一の構図は、すでに述べてきた「臭い」から「匂い」である。

第二の〈人間化への構図〉は、「だめになっていった母」（『徘徊と笑うなかれ』）から、「母の存在そのもの」への認識の転換がある。藤川の母は既述のように二四年間認知症で、人生の三分の一を病魔に襲われていたことになるし、藤川自身も人生の半分を母に寄り添ったことになる。藤川は当初、母の介護について愚痴を発したこともあった。ところが、

ある夏の暑い日、母の肌がかぶれないようにやさしく、膀胱炎にならないように丁寧に下を拭きながら、汗だくになって母のおむつを替えている時のことでした。母のことを思いやり、母の痛みを自分のこととして感じている自分自身にふと気がついたのです。母が私の中から人を思いやる愛や優しさを引き出してくれていると思いました。そして、その時この介護という経験を通して、母が私を育ててくれているのだという思いに至ったのでした。

と回想する。そして母は言葉もなく、意味のある行動も不可能であったので、「認知症になって何もかもできなくなっていく母を見て、人間としてだめになっていると思っていましたが、母はだめになっていったのではなく、生まれた時のような『存在そのもの』に返って、その返っていく姿で私を育てていた」と認識の転換をする。これも人間讃歌である。この「だめになっていった母」から「存在そのもの」への認識過程が、「臭い」から「匂い」への第二の〈人間化への構図〉である。

第三の〈人間化への構図〉は、《こんな所》（藤川幸之助『ライスカレーと母と海』ポプラ社、二〇〇四年）の作品にみられる。藤川は、父が入院してしまい、母の介護に手がまわらなくなり初めて母を病院の施設に入れた時の感想

がある。藤川は、母の入った病院の施設の状況を「こんな所」として、初めはこんな風に描写している。

始終口を開けヨダレを垂れ流し、息子におしめを替えられる身体の動かない母親。大声を出して娘をしかりつけ拳で殴りつける呆けた父親。行く場所も帰る場所も忘れ去って延々と歩き続ける老女。鏡に向かって叫び続け、しまいには自分の顔におこりツバを吐きかける男。うろつき他人の病室に入り、しかられ子供のようにビクビクして、うなだれる老人。

施設内の様子が正直にそのまま表現したのであろう。しかし藤川は、「こんな所」と揶揄していたが、やがて、「こんな所」と思った私も、同じ情景を母の中に見ながら「こんな母」なんて決して思わなくなった。「こんな所」を見ても、今は決して奇妙には見えない、老人達の必死に生きる姿に見える。

と転換する。つまり「こんな所」から「必死に生きる姿」を発見するのである。これが、「臭い」から「匂い」への〈人間化への構図〉の第三である。

第四の〈人間化への構図〉は、題名のない次の詩にみられる（『命が命を生かす瞬間』）。

こちら側と
あちら側が
あるうちは
そこには同情しか
生まれない

この詩を藤川は、

正常だと思っている「こちら側」から認知症の母を「あちら側」と言って、奇行だ奇行だと馬鹿にすることもできよう、端から見れば母は可哀想に見えるかもしれない。でも、自分の頭の中に広がっている世界に沿って生きているという点では、母と「こちら側」の私たちとは何ら変わりはないのである。私には母が病気になる前よりも幸せそうに見えるときがある。

と説明している。つまり、「こちら側」＝「臭い」から、「あちら側」＝「匂い」の転換が、真の人間化、人間が人間として生きる道であることを示唆している。

重ねて述べるが、藤川は「母のウンコに汚れ、小便や涎の臭いをかいで、母さん死んでくれと心まで汚れて、苛立ち、憎み、汚れても汚れても、それでもなお保たずにはおられないものがあった。それが人を愛する心だと、この汚れた日々が教えてくれた」（『命が命を生かす瞬間』）ことを感謝している。

《カステラ》の詩がある（『手をつないで見上げた空は』）。

「カステラ」

包丁が容易に入り込めない
やわらかさ
切ろうとすると
切ろうとする力の分だけ
カステラはひっこんでしまう
母の柔らかさを左手で確かめながら
母から手渡されたカステラを
右手で握って食べた

母に向けて笑っても
母を嫌っても
母に怒鳴っても
母に泣きついても
私の心の力の分だけ
ただ母は柔らかくひっこんでそばにいてくれた
包丁をふきんでぬらして切ると
よく切れるのにと
みんなは教えてくれるけど
私は切れにくいままカステラを切る

おそらく藤川が母を憎んでも、母を怒鳴っても、母はカステラのように、切っても切ってもやわらかく押し返してくる愛情を無限に感じとったのであろう。人間はしばしば individul と表記される。individual とは、in＋divide である。divide は「分ける」の意味をもつ。したがって、人間は分けてはいけないのである。つまり「臭い」と「匂い」を分けてはいけないのだ。臭いから匂いの統合が、人間という「人の間」の「間」を埋めるものである。人と人との間を埋めることによって、individual は person として成立する。

この「臭い」から「匂い」の〈人間化への構図〉は、次の三行詩でほぼ完成される（『命が命を生かす瞬間』）。

文える側が支えられる
教える側が教えられる

育てる側が育てられる

藤川はいう。「命が命に寄り添うとき、命と命とはどのような立場になろうと、お互いを育みあう。認知症の母を介護した二四年間を振り返って思う。私が母を支え続けていたと思っていたけれど、実のところ私が母から支えられ、教えられ、育てられていた」と。支える側が支えられる。教える側が教えられる。育てる側が育てられる。「支える側が支えられて生かされていく」。これはまさに〈依存〉そのものではないか。美しい〈依存〉そのものである。

◉第三話◉

生きる

一　平和に生きる
二　自由と平等に生きる
三　生命の質に生きる
四　他者と生きる
五　依存として生きる

われわれは、人間として人間らしく生きられる世間、他者を尊重し合い、人間らしい人間関係の中で生まれ育ちたいものである。本稿では、「生きる」ことを主軸に、〈平和に生きる〉、〈自由と平等に生きる〉、〈生命の質に生きる〉、〈他者と生きる〉、〈依存として生きる〉の五項目を設定して考察する。

死ぬ事は保障されてる生きなくちゃ　　福岡小次郎

この句は、「毎日新聞」二〇〇一年一月二一日朝刊の「万能川柳」である。もはや川柳ではあるまい。奥深い崇高な教育論である。しかもDeath EducationはLife Educationであるべき論も示唆している。

もう一つ、稀有な教育論がある。質の高いすてきな発言がある。それは、阪神大震災一三年を迎えた二〇〇八年一月八日「朝日新聞」朝刊に載せられた少女の作文「命」である。その後半部分を紹介しよう。

生きていること。それは困難のかべにぶつかりそれを乗りこえること。約束された死までの時間を輝くものにすること。死んでしまうこと。それは、輝く人生を終え、他の人の心の中で、永遠に生きてゆくこと。

どうも生きることは、「輝くこと」につながる必要があるらしい。人には人それぞれの個性がある。どんな個性にしても、相互に認め合い感じ合うことが、生きる美しさに映えるものである。さきの川柳のように、人の死は百パーセント保障されている。その死とは、他の人の心の中で永遠に生きてゆくことである。仏教の求道者である南直哉は、「人は死ぬから生きられる」「みんな自己を背負わされて生まれてきている」（茂木健一郎・南直哉『人は死ぬから生きられる』新潮社、二〇〇九年）と、逆の立場から生死観を展開されている。ともに味わうべき論である。

病魔の中で「生きる」ことを悟ったのは正岡子規であった（『病牀六尺』岩波書店、一九二七年）。

余は今まで禅宗のいはゆる悟りといふ事を誤解して居た。悟りといふ事は如何なる場合にも平気で死ぬる事かと思つて居たのは間違ひで、悟りといふ事は如何なる場合にも平気で生きて居る事であった。

一　平和に生きる

律令制以前においての死刑の存在を文献上からみてみると、いわゆる『魏志倭人伝』から読みとれるものがある。すなわち、「其犯法軽者没其妻子重者没其門戸及宗族」とあるように、刑の軽い者は妻子を没せられ（奴隷にすること）、重い者は門戸（一家）及び宗族（一族）を没すると記述されている。後半の没は滅の義と同じで死刑を意味するものであった（石原道博『魏志倭人伝他三篇』岩波書店、一九五一年）。

しかしわが国では死刑廃止の時代が長期間継続された説が多々ある。布施は「神亀の死刑廃止」として次のように説明している。「わが国で神亀二（七二五）年十二月二十一日に死刑を廃止して、天平元（七二九）年二月十二日に復活した。この間わずか足掛け五年に過ぎなかったが、実に世界最初の死刑廃止である。」その根拠として布施は「「神亀二年十二月庚午、詔曰、死者不可生、刑者不可息、此先典之所重也、豈無恤刑之禁、今所奏在京及天下諸国、見禁囚徒、死罪宜降従流、流罪宜従流、徒以下並依刑部奏」（続日本紀）とあり、詔を以て死刑を流刑に降して死刑を行わないこととしたのである。死刑を定めた律令はそのままとしたのであるが、天皇は何等律令に拘束されるものではなく、律令の改廃は全く自由なものであった」と解釈している。次いで「弘仁の死刑廃止」の項では、「弘仁元（八一〇）年九月十一日、従四位上右兵衛藤原仲成が処刑されて以来、保元元（一一五六）年七月三十日、源為義が死刑に処せられまで、三四七年の永きに及び、事実上死刑に処せられたものは一人もなかった」（布施弥平治『修訂日本死刑史』巌南堂書店、一九八三年）と断言している。つまりわが国では、神亀の五年、弘仁からの三四七年の合計三五二年もの長期間にわたり死刑廃止の時代が存在した、稀有の歴史を確認することができる。

吉田は、布施と同じように「死刑執行のない時代」として、「八一〇年の「薬子の変」で藤原仲成が処刑されてから、一一五六年の保元の乱まで、天皇の裁可（承認・決定）による死刑執行は、約三五〇年間、行なわれない。これは人類史上、きわめて稀な、おそらく広義の国家が成立して以後の唯一の特異な歴史であろう。」（吉田孝『歴史のなかの天皇』岩波書店、二〇〇六年）と意義づけている。さらに吉田は、大宝律令は唐律よりも一般には刑を減じているが、祭祀の期間内に天皇に死刑の決裁を仰いだ場合には、逆に唐律より重い刑を科すように改められていた。しかし奈良時代には、死刑はほとんど減刑されていた。その根拠として、天皇を死のケガレから遠ざけようとしたためであろうと論じている。

さらに利光は、「嵯峨朝における死刑停止について」の項で、「嵯峨天皇の弘仁年中、死刑の執行が停止せられ、爾来保元の乱に至るまで、帝王二十六代、年紀三百四十七年の久しきに亘って、死刑が停止された事実は、わが法制史上特筆せらるべき事実であるのみならず、人類の歴史においても注目せらるべき事実であらねばならない」とし、「死刑の停廃が三百四十年も続いたということは、人類の歴史において、めずらしいことで、（中略）日本に措いて外にない。」（利光三津夫『律の研究』明治書院、一九三一年）と結んでいる。

一方で戸川は、「確かに嵯峨朝以前の正史を探っても天皇が明確に死刑を命じる事例は藤原広嗣の乱のような国家的反乱を除いて見当たらない。しかし、のちに見るように嵯峨天皇は盗犯に対する死刑を停止している。そこから逆に推測すれば正史には記されていないが、それ以前に盗犯に対する死刑が行われていたとも考えられないだろうか」（戸川点『平安時代の死刑』吉川弘文館、二〇一五年）と結論を不明にしている。坂上は、「嵯峨朝以前にも、天皇に対する反逆罪以外の犯罪者を、律令の規定する裁判ルートにのせた上で天皇が命じて死刑に処した明白な例は、史書には見えない」としたうえで、「天皇には死刑執行命令という凶事に直接手を染めさせないように配慮したのではないかという疑いすらかけられる」（坂上康俊『律令国家の転換と「日本」』講談社、二〇〇一年）としている。

以上、わが国における死刑廃止の歴史をみたが、死刑廃止の要因についてまとめておきたい。死刑廃止の直接的な根拠は唐律の影響であるが、死刑廃止の長期継続の要因としては、①日本人の穏和な国民性（超歴史的な評価ではあるが）、②人道主義の観点と仏教の影響による慈悲の思想、③原始的感情からもたらされた死穢の忌避、④死刑の代替としての流刑による処置、⑤仏教思想のもう一つの因果応報説、⑥怨霊の恐怖による御霊信仰などが挙げられる。

死刑廃止に関連して、もう一つ特筆すべきことがある。それは『令義解』の「獄令」の定めである。ここには古代日本人の生命観が鮮明に映し出されている（『国史大系』第十二巻、経済雑誌社、一九〇〇年）。

凡決大辟罪、五位以上、在京者、刑部少輔以上監決。謂難是自尽之人亦在其家監決也。在外者、次官以上監決。余並少輔、及次官以下監決。従立春至秋分不得奏決死刑。謂奏決者、猶云奏而決也。若犯悪逆以上、及家人奴婢・主者不拘此令。

つまり、悪逆以外の大罪とか主殺罪は例外とするけれども、死刑執行については、他の自然界の生命が躍動する期間の、立春から秋分までの間はその執行を避けなければならなかったのである。たとえ死刑者であっても、いわゆる最後の「タマ」信仰は残されていたのである。そこでの生命観は、タマ（霊）は国家に対しても科学に対しても不可侵の「領土」として存在していたのである。

共同体史的観点からみると、死刑廃止はわが国における〈第一の誇れる歴史〉である。さらにである。わが国における〈第二の誇れる歴史〉が存在する。ノエル・ペリン（Noel Perrin）著すところの『鉄砲をすてた日本人』（川勝平太訳、紀伊国屋書店、一九八四年）の歴史である。

ペリンはアメリカ出身で、いわゆるジャパノロジスト（日本研究家）ではなく、日本の歴史研究者でもないらしい。かれはアメリカ文学で教鞭をとり、環境科学にも通じた「自然にかえる」思想の実践家でもある。その思想は明確である。平和への希求者である。そんなペリンは、題名に示されているように、鉄砲の時代から刀剣の時代へと後戻りした日本の歴史に注目した。同書の「日本語版への序文」で、次のように主張している。

日本はその昔、歴史にのこる未曽有のことをやってのけました。ほぼ四百年ほど前に日本は、火器に対する探究と開発を途中でやめ、徳川時代という世界の他の主導国がかつて経験したことのない長期にわたる平和な時代を築きあげたのです。わたしの知るかぎり、その経緯はテクノロジーの歴史において特異な位置を占めています。人類はいま核兵器をコントロールしようと努力しているのですから、日本の示してくれた歴史的実験は、これを励みとして全世界が見習うべき模範たるものです。

人類における道具の最初は、おそらく外敵から身を守る防御のための棒切れや石という武器であったと思われる。人類史上における道具ないし技術の発達は、武器の発達とイコールであり、武器の発達は無制限に拡大化、効率化、先鋭化してきた確実な歴史を刻んできた。そんな背景にありながら、日本は世界の兵器の発達に逆流して、鉄砲を棄てて刀剣に変えたのである。これは大変な出来事である。同書の「訳者あとがき」で川勝平太は次のように解説している。「世界史における武器発達の二大画期は、鉄砲の発明と核兵器の発明とであろう。前者は中世から近代への転換に決定的位置をしめ、後者は近代に終焉をもたらしかねない危険性をもつ。鉄砲の使用が近代を通して拡大したように、核兵器もそれが発明されて以来、保有国、保有量は拡大する一方である。新式兵器が旧式のものにとって代わる。これは武器の歴史の鉄則のようにみえる。しかし例外があった。それがほかならぬ日本における武器の歴史である。」まさにわが国の近世社会は平和希求の稀有な例であった。

さて、鉄砲放棄の根拠について、ほぼ以下のようにまとめて記しておく。①日本は火器の統制がきかなくなった。ちなみに日本の武士団はヨーロッパ諸の騎士団よりも断然規規模が大きく、総人口のほぼ七～一〇パーセント（イギリスは一五九七年の時点で騎士団は総人口の〇・六パーセントで、ヨーロッパ諸国で一パーセントを越える国はなかった）を占めていた。②地理的・政治的要因として、自然条件にも恵まれ、外国勢力の侵略には通常兵器（刀剣）で十分対応可能であった。③刀剣の象徴的意味、つまり「武士の魂」が尊重された。④③と連動して武士の姿勢。⑤刀剣の社会的価値、帯刀の権利による名字の獲得、大名等からの刀剣下賜の名誉、軍功による褒美として刀剣の価値。⑥刀剣の代表的美術的価値。⑦鉄砲の人殺し兵器に対する刀剣の倫理性（人殺し倫理からの解放）などがあげられよう。

そんな訳で、『鉄砲をすてた日本人』の「扉」には、アール・スタンリー・ガードナーの「時計の針と反対に回すなど、できるわけがない」、ダンセイニ卿の「むろん改革を示唆しているのではない。毒ガス兵器の時代から鉄砲の時代に後戻りできないように、鉄砲の時代から刀剣の時代には後戻りできないからである」の名言を刻んでいる。いい得て妙である。それだけ鉄砲を棄て刀剣に逆戻りした日本近世は、共同体史観点からすると、極めて平和を求めた真摯な姿勢を保っていた。それは、死刑のない平和な社会からの遺伝であるかもしれない。ここに〈第二の誇れる歴史〉を確認しておきたい。

この共同体史の流れからみた日本の〈第三の誇れる歴史〉は、憲法である。日本国憲法は、したがって戦後につくられたものではない。それは死刑廃止の歴史、鉄砲を放棄し刀剣に逆戻りした歴史の誇るべき「延長史」である。

誇れる歴史に加えておきたかったもう一つの歴史がある。実は、死刑、鉄砲、憲法と並んで、本当は自死の少ない社会を展望したかった。自死は、日本では三万人を越えた時期が十数年継続し、ようやく三万人台を切り二万人台に減少した。三万人を越えていた時代は、自死は政治問題・社会問題として注目を浴び続けていた。二万人台に減少したからといって、自死の問題は政治課題から消え去られてはならないであろう。

ところがである。自死が減少傾向にある中で、急浮上してきたのが孤独死、独居死、無縁死の問題である。日本の社会では、一体どのくらいのいわゆる孤独死が起きているのか正確には把握されていない。このいわゆる孤独死や無縁死にも統一された定義もなく、実態の掌握も不明なのが実情である。なお、「孤独死の用語一覧」及び「孤独死等の定義の構成要素」の一覧については、第一四話「無縁死と依存」の項に示したとおりである。ちなみに、無縁死とは、人が身元不明の状態で発見され、引き取り手がない状態を指すそうであるが、孤独死、独居死、無縁死などについて、截然とした区別は示し難いであろうし、意味をもたないであろう。

場合により、日本自身が「孤族の国」とも呼称される。孤独死の背景には孤独の生があり、無縁死の背景には無縁な生がある。ところで、無縁死に関する記録が残されている。東京という大都会の、しかもその真中に位置しよう池袋で起きた衝撃であった。『池袋・母子餓死日記——覚え書き（全文）』（公人の友社、一九九六年）がそれである。母親は、防寒用ズボンに茶色のジャンパーにカーディガンを重ね衣して台所付近で死亡、七七歳。その息子は寝巻き姿のまま居間の布団の中で死亡、四一歳。母親と息子は、同じ屋根の下で、別々のところで息を引きとったようである。母親は、かなり克明な日記を書いている。死亡直前と思われる「三月八日（金）ひえる。（6・2度）」の欄の後半には、次のように綴っている。

区役所等に、たのんでも、私共は、まともには、世話してもらえないし、どんな所に、やられて、共同生活をしなければ、出来ないかを考えると、子供も私も病気で苦しんでも、だれも、分かってもらえそうにないの

で、今の自由のきく生活のままで、二人共、死なせて頂きたい、

ただ、子供一人丈先に死んだら、どうしようかと、それが、心配である。二人共一緒に死なせて下さい。

母親も息子も無縁死であるが、日記に書かれているように、「区役所等」に、いつ、どの部署に、どんな内容の相談や依頼を行ったのか不明である。「区役所等」の「等」とはどんな箇所に赴いたのかも不明のままである。すぐすこし前に孤独死には孤独の生、無縁死には無縁の生、と判断したものの、母親には親類縁者でなくとも、近隣や友人などのすこしでも「声のかけられる人」が届かなかったのかもしれない。しかも生活はきわめて切羽詰まっていた。同日の日記にも「きれいに、食べ物が、なくなった後は、お茶丈で、毎日何も食べられないが、そのお茶も、後少し丈になってしまった。(28円)丈、残しているが、これでは、何一つ買えない。子供が、すいじゃくして、死ぬのではないか、それが心配である」と悩みを訴えている。区役所以外にも、何故どこかに語れなかったのか、依存しきれるところはなかったのか、もどかしいかぎりである。母親と息子の死亡時期は、一九九六年四月ころと推定されているが、その少し前「三月九日(土)はれ　ひえる。(13・1度)」の日記はきわめて長文であるが、その後半の部分を載録してみる。

私共、自身が、もう食べ物が無くなってしまったとは、これ以上は、生きておられませんし、現在の私共自体が、もう最後の時が来たと、思っておりますのに、(最後の最後)丈が、まだ先、先に、なるのでせうか、教えて頂いて来ました事が、総て、本当でしたら、どうか、苦しんで来ました、

私共に、訳を教えて下さい、役に立たない、私共が、何時までも、生きて、ご心配を、おかけしたり、世の中に、迷惑をかけるよりも、一日も早く、子供と私は、死なせて頂きとうございます、本当に、もう私共の最後は、目の前まで来て、おります、(中略)

何十年と、お世話になりました、有難うございました、
何一つ、世の為や、人のためには役立つ事も出来ませぬままで、多くの人々のお世話になり、特に、神々様には、何時も、ご無理な、お願いや、お助けばかりを、一方的に、お願して参りまして、本当に、ご迷惑ばかりを、おかけ致して来ましたが、何時も、都合よくして頂きまして、本当に、有難うございました、ただお礼を申します丈ですが、おゆるし下さい、

書きます時は、何時も心配事ばかりで、すみませんでした。

母親は、何も罪もない自分自身を世の中に役に立たなかったことを後悔し、感謝の気持ちをけなげに、話すように記述している。この社会が依存でなり立つような世の中になってほしいものである。最後の日記「三月一一日（月）はれ　ひえる」は、やや長文ではあるが記して冥福を祈りたい。

とうとう、今朝までで、私共は、食事が終った。明日からは、何一つ、口にする物がない、少し丈、お茶の残りがあるが、ただ、お茶丈を毎日、のみつづけられるだろうか、

子供も、私も、この頃は、まね方の量のお菓子を、毎日食べている丈で、子供も、私も、身体が、きつくて苦しい、

私は、その上、頭痛、熱で、苦しいのを、ガマンしているが、第一起きる事が出来るだろうか、もう長い間、昨年一月一七日（火）からの病気が、直らない上に、次、次と、病気、病気が、その都度、新しくおこって、私は、（ふらつき）が、どうしても、取れない、夜、フトンに、休んでからは、一寸横を向いても、ふらつくので苦しい、

これは、もう一年以上から、取れなくて、困っているが、どうしようもない、私は、今朝、夢の中で（歯が、

全部ぬけた夢）を見ているが、これは身内に死人がある知らせと、聞いているので、子供が、先に、死ぬのではないかと、心配である。一緒に、死なせて頂きたい、後に残った者が、不幸だから。

自死の問題であれ、孤独死であれ無縁死であれ、命の大切さは疑う余地はない。平和に生きる問題として、本稿の冒頭に、ある少女の「命」を掲げたが、改めてかけがえのない「命（いのち）」を考察しておきたい。

骨肉腫により利き腕の右腕を失った西尾誉佳（えいか）さんが、二〇〇六年の年賀状に書いた「たった一つの命だから」が一つの大きな運動の輪をまきおこした。「たった一つの命だから」に続く文言の作品が集められた。ここでは、三つの作品を紹介しておきたい（社団法人たった一つの命事務局編『たった一つの命だから』（パンフレット）二〇一二年）。

「カメになりたい」

小学6年生

僕は　生まれ変わったら　カメになりたい
カメは争いごとを　しないから
カメは　傷つけることをしないで
千年万年生きるから
たったひとつの命だから
カメのように　ゆっくり生きたい

「仲良くしたい」

たったひとつの命だから
人を疑わないで　なかよくしたい

ともだちや先生といっぱい話して
庭の花と花が　いっしょにさいているように
人間もくっついていよう

「大切な命」

小学5年生

いのちは　一つしかありません。
だから　大切なんです。
あなたは　一人しかいません。
だから　大切な人なんです。
無くていい命　いなくていい人など
この世に一人もいません。
みーんな　生かされているんです。
命には限り（かぎ）があります。
だから　仲良くしてください。
やさしい声をかけてください。
だから　決して決して　いじめないでください。
仲間はずれにしないでください。
一人ぼっちは　さびしいんです。

一人ぼっちは　苦しいんです。
一人ぼっちは　辛いんです。
だから　笑顔を向けてください。
どうぞ　笑顔を向けてください。
そうすれば
大切な命は　最期まで生きることができるんです。

命の大切さを伝えたい母親より

「カメは争いごとをしない」、「庭の花と花、いっしょにさいているように」、「やさしい声をかけてください」などなど、小学生や母親たちの、他者を重んじる、依存の良さを伝える、心に沁みる声がにじみ出ている。なにものにも替えがたい命を精一杯に伝えていて嬉しい。

次の詩は、小学四年生で亡くなった宮越由貴奈さんの作品、「命」である（すずらんの会『電池が切れるまで』角川書店、二〇〇二年）。長野県立子ども病院で、長期入院している子どもたちが学ぶ「院内学級」がある。宮越さんは院内学級で受けた理科授業での「乾電池の実験」の直後につくられた詩で、遺作となってしまった作品である。

「命」

命はとても大切だ
人間が生きるための電池みたいだ
でも電池はいつか切れる
命もいつかはなくなる
電池はすぐにとりかえられるけど

命はそう簡単にはとりかえられない
何年も何年も
月日がたってやっと
神様から与えられるものだ
命がないと人間は生きられない

でも
「命なんかいらない。」
と言って
命をむだにする人もいる
まだたくさん命がつかえるのに
そんな人を見ると悲しくなる
命は休むことなく働いているのに
だから　私は命が疲れたと言うまで
せいいっぱい生きよう

これらの作品は、われわれが平和な社会を築きあげるうえにおいての「宝物」の詩である。われわれの国で、かつての共同体社会の中で認められてきたお互いの「共同防貧」の構えが薄れ、「孤立貧」へと移行しかねない社会体制は、なんとしても押し戻さなくてはならない。「平和に生きる」稿として、自死や無縁死の更なる大幅な減少化を願うとともに、わが国における共同体史観点からみた特色ある歴史——死刑廃止の長期間廃止の歴史、銃を放棄し刀剣に逆戻りし、武器・戦争の歴史に逆行した歴史、それらの独自の潮流から日本国憲法誕生の歴史――国の誇りとして後世に遺しておきたい。

二　自由と平等に生きる

デモクラシーの言語は、人民（demos）の支配（kratia）に起源をもち、主権が人民によって保持され、人民によって行使される政治を指す。その本質は、アメリカ第一六代大統領リンカーンの有名な演説の一部、「人民の、人民による、人民のための政治」に象徴される。それは一八六三年の演説、すなわち、

> われわれの父は、この大陸に自由を理想とする新らしい国家を建設し、万民平等の信條に身を捧げた。われわれは今や、斯かる理想を掲げて、これに身を捧げた国家が永続し得るや否やの試金石たる一大国内戦争を戦つてゐる。（中略）われ〳〵は今や、われ〳〵の前に残されたる偉大なる事業のために身を捧げなければならぬ。（中略）わが国は神の庇護の下、新らしき自由の誕生を迎へるであらう。しかして人民の、人民による、人民のための政治は地球より永久に滅びないであらう。（高田市太郎『アメリカのデモクラシー』鱒書房、一九四七年）

であった。このリンカーンの思想の錘となったのが一七七六年の「米国独立宣言」である。すなわち当時の一三の植民地連合のコングレスの決議に基づく全員一致の宣言文である。冒頭部分を載録する（松本重治編『世界の名著』三三、中央公論社、一九七〇年）。

> 人類の発展過程に、一国民が、従来、他国民のもとに存した結合の政治的紐帯を断ち、自然の法と自然の

図3-1　「米国独立宣言」

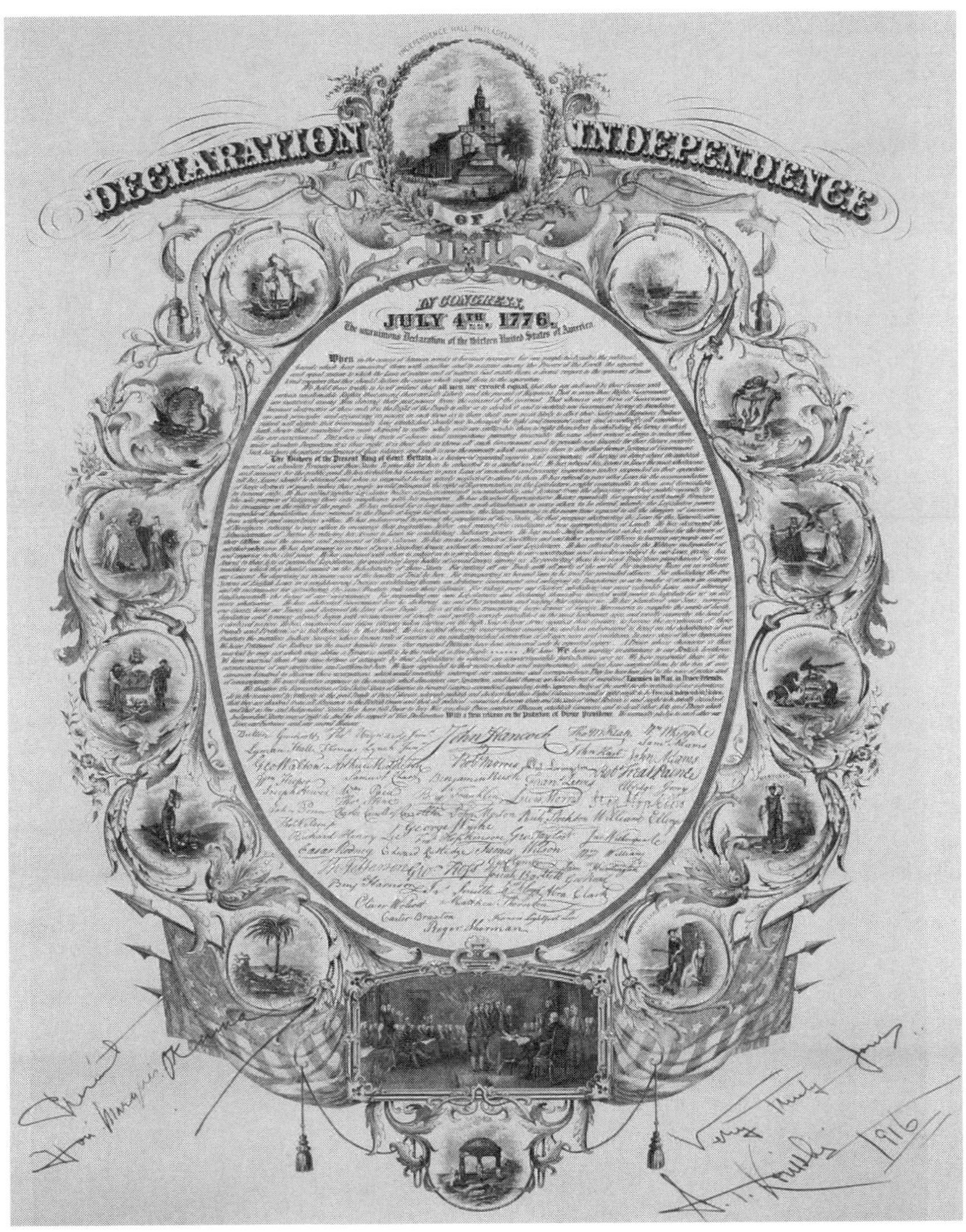

早稲田大学図書館蔵

神の法とにより賦与される自立平等の地位を世界の諸強国の間に占めることが必要となる場合に、その国民がその離脱・自立を余儀なくさせられた理由を声明することは、人類一般の意見に対して抱く当然の尊重の結果である。

われわれは、自明の真理として、すべての人は平等に造られ、造物主によって、一定の奪いがたい天賦の諸権利を付与され、その中に生命、自由および幸福の追求のふくまれることを信ずる。また、これらの権利を確保するために人類の間に政府が組織されること、そしてその正当な権力は被治者の同意に由来するものであることを信ずる。

アメリカデモクラシーの基盤ともなり、さらに一七八九年の「人権宣言」の先駆ともなった「独立宣言」の冒頭は以上のとおりである。そこでは、人は平等につくられ、天賦の権利として生命、自由及び幸福の追求を高らかに宣言している。自由と平等は、近代人が求める普遍の価値である。余筆ではあるが、早稲田大学中央図書館所蔵「大隈文書」のうちの「米国独立宣言」を掲載しておきたい。大隈重信は、かつて致遠館時代において、フルベッキ（G. H. F. Verbeck）から独立宣言や聖書を英語で学習した。おそらく、日本人でアメリカの独立宣言を読んだ最も早い一人が大隈であったと思われる。掲載した「米国独立宣言」の左下には、大隈としては極めて珍らしく、ローマ字でMarguis　Okumaの署名が残されている。ただし大隈の直筆であるかは不明ではある。大隈は、終生「米国独立宣言」を書斎に掛けていたという（図3-1）。

ところで、わが国の憲法における基本的人権や国民主権等に直接恩恵を蒙ったのは、一七八九年のフランスの「人権宣言」である。この人権宣言（Déclaration des droits de l'homme et du citoyen）は、序文と一七か条の内容からなるものである。「人権および市民権の宣言」のうち、自由・平等に関係する条目を列挙してみよう（専修大学

図書館蔵古典籍影印叢刊刊行会『人権宣言（一七八九）』専修大学出版局、一九九二年）。

第一条　人間は、生まれながらにして、自由であり、権利において平等である。社会的な差別は、共同の利益に基づく場合にしか設けることができない。

第二条　およそ政治的結合というものの目的は、人間の自然に備わった消滅することのない諸権利を保全することである。その諸権利とは、自由、所有、安全、および圧制にたいする抵抗である。

第三条　およそ主権というものの根源は、本質的に国民のうちに存する。いかなる団体も、いかなる個人も、明瞭に国民から発していないような権力を行使することはできない。

第四条　自由とは、他人を害しない限りは何をしてもよい、ということにある。したがって、それぞれの人間の自然に備わった諸権利の行使は、社会の構成員たちにも同様な諸権利の享受を確保するために設けられる諸限界によってしか、制限されない。その諸限界は、法律によってでなければ定めることができない。

第十一条　思想および意見の自由な伝達は、人間の最も貴重な諸権利の一つである。したがって、およそ市民たる者は、自由に語り・書き・印刷することができる。ただし、法律によって定められた場合には、その自由の濫用について責任を負わねばならない。

以上のいわゆる人権宣言は、フランスにおける旧体制の終焉を意味する「アンシャン・レジームの死亡証書」とも位置づけられていた。人権宣言やフランス革命の思想的背景を担ったとされるルソーも、「人間は生まれながらにして自由であるが、しかしいたるところで鉄鎖につながれている」（ルソー『社会契約論』世界の名著三〇、中央公論社、一九六六年）の主張もその裏付けであろう。ルソーはその教育論でもある『エミール』の第一編で、「万物をつくる者の手をはなれるときすべてはよいものであるが、人間の手にうつるとすべてが悪くなる」（今野一雄訳『エミール』上、岩波書店、一九六二年）と喝破している。

論題を元に戻すと、国立国会図書館の標語に、「真理がわれらを自由にする」の文字が刻まれている。近代人の目標なり価値は、自由の追求であった。この場合の「真理」とはなにか。真理とは、「事実を知る」ことであり、換言すれば、「学問」「科学」等に置き換えられよう。「自由にする」とは、近代人として、人間が人間らしく生きられる、差別や偏見のない、他者を尊重することを意味するものと思われる。

眼を転じて、科学の進歩は著しい。とくに生命科学の進歩は超特急の速度で疾風する感をもつ。とくに「外なる自然」から「内なる自然」への転換によって、その速度を増している。それは主として医学及び生物学などの分野の協力によって、life science の誕生をみた。生命科学の進歩は、例えば、臓器移植に始まり、組換えＤＮＡ技術、クローン技術を含む生殖技術、ヒトゲノム解析を中心とする生命体の解明、胚幹細胞を用いた再生技術など、枚挙にいとまがない。これら生命科学の発展は、さまざまな分野における〈不可能〉を〈可能〉に変えようとする力になっている。同時にそれは、人間の〈よりよい生〉を求める人間の欲求に応えるものであった。現代は「生命科学」の時代と呼称されるゆえんである。

しかしながら、生命科学の進展からもたらされた問題が浮上する。出生前診断、着床前診断、デザイナー・ベビーなどの問題は、きわめて優生思想の問題と結びつくものであることは間違いない。人間の尊厳に価する「生命の操作」が許されるものではないであろう。生命科学は、あまりにも「自由」に発展してきた。たしかに先にみたフランスの人権宣言で「自由とは、他人を害しない限りは何をしてもよい」とあるが、同時に「自由の濫用について責任を負わねばならない」のである。生命科学は命の「選別」をしてはならないのである。優生思想に結びつく《生命科学に〝緊箍咒（きんそうじゅ）〟》が必要である。

独立宣言にも人権宣言にも明確に主張されているように、自由とともに平等の価値も尊重されなければならない。それこそが「生命倫理」である。「生」（vita）は zōē と bios に分けられる。ゾーエーは、動物であれ人間であれ植物であれ、生きているすべての存在を意味する。ビオスは、ただ単なる生命と区別され、個体や集団における特有な生きる形式や生き方を意味する。それはアリストテレスの『政治学』の中における「善く生きる」意味をもつ。したがって生命倫理は、life ethics ではなく、bioethics である。倫理の倫も、人を意味する人偏と、束を意味する命との形成文字である。つまり倫は、共同体（社会）のことで、人の踏み行うべき筋道に転化したものである。ethics も、もともとエートス（ethos）から派生した言葉で、習俗・習慣を意味し、人々の行いが長く続くものに自ずから道が生まれる状態をさす。生命科学は自由の論理から発展したが、生命倫理はむしろ平等の論理から生まれたものである。

医療には、科学という「知性」と、医の心という「感性」の両面がある。それは、「生物学的いのちと精神的いのちの両面ということでもある」（宮原伸二「〝いのち〟と向き合う」〈月刊社会教育〉一九九八年五月）という指摘はまさに正鵠を得ている。つまり、科学と技術によりすがる生命科学は、生物学的生命に心を奪われて、人間が人間らしく生きようとする人間尊厳の姿勢をもつ生命倫理を置き去りにしてしまう傾向がある。かつてのわれわれの世界では、「自由」の概念と「平等」の概念という、いわば対抗概念に対して「博愛」という概念を想起し得た。こんにちの世界において、生命科学といういわば自由の概念と、生命倫理といういわば平等の概念に対して、どんな概念を想起し得るのか。それが現在問われている課題である。

もう一方で、自由について考えておきたいことが一つ残されている。それはミル（J. S. Mill）の〝on Liberty〟を、中村正直（敬宇、敬太郎）は「自由論」と訳さずに、何故に『自由之理』（一八七一年新刻、一八七二年発兌、同人社、

図3-2）（『自主之理』ともある）と翻訳したのであろうか。何故に自由に「理」を加えたのであろうか。〈全くの余談であるが、「自主之理」を正式な題目にした場合、狂歌にこんなのがある。〈自主の主の字を解剖すれば、王のアタマに釘を打つ〉。これこそが自由の意味かもしれない。〉

三　生命の質に生きる

こんにちＱＯＬ（Quality of life）と並んでＱＯＤ（Quality of Death, Quality of Dying）が問題視されているが、「死の質」に限界をみて「生命の質」「生活の質」「人生の質」が問われているのである。ＱＯＬは、従来ともすれば終末期における患者の課題として考えられてきたが、むしろここでは生きて生活をしているすべての人間の問題として考察してみる。

われわれ人間の存在は、人間がもつさまざまな器官やいろいろな臓器は、機械としての一部分ではないはずである。それぞれの器官や臓器には、それぞれの人のそれぞれの両親から授かった命の営みの歴史が刻印されているからである。つまり、その人その人の器官・臓器には、かけがえのないその人その人の名前がついた人格的存在である。ゆえに、各人の器官や臓器は代替可能な部品ではなく、その人の生活や人生をなりたたせてきた個性や質をもった存在のはずである。死も一つの価値であるが、生・いのちもまた一つの価値をもつ。すなわち、生きること、老いること、病むこと、死にゆくこと、それぞれに価値をもつ。

ところで、このような生きること、老いること、病むこと、息を引きとることなど、われわれが生きている世界には、二種類の時間が流れているといわれている。一つは Doing の時間であり、もう一つは Being の時間である。

図3-2 『自由之理』

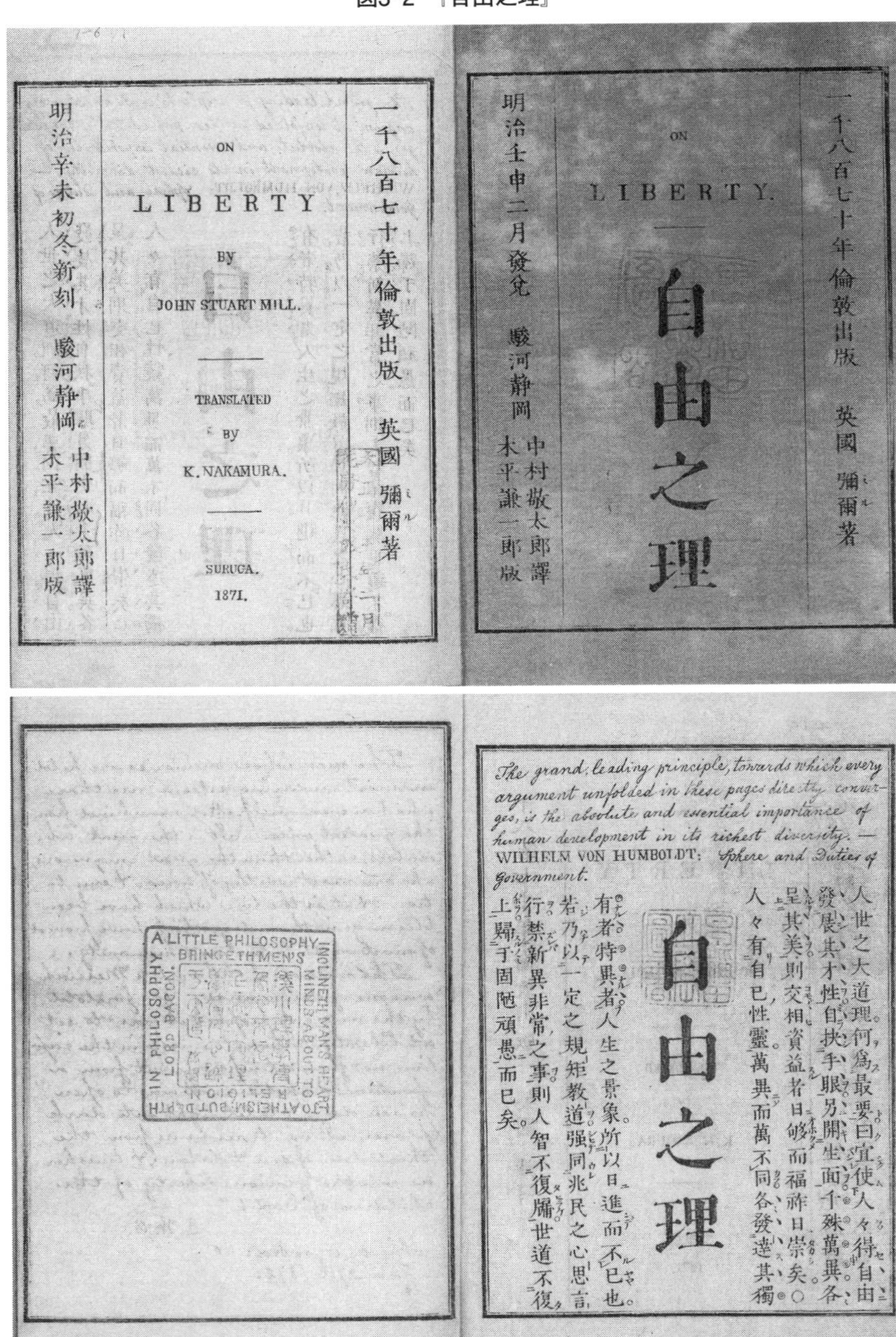

明治辛未初冬新刻
駿河静岡 木平謙一郎版
中村敬太郎譯

ON
LIBERTY
BY
JOHN STUART MILL.
TRANSLATED
BY
K. NAKAMURA.
SURUGA.
1871.

一千八百七十年倫敦出版 英國 彌爾著

一千八百七十年倫敦出版 英國 彌爾著

ON
LIBERTY.
自由之理

明治壬申二月發兌
駿河静岡 中村敬太郎譯
木平謙一郎版

The grand, leading principle, towards which every argument unfolded in these pages directly converges, is the absolute and essential importance of human development in its richest diversity. — WILHELM VON HUMBOLDT: *Sphere and Duties of Government.*

自由之理

人世之大道理何爲最要曰宜使人々得自由發展其才性自扶手眼另開生面千殊萬異各呈其美則交相資益者日夥而福祚日崇矣人々有自己性靈萬異而萬不同各發達其獨有者特異者人生之景象所以日進而不已也若乃以一定之規矩教道强同兆民之心思言行禁新異非常之事則人智不復牖世道不復上歸于固陋頑愚而已矣

Doingは、しいて訳せば〈生活や仕事の時間〉が該当する。具体的には、学校での陶冶や訓育などの時間、企業などで働く時間、グラウンドでのスポーツの時間、買物の時間などで、現代社会での表向きの時間を指す。これに対してBeingは〈いのちの時間〉とも訳出できる。それは人生の内側に向う時間で、野辺の草花にいとおしさを覚える時間、病に伏せ家族や将来を考える時間、大切な人を亡くし悲嘆にくれる時間などを指す。別な観点でみると、Doingは、名誉、地位、金員などと結びつくもので、その人の死によって総てを失ってしまうものである。Beingは、人間にとって最も大切なもの、人と人との支え合いの関係をもち、〈人生の贈りもの〉として残り得るものである。したがって、Doingは、評価されるもの、数量化、点数化、計量化が可能なものであり、Beingは計ることが不可能なもので共感を呼ぶものである。

ギリシャ語で時を表現する言葉に、クロノス（Kronos）とカイロス（Kairos）がある。クロノスは日常的な時計で測ることが可能な時間を意味し、カイロスは価値あるものに気づかせてくれる時間を意味する。あえていえば、クロノスはDoingに近く、カイロスはBeingに近い。別の視点で、三木清は成功と幸福について次のように考察する。すなわち、「純粋な幸福は各人においてオリジナルなものである。しかし成功はさうではない」（三木清『人生論ノート』創元社、一九四一年）とまず断言する。かつ分かり易く、成功は一般的なものであり、「過程に関わる」ものであり、「量的に考へられ得るもの」とし、幸福は、各人のもの、人格的なもの、性質的なもので、過程に対し「存在に関わる」ものと考察している。勉強をし、財をなし、名誉を得るのは「成功」であるが、「幸福」はあくまでも「存在」である。三木の指摘によれば、「成功」はまさしくDoingの世界である。

われわれは、現実をみても、歴史をみても、あまりにもDoingに重点を置きすぎてきた。例えば、一八八六年の「学制」によりわが国で近代学校が成立するが、「学制」の精神を表明した「学事奨励に関する被仰出書」は次のように謳っている（神田修ほか『史料教育法』学陽書房、一九七一年）。

> 人々自ら其身を立て其産を治め其業を昌にして以て其生を遂るゆゑんのものは他なし身を脩め智を開き才芸を長ずるによるなり而て其身を脩め知を開き才芸を長ずるは学にあらざれば能はず是学校の設あるゆゑんにして（中略）人能く其才のあるところに応し勉励して之に従事ししかして後初て生を治め産を興して業を昌にするを得べしされは学問は身を立る財本ともいふべきものにして（後略）

近世社会から近代社会の特徴は社会移動の可能にあるが、わが国近代学校の発足の特徴は、まさに典型的な立身出世主義を標榜している。「学制」そのものをみても、点数化・統計化が不可能な教科、すなわち図工、唱歌、体操など、子どもにとって最も重要な創造力、協同性、情操力を養う教科は、当分の間名称が置かれただけで、実際には実施し得なかった。逆に点数化、序列化が可能な国語、算数、理科などが重視されてきた。このような立身出世主義の教育の結果、競走主義を生み、学校万能観を形成し、やがて重要教科と副次教科の別を生じてきた。つまりDoing 優位の社会を築きあげてしまった。

Doing 偏重の世間の中で、こんな短歌が思い浮んだ（冬道麻子『森の向こう』ながらみ書房、一九八八年）。

　握力計の知らざるちから身にありて4Bの鉛筆に文字現わるる

筋ジストロフィーの方の短歌である。ほかに、こんな短歌も。〝親指と人差し指にて円描く「はい」という意志の声のかわりに〟〝まだ鈍き反射神経なれど確かに甥とじゃん拳している右手〟。Being の尊さを感じさせるものである。

本稿のいのちに関連して寿命に話題を変えてみよう。生物学的には、ある個体個体が生まれて死ぬまでの期間（あるいは死亡時の年齢）を寿命という。平均寿命とは、個々の個体の寿命をある集団について平均化したものを指す。いのちの質の指標は、平均寿命（Length of Life）から健康寿命（Quality Adjusted Life Year）を指す。

いのちの指標として、グリム童話の「寿命」（相良守峰訳『世界少年少女文学全集』一四、創元社、一九五四年）を参考にしてみよう。内容は次のとおりである。

神様は、当初、ろば、犬、さる、人間にそれぞれ三〇歳の寿命を与えようとした。ところが、ろばは、他人のために朝から晩まで荷物を運ぶなど苦しい生活が続くことから、寿命の短縮を依頼し、一八年の短縮を約束した。犬も、自分の足がいつまで走れるか、ほえ声とかみつく歯がなくなったら暮らせないことから短縮を依頼し一二年の短縮を約束した。さるも、いつも他者を笑わせなければならない苦労から一〇年の短縮を約束した。最後に人間は神様に三〇年では短かすぎると訴える。そこで神様は、ろば一八年、犬一二年、さる一〇年の計四〇歳を人間の寿命に加えることにした。結果、人間の寿命は七〇歳になった。しかし人間七〇年の寿命のうち、最初の三〇年は健康で快活な人生を楽めたが、付け加えてもらったろばの一八年（三一歳から四八歳まで）は、重荷を背負わされた生活、さらに続く犬の一二年（四八歳から六〇歳まで）は、かむ歯もない生活、最後にさるから付け加えてもらった一〇年（六〇歳から七〇歳）は、「人間は頭がにぶくなって、おろかになり、ばかげたことをしでかしては、子どもたちの笑いぐさ」になってしまう生活で生涯を終えることになる。

こうして人間は、神様があらかじめ示した三〇年と、ろば、犬、さるから譲渡された四〇年を加え、七〇年の寿命が与えられた。こんにちでは、七〇年をはるかに越え、男女ともに八〇歳以上の平均寿命を獲得した。しかし、諸動物から受けた四〇年の受苦は解消されたのであろうか。心身ともに自立した活動が不可能な介護を要する〈いのちの時間〉を「予後余命」とすると、平均寿命は健康寿命プラス予後余命となる。いのちの質を問えば、健康寿命は平均寿命－予後余命であり、予後余命は平均寿命－健康寿命となる。ここでは予後余命は人生の澱のようなマイナス評価になってしまい、排除や捨象の対象になりかねない。

そこで、さきのDoingやBeingを想起してみると、われわれの命は、QOLとして数値に還元できないその人その人の固有の人生の賜であるはずである。いのちの課題を、単に〈質〉や〈時間〉の長短に還元してはならないのである。〔予後余命＝平均寿命－健康寿命〕の等式をプラス評価に転換する視点も重要である。①予後余命を、グリム童話「寿命」にみたろば、犬、さるの受苦を〈人間の成熟〉の課題として受けとめる。②このとき、予後余命は、いのちの質に呼応して〈いのちの深さ〉に転換できるのではないか。③つまり、〔いのちの深さ＝いのちの長さ－いのちの質〕となるように。つまりいのちには、長さだけではない。質だけでもない。もう一つ、〈いのちには深さ〉がある。

四　他者と生きる

浄土宗西山派本山禅林寺は、親しみをこめて永観堂と呼ばれている。永観堂本堂奥に鎮座している七七センチの小型な仏像が阿弥陀如来像である。この小さな仏様は、左後ろ向き四度くらいで、通称「みかえり阿弥陀如来」という（図3-3）。永観律師（一〇三三―一一一一）は、奈良東大寺から禅林寺に移動した際にこの阿弥陀如来の本尊を持参した。永観は禅林寺で、一〇八二年二月一五日の仏暁、念仏行道の修行最中に、不思議にもこの本尊がいつの間にか永観の前に立ち、左にふりかえりながら、〝永観遅し〟と励まし、共に念仏行道に励んだと伝えられている。その時から本尊は、左後ろ向きの姿勢になったという。「みかえり阿弥陀如来」の由来である。

「みかえり阿弥陀如来像」と対面して、われわれは大切なことを忘れていることを気づかせてくれた。

図3-3　永観堂禅林寺みかえり阿弥陀如来

多くの人は、だいたい前を向いて歩いてきた。生きるためには当然の行為である。しかし、ときには立ち止まり、自分の歩んできた道をふりかえり、自分の居る場所を確かめることも必要であるということ。人生においても同様で、自分がどう生きてきたか、自らの生き方をどう総括するか、改めてどのように生きることを考えるかである。「みかえる」「ふりかえる」のもう一つ大事なことは、われわれは時には立ち止まり、周囲をふりかえることである。そこでわれわれの周囲に、つまづいている人、困っている人、悩んでいる人、病んでいる人、疎外されている人に対して、どんな手をさしのばせるのか、どんな言葉で向き合えるのか、どんな方法で支え合うことができるのか、つまり悲しみ苦しみをいかに共にすることができるのか＝〈他者と共に生きる〉＝この共響である。

一方、奈良興福寺の国宝「阿修羅」像について、堀達雄は「阿修羅」一般にみられる闘争とか忿怒のイメージが全くなく、逆にういういしさ、切ないまなざし、ゆえしれぬ郷愁を感じるという(『大和路・信濃路』人文書院、一九五四年)。興福寺阿修羅像は、人間の奥深くにある悲しみや苦しみを受けとめ、共に悩み共に苦しんでくれる共悲共苦の心があるという。それは、まさに慈悲の心であろう。

中村元は、慈悲の語義を次のように説明している(『慈悲』平楽寺書店、一九五六年)。

慈悲とは「いつくしみ」「あわれみ」の意味であると普通に理解されている。ときには「他人に対する思いやり」「気がね」の意味に用いられることさえもある。たしかにいちおうはそのとおりに解して差支えないが、われわれはさらに語源にまで遡って考えてみたいと思う。

「慈」と「悲」とはもともとは別の語である。慈とはパーリ語の mettā、サンスクリット語の maitrī(または maitra)という語の訳である。この原語は語源的には「友」「親しきもの」を意味する mitra という語からの派生語であって、真実の友情、純粋の親愛の念、を意味するものであり、インド一般にその意味に解せられている。これに対して「悲」とはパーリ語及びサンスクリット語の karuṇā の訳であるが、インド一般の文献においては「哀憐」「同情」「やさしさ」「あわれみ」「なさけ」を意味するものである。

慈と悲の相違は、上座部仏教において「慈」(mettā または maitrī)は「同朋に利益と安楽とをもたらそうと望むこと」であり、「悲」(kaumā)は、「同朋から不利益と苦を除去しようと欲する」ことにあった。大乗仏教においてもこの考えは継承されていて、「慈」は衆生を愛念するもので、常に安穏と楽事を求めて、衆生を饒益するものに対して、「悲」は衆生を愍念し、種々の身の苦と心の苦を受くるものとした。したがって、「大慈」は一切の衆生に楽を与えるものであり、「大悲」は一切の衆生のために苦を抜くものである。

慈悲を一つの熟語として漢訳されたものが「抜苦与楽」であるが、慈が安らぎを与える与楽、悲が苦しみを除く抜苦となる。慈の与楽は、真実の友情、純粋な親愛の念をさし、同朋に利益を安楽をもたらし、常に安穏と楽事をもたらすものである。一方の悲の抜苦は、哀憐ややさしさの念を表わすものであり、同朋から不利益と苦を除去し、同朋の身心の苦しみを受容するものと考えられよう。

慈悲の熟語があるように、慈と悲とを截然と区別する意味がどれほどあるかは別にして、さきの中村元は、日蓮の慈悲論を以下のように紹介している。「日蓮は天台の解釈を受けて、「慈」を父の愛に、「悲」を母の愛に比している。子どもが病気のときに、灸をすれば療るということが解っていても、母は子に苦痛を与えるのをおそれて灸を加えようとししない。しかし父は、たとい一時的な苦痛を与えても、病を療すために灸を加える。慈は折伏に比せられる。したがって、かれは慈のほうをより高きもの、勝義のものと解釈したのであろう。」これは慈悲に対する一つの思想ではあるが、慈悲それぞれに勝義あるいは劣義を見出す論理に多少の疑義をもつ。

こんな場面がある。

彼女の胸に聴診器をあて、腹部を触診しました。その日も変わったことはありませんでした。私は彼女の寝巻きの前を結びながら

「今から胃の手術があるんですよ」と言いました。

帰りがけに、病室のドアに手を掛け振り返ると、病床の花山さんが声を掛けてきました。

「いってらっしゃい」

それは夫を見送る妻の言葉のように感じられました。彼女はきっと、その日家を出る夫に言いたかった言葉だったのかもしれません。私は病にある妻の心を垣間見る思いがしました。

一か月後、花山さんは愛する家族に囲まれ静かに旅立ちました。

これは外科医松岡寿夫の『「がん告知」をこえて』(小学館、一九九七年)の一節である。乳がんが再発し骨に転移し四三歳で亡くなった患者と医師の心が触れ合う、感動的な場面である。それこそ、先に記述した「ふりかえり」「みかえり」の場面である。「聴診器をあて」る場面は「慈」であり、「手を掛け振り返る」場面は「悲」である。そんな風に読みたい。

とりわけ、こんにちの世の中において、例えば寝たきりの老人の身体をかいがいしく世話をする介護者＝慈＝はいても、その老人の孤独を共にする＝悲＝の存在は少ないのではないだろうか。職を失った人、心に傷を負った人に手当てする＝慈＝はいても、その人達に寄り添いひたすら聞いてあげる＝悲＝は少ないのではないか。自死者らに頑張れと励ます＝慈＝言葉はかけられても、それは逆に本人を傷つけることになりはしないか、頑張れの言葉よりも、その人の手をじっと握り、一緒に涙する＝悲＝が求められているのではないか。「悲」こそが、「他者とともに生きる」芯ではないか。

五　依存として生きる

人間とはなにか。この問題の詳細については別稿に譲りたい。ここでは人間の定義の一般的枠組みを、最もいい古されたものから今日的課題に表われたものをまとめてみたい。一つめは、ホモ・サピエンス(homo sapiens)で叡知人と訳されよう。二つめは、ホモ・エレクトス(homo erectus)で直立人。三つめは、ホモ・ファーバー(homo faber)で工作人。静的なホモ・サピエンスの人間像に対して動的な生産的・行為的人間像を示す。四つめは、ホモ・ルーデンス（homo lūdēns）で遊戯人。人間を「政治的動物」、「社会的動物」の規定のうえに、さらに人間活動の本質を「遊戯」という高次元の自発性を強調したもの。五つめは、ホモ・エコノミクス（homo oeconomicus）で経済人と訳され、商業的生産的計算に基づいて行動する産業人を表わすものがある。

一番目から五番目までの人間像は、人間を個人としての人間ではなく、むしろ人間一般人として把えた抽象的人間にちかいものであった。しかし現実には、生きる人間は、生老病死に象徴されるごとく、なによりも苦しみ悩む存在である。そこで、ホモ・ペイシェンス（homo patience）が登場する。ホモ・ペイシェンスは、「悩める人」、「受動人」、長く表現すれば、「苦しみや悩みを耐え忍ぶ人間」となろう。人は誰しもが精神的苦悩をもつ。それは程度の差はありつつ、精神的苦悩は万人平等に訪れるものである。homo patience の patience の意味は、パトス（pathos）に由来する。パトスは二つの意味をもつ。一つは、受け入れる、耐え忍ぶ、受難などで、これらは身体の能動に対する「受動」を意味する。もう一つは、情熱、情緒を意味するもので、ロゴス（logos）の対立語としてのパトスである。つまり、ロゴスの理性に対立する感性・感情を意味する。実は、このパトスの感情とは、「身体の能動に対しておこる精神の受動」のことである。ペイシェンスの基であるパトスは、能動の知である近代科学の知とは正反対のものである。

生老病死は生命存在のすべてに存在する。動物にも植物にも、生があり、老があり、病があり、死が存在する。ホモ・ペイシェンスでみたように、人間は「身体の能動に対しておこる精神の受動」が認められ、身体的苦痛が精神的苦悩を呼び起こし、精神的苦悩が身体的苦痛を呼び起こす存在である。すべての生命体の中で、生老病死への〈意識〉を抱くのは人間のみである。その意味で、人間はすべてが patience である。

人間存在として、時としてこんな場面がある。人が病気になった時、「何故、病気になってしまったのか?」の自問に対し、「この出来事から何を学ぶのか」の反応が重要である。われわれは、何か起こった事実を変えることは不可能に近い。しかし、その出来事という事実から何を学びとるか、は万人にとって可能である。この場合、人間存在における苦悩には必ず意味があることを認識する必要がある。かつ、人間には深い潜在能力をもち、その苦悩を乗り越える力を備蓄している。それは、人間は決して孤独な存在ではないこと、固い人間同志の絆の輪の中で生きていること、誰しもが相互に主体的に支え合って生きていることに由縁する。これこそが〈依存〉への序曲である。出来事、事実からなにを学びとるのか、それこそが自己決定能力の柱であり、ＱＯＬの基になるものである。

日野原重明が最初に看取った患者の一人が女工をしていた一六歳の女性であった。父親のない女性は、母親とともに紡績工場で勤務をしていた。母親は、この女性の入院費や生活費を稼ぐために多忙で、女性の病気の世話に来院して付き添う余裕がなく、二週間に一回程度しか滋賀県から見舞いに来院するのが精一杯の状況であった。この女性は、結核性腹膜炎のほか、肺にも陰影があり、肺結核も当然あったように思われたが、喀痰の塗抹標本の直接結核菌染色では、常時陰性であったので普通病棟に入院していた。ところが、ある日、女性の容態が急変悪化し、嘔吐が続き、腸閉塞の症状を示し、鎮痛用にモルヒネを通常の二倍の量を注射していた。女性の亡くなる直前の日野原医師と女性の応接が生々しく描写されている（日野原重明『死者をどう生きたか』中央公論社、一九八三年）。

「先生、どうも長いあいだお世話になりました。日曜日にも先生にきていただいてすみません。でも今日は、すっかりくたびれてしまいました」といって、しばらく間をおいたのち、またこうつづけた。「私は、もうこれで死んでゆくような気がします。お母さんには会えないと思います」と。

そうして、そのあとしばらく眼を閉していたが、また眼を開いてこういった。「先生、お母さんには心配をかけつづけで、申し訳なく思っていますので、先生からお母さんに、よろしく伝えてください」。彼女は私にこう頼み、私に向って合掌した。私は一方では弱くなってゆく脈を気にしながら、死を受容したこの少女の私への感謝と訣別の言葉に対して、どう答えていいかわからず、「安心して死んでゆきなさい」などとはとてもいえず、「あなたの病気はまたよくなるのですよ。死んでゆくなんてことはないから元気を出しなさい」といった。そのとたんに彼女の顔色が急に変ったので、私はすぐ病室から廊下に出て、大きな声で看護婦さんを呼び、血圧計とカンフル剤を持ってこさせた。ピタカンファーを一筒皮下注射し、血圧を測ろうとしたが、血圧はひどく下り、血管音はもう聞けなかった。

私は眠ったような彼女の耳元に口を寄せて大きく叫んだ。「しっかりしなさい。死ぬなんてことはない。もうすぐお母さんが見えるから」と。

その後、女性は茶褐色の胆汁を吐き、無呼吸の状態となって生涯を終えていく。日野原重明の死との対決の最初の看取りの応接の概要は以上のようであった。そこで日野原は、自らに反問し、自らの悔を公にしている。日野原は、死にゆく患者への対応として、「何故、安心して成仏しなさい」といえなかったのか、「お母さんには、あなたの気持ちを充分に伝えてあげますよ」といえなかったのか、臨終の際に聴診器に頼ってしまい、「どうしてもっと彼女の手を握ってあげなかったのか」、自責の念は重くのしかかる。

宮原伸二医師は、秋田県から高知県に赴任し、最初に看取った患者が四二歳の男性であった。男性は末期胃癌で、すでに肝臓や膵臓に転移していて、抗がん剤を次々に投与しても悪化が重なっていく状態であった。男性に臨終が迫った時、宮原は男性の治療の邪魔になると判断し、家族を病室から退室させ、自分は心マッサージ、人工呼吸などを三〇分以上続けた。それは医師として必死の努力であり、医師としての最後の最大の誠意であると判断したからであった。ところが、その男性の家族から一通の封書が寄せられた（宮原伸二『美しく老い美しく死ぬ』文京書房、一九九四年）。

最後のひととき、私たちを部屋の外に出し、主人が冷たくなってから、残念ながらお亡くなりになりましたといわれても。せめて、まだ脈のあるうちに主人の手を握らせて下さり、主人を天国へ送り出すことができれば、悲しみの中にもいくばくかのやすらぎがもてたのではないでしょうか。

それが末期がんの人の死なせ方だし、死に方ではないのですか。あなたは長生きさせることには夢中でしたけれども、どう死なせるかということにはあまりにも無関心だし、無神経でした。あなた、いや、あなたがた医師は死になれっこになってしまっているから、家族の苦しみなどもまるでおわかりにならなかったようですね。

宮原も日野原と同じようなある種の悔を経験を経て、同じような洞察をしている。死は決して敗北ではないこと、よく死ぬという死学も立派な医学であること、患者を「まるごとの人間」とみること、などである。誰しもが、支えあい依存しあって、「いのち」と向きあうことが可能となる。

医療現場において、治療することは可能であるが、何時でも何処でも常時治療することは不可能事である。しかし、病む人の心を和らげる、心の支えになることは常時可能ではないか。日野原は、近代外科医の父といわれるフランスのパレ（Ambroise Paré）の言葉といわれる詩に注目する。

To cure sometimes
To relieve often
To comfort always

訳し方は種々あると思う。日野原は「癒すことはときどきしかできなくても、和らげることはしばしばできる。

しかし、病む人の心の支えとなることは、医師にも看護婦にも、いつでもできることではないか。」と訳している。

問題は最後の一行である。――病む人、苦悩の人をさすってあげる。手を握りあう。話をする。話を聞く――誰でもがお互いに支えあって生きる。誰でもがお互いに、受容と依存の関係を深めあい、高めあっていく、そんな世の中をみんなでつくりあげていく。依存として生きるの一節であった。

◉第四話◉

人はなぜ泣いて誕生するのか

ここに、すこしく魂消た報告がある。本当に魂消た論文である。それはデヴィッド・サドナウ（D. Sudnow）の研究である。サドナウの依りどころとする立場は、社会学の中でも現象学的社会学の一派とされるエスノメソドロジー（ethnomethodology）である。エスノメソドロジーは、あらゆる社会現象が、それを具体的な状況の中において、状況の内側から産出していく当事者の認識方法を通して成立する学問である。したがってこの立場は、単なる認識論ではなく、当事者の認識手続きを状況に即して実証的に克明に記述する方法である。サドナウは、この課題を「病院での死」という現象において遂行したのである。(1)

事実、サドナウ自身、自分の研究は、「何にもまして第一に、ひとつの民族誌（エスノグラフィー）である。これまで一度として記述されたことのない「死に関する仕事」（death work）の社会組織を描写しようとするものであり、かつそれをわれわれの社会の中で日常的な職業生活の事柄として、直接「死につつある人、the dying」と「死んだ人、the dead」との世話に関わっている例の人々――つまり病院のスタッフたち――の視点から試みようとした」ものであると述べている。(2) 併せて調査に関わった病院は一つは「郡立」病院であり、もう一つは「コーエン」病院であった。

魂消た、という内容は次のとおりである。郡立病院では、胎児の状態を記述するための定義が決められていた。胎児が「人間」としてみなされる境界線は、次の三項目である。

体重　　五五〇グラム

身長　　二〇センチ

在胎期間　二〇週間

恐るべき基準である。胎児が、もしこの基準（体重・身長）が軽かったり小さかったり、在胎期間の「年齢」に満たなかったりすれば、それはすべて人間以外の生物とみなされた。より適切にいえば、「人間」とはみなさない「もの」として扱われる。つまり処分されてしまうのだ。この場合、基準以下の胎児は「死んだ」とはみなされない。「死んだ」と表現するためには、死に関するさまざまな手続きが整う必要がある。すくなくとも、「生きていたはず」とみなされる手続きが求められる。「生きている」とは、単に細胞活動の有無という生物学的な状態ではなく、社会的に構成された出来事としての事実である。したがって基準以下の「もの」は人間とみなされないのである。

サンスクリット語でみると、

基準以下は　bhāva

基準以上は　bhava

となるのであろう。bhāva は、単なる〈ある〉もの、物体が単にある存在を意味する。一方の bhava は人間の生まれて、成長して、やがて消滅するであろう人間の実存を意味する。

このように、エスノメソドロジーを自認するサドナウの「郡立」病院及び「コーエン」病院の報告は衝撃的であり、戦慄的なものであった。

うれしい報告もある。二〇一一年、アメリカ・ロサンゼルスの病院で、出産予定日より一六週早く出生したために、体重は約二七〇グラム、身長は二〇センチ余りであった。出産当時は感染症などの危険から数日の生命と診断されたが、医師団の懸命な治療で脳や聴覚の検査に立派に合格されたという。もし仮りに、この子が「郡立」病院や「コーエン」病院に入院していたら、基準以下で「もの」として扱われていたかもしれない。なおアメリカ・イリノイの赤ちゃんの例は、二〇〇四年のことで体重約二六〇グラムであっても成長を続け、元気に通学している心

温まる報告である。(3)

心温まるもう一つの報告がある。井上美由紀さんである。井上さんは、全国盲学校弁論大会優勝の『母の涙』で、自らの出生を自らの手で綴っている。(4)

私は生まれたときの体重が、五百グラムしかありませんでした。生まれてすぐお医者さまから説明があったそうですが、母は私のあまりの小ささに、涙があふれて先生の説明が聞きとれなかったそうです。

私の五本の指はまるでツマヨウジのよう、頭の大きさは卵ぐらい、太ももは大人の小指ぐらいだったそうです。

井上さんは七か月間ほど、病院の保育器の中で生育していった。その間、約五か月くらい経過したとき、「美由紀ちゃんの目は、将来、ものを形としてみることができません」と告げられたそうである。爾来、母親と娘の涙ぐましい格闘と成長が続くことになる。そしてこの『母の涙』の終章では、「今度は、母によろこびの涙をながしてもらいたい、と思います。それはふいてもふいてもあふれ出てくる、よろこびとしあわせの涙です。」と結んでいる。『母の涙』は中学三年生になった井上さんの成長の自分史でもあるのだ。「郡立」病院も「コーエン」病院も全くナンセンスな報告にすぎない。

話は、もとに戻って、サドナウの魂消た話はこれだけではなかった。サドナウが調査した「郡立」病院の状況は記述したとおりだが、もう一つ気にかかる点がある。それは、もし胎児が「人間」としてみなされる基準線上で生まれた場合、病院スタッフは胎児を保育器に入れずに外気にさらし、出産後すぐに「死ぬまま」にしておくそうである。その結果、胎児が「泣き」だしたりしたら保育器に収容される。つまり胎児の「泣く」という声を聞くと、胎児を「もの」と判断できなくなるのである。こんな結論は「コーエン」病院にもみえる。その様子を少し引用してみよう。

コーエン病院でも同じような習慣的判断がある。「赤ん坊」が息をしたり泣いたりしたら、その事実が人間であることの証拠だと解釈され、それが「赤ん坊」の生と死の可能性を人間一般の生死について考えるような仕方で捉える根拠になるのである。コーエン病院の特色は、もし家族の要求がなければ臨月の死産児でも埋葬されない。これに対して郡立病院では、定義上適正な「人間」として記録されている者に対しては埋葬が要求される。ところで「泣く」とか「息をしている」という事実は社会的な意味を持っている。なぜなら、私が医師のスタッフたちとした話をできるだけ多く集めてみても、「泣く」とか「息をしている」といった出来事にはそれ自体何ら特別な医学的意味がないからである。つまり専門的に言うと、在胎二〇週の泣いている胎児は、「黙っている」同年の胎児とまったく同じ状態にある（「黙っている」というのはたぶん適切なことばではない。なぜなら「黙る」ためにはおそらく「静かにする」能力を前提しなければならないからである）。「泣く」あるいは「息をする」という事実は、いわば「助けを求めて泣く」ことと同じように、社会的な意味があると思われる。

引用がやや長くなってしまったが、人は生まれるとすぐ「人間」としてみなされるために、〝オギャー〟と泣くのは、「助けて求めて泣く」のか、「生命を奪われる畏怖から逃れるため」なのか。……それは正解ではない。

神話では伊邪那岐命が、黄泉の国から脱出し、禊ぎを祓ったのちに、さまざまの神を産むが、その最後には、左の目から天照大御神、右の目から月読命、そして鼻から建速須佐之男命の三神を生む。このタケハヤスサノヲノミコト＝スサノヲノミコトの話である。海原を統治すべきはずのスサノヲノミコトは、その使命を果たすことなく、ただ大声で泣き尽くすばかりであった。その様は、「八拳須心の前に至るまで、啼きいさちき。その泣く状は、青山は枯山の如く泣き枯らし、河海は悉に泣き乾しき」[5]というものであった。「八拳須心」とは、幾握りもある長いあごひげが、胸元に垂れるまでを意味するので、長い長い歳月を泣きわめき、泣き止まらなかったのである。「いさちき」「いさちる」は、他者のいい分を拒否する状態を示している。

以上は『古事記』の記述であるが、『日本書紀』にも、素戔鳴尊（あるいは速素戔鳴尊）は、「勇悍くして安忍なる」神であるが、「且常に哭き泣つるを以て行とす」とし、さらに「常に啼き泣ち恚恨む」[6]とある。

保田與重郎は、古い日本人は、体の中に涙の流れる河があって、それを『涙河』と名付けている。[7]はたしてスサノヲノミコトは何故にこれほど泣き枯したのであろうか。かれは答えている。「僕は妣の国根の堅州国に罷らむと欲ふ。故、哭くなり。[8]」つまり、母なる女神の根の堅州国に行きたいがための号泣であった。

つまりスサノヲノミコトは、駄々っ児のように、いつまでも死んだ冥府に宿る母の許に行きたい一心で泣き叫んでいた。このスサノヲノミコトの振舞いは、「まさに母からの分離に抗議し」、無理矢理に「母に固着」しようとするもので、それは〈バイトゴゴ的〉行為にほかならなかった。[9]

この〈バイトゴゴ〉とは、母親との関係にしがみつき、母親によって代表される女の世界に〈閉じ籠る〉ものを指す。スサノヲノミコトは、文字どおりに、母親からの分離に抗議し拒否し、無条件に母親に固着する振舞いに終始している。

和辻哲郎は神話文化を語る中で、「神々の内ではすさのをの命が最も悪神に近い」と断じながらも、このスサノヲノミコトは最も著しい「自然児」の典型であって、悪の原理の意味での悪神ではないともいっている。[10]もっとも和辻は、神話には善神と悪神との対立はないこと、神話は「自然児の神化」であることも説いている。

そんなことを背景に佐藤正英は、スサノヲノミコトの泣き続ける根拠として、「元型的母の拘束力から離脱して、自覚的に責任を果たす大人に成長し自立を遂げること」ができず、「いつまでも母に固着した赤児のままでいたいと切願し続けた」がゆえであることを説いている。スサノヲノミコトの泣く行為は、自然児の、甘ったれの駄々っ児の姿だけでなく、母親からの離脱の激しい拒否、母親からの自立の絶対的抗議のものであった。泣く行為、すなわち自立の抗議・拒否は、まさに依存への序曲であった。

……赤子の泣くことの意味、正解が近づいてきた。

以上の例示とは逆に、与論島では生まれてきた赤ん坊に〝泣きよ〟〝泣きよ〟と寿詞を送っている。そこでは赤ん坊が生まれると、青竹の小刀で臍の緒をつぎ、その後に産湯を使い、その後にカラ竹、阿旦、サーラキ（刺のある蔓草）を赤子の枕許に束ねて寿詞が唱えられる。(11)

ウラ（汝）にコレ付きらむ。木ぬ精、草々ぬ精ぬ出じてぃ来ぬ如、カラ竹ぬ節々ぬ如、伸びり。阿旦ぬ如、島ぬ垣なり。サーラキぬ如、広がてぃニギ出じり。泣きよ、泣きよ

一般に祝詞とは、祭りの儀式における神に申して人を祝福する言葉を意味している。この祝詞のうち、とくに祝賀・祝福の意味が強いもの、多いものを区別して寿詞と呼称している。(12)だから「泣きよ泣きよ」は、出生に関する人々の共通の祈りごとなのである。

死と再生の戦いの中で、赤ん坊の誕生を記述した論文がある。それは、今まで最も安全で快適な母親の胎内から、未経験な世界への移行のありさまをつぶさに綴っている。すなわち、「そこでは子宮の収縮はつづいているが、子宮頸部は口を開けている。分娩道に蠕動がはじまり、強い圧力が自動的に加えられ、生へのあらがいと同時に、しばしば窒息の危険がたかまる。この出産の最後の段階で、胎児は、血液や粘液、羊水、そして尿や糞など、さまざまな生体分泌物と直接ふれあうことになる。（中略）荒々しい闘争の雰囲気、サド・マゾ的な展開、強い性的興奮の逸脱した諸形式、糞尿体験、浄火の要素（火によるカタルシス）など」(13)がそれである。

やがて「人間」となるであろう胎児は、このような躍動を経て、へその緒が切られ、母親との肉体的分離が完了する。

埴谷雄高に『死霊』がある。その前半早々に注目すべき一行余、四一字がある。[14] ものすごい発見である。

顔を顰め、むずかっている赤ん坊が、若しその理由をいいきり得たら、それは世界で最初の言葉だ。

埴谷自身、「自同律の考究」として述べているように、『死霊』全九章の前半の最大テーマは「自同律の不快」にあるといえよう。ある評者は、埴谷も、すべての事物の動因、つまり基本的な動く要素、変化の動因は「自同律の不快」[15]にあることを指摘していて興味深い。菅野覚明はつとにこのことに着目している。[16] 菅野は、埴谷の四一文字について、「自同律の不快」の根源が、今にも泣き出そうとしている赤ん坊の不快な気分の内に見い出されていると読み解く。菅野はさらにいう。「私が私である（自同律）という感覚は、裏返していえば、私が私でないところのものを受けとめている感覚であろう。そのことを不快と感じ、むずかり泣き出そうとしている赤ん坊の経験しているのは、いわばすべてが私と同一であったときのまどろみから、一切が私ではない世界に放り出されてしまった、景色の断絶・反転の経験であろう。」

へその緒が断たれ、母親との身体関係が分離したとき、新しい人間はオギャーと叫ぶ。私で「ある」存在から私で「ない」存在への移行、私である世界から私でない世界への全景に立ち向うとき、自立を求められるだろうか。否である。私であった母親への依存、新しい未知なる世界への依存――それこそ、人間の最も自然な最も素直な姿ではないだろうか。

私事にはなるが、私は早稲田大学エクステンションセンター発行の『早稲田大学オープンカレッジ』の「Death Education（死と向き合って生きる）」で、二〇〇〇年度来、教育において最も大切なものは「自立よりも依存である」と記述してきた。その関連でささやかながら「依存学のすすめ」(17)を筆にした。このうち、ルネサンスに関する部分を引用しておく。

たとえば知について考えてみよう。知は二分され、「神知」と「人知」になった。神知から人知への移行も意味するところとなった。神知から人知への移行の知は、「叡知」、「学知」、「思慮」、「知性」、「技術」、「科学」が配置されるようになった。ホモ・サピエンスの登場はその典型であろう。ここに人間の知優先の傲慢さがあるのではないか。一六五〇年没のデカルトの有名な言説〈私は思う、ゆえに私はある〉は二元論の代表である。明らかな知優先の省察である。

紙幅の関係もあり、うんと短絡的に論をすすめれば、この知優先の思想は自立優先の思想と結合をする。自立優先の結末は依存概念の疎外につながってしまったのである。ここにルネサンスのとても大きな「臨界」を感じるのだ。

近代のこの世では、依存をすっかり忘れてしまった。この世のありようは人間を理性をもった自立的人間を前提としてしまった。人間が人間であることの根拠を、知や理性や自立に求めてしまった。ゆえに依存は周縁に追いやられてしまった。

一九五四年、京都大学では「造林学」講座を「森林生態学」に改組した。造林学は人間が近代知により人間が主役となって森林を育てる方法を意味する。対して森林生態学は木々と多様な生物が主役となり人間は脇役に位置する。

「造林学」はルネサンスの学問である。

「森林生態学」は共生の学問であり、依存の学問である。

再び話を戻そう。人の死について『古事記』では、しばしば「まかる」「みまかる」の表記をしている。「まかる」、「みまかる」は、眼にみえない大きなもの、ある超越的な不思議なもの、はかりしることのできない自然に、自分自身を「あずける」、「まかせる」意ととれる。つまり、人の死もこの大自然への依存によって叶えられるものである。生と死は整合性をもたねばならない。

人は依存として生を享け
人は依存として生を卒わる。

注

(1) 山田富秋「訳者あとがき」(デヴィッド・サドナウ著、岩田啓靖ほか訳『病院でつくられる死』せりか書房、一九九二年)。
(2) サドナウ「序文」(同上)。
(3) 「朝日新聞」二〇一二年一月二三日夕刊。
(4) 井上美由紀『生きてます15歳』ポプラ社、二〇〇〇年。
(5) 倉野憲司校注『古事記』岩波書店、一九六三年。
(6) 坂本太郎ほか校注『日本書紀(一)』一九九四年、岩波書店。
(7) 保田與重郎『畸人伝』(『保田與重郎全集』第三〇巻)講談社、一九八八年。
(8) 『古事記』前掲。
(9) 河合隼雄ほか『日本神話の思想』ミネルヴァ書房、一九八三年。
(10) 和辻哲郎『日本古代文化』岩波書店、一九二〇年。
(11) 土橋寛「寿詞と祝詞」(土橋寛編『呪祷と文学』講座・日本の古代信仰・第四巻、学生社、一九七九年)。
(12) 武田祐吉「解説」(武田祐吉ほか校注『古事記祝詞』岩波書店、一九五八年)。

(13) スタニスラフ・グロフ、クリスティナ・グロフ著、山折哲雄訳『魂の航海術――死と死後の世界』(「イメージの博物誌」一〇) 平凡社、一九八二年。
(14) 埴谷雄高『死霊』(『埴谷雄高作品集 一』河出書房新社、一九八一年)。
(15) 綾目広治「笑いと思考」(ハワード・ヒベット文学と笑い研究会『笑いと創造』第五集) 勉誠出版、二〇〇八年。
(16) 菅野覚明『神道の逆襲』講談社、二〇〇二年。
(17) 早稲田大学エクステンションセンター大槻宏樹講座〈わたしのDeath Education〉一〇周年記念号、二〇一一年。

◉第五話◉

ケニヤッタから学ぶ他者論

一八七二（明治五）年、「学制」が施行された。わが近代教育の出発であった。この学制の大号令とも前文とも位置づけられるのが「学事奨励に関する被仰出書」[1]である。まず、その前半部分を載録してみる。

人々自ら其身を立て其産を治め其業を昌に志て以て其生を遂るゆゑんのものハ他なし身を脩め智を開き才藝を長するによるなり而て其身を脩め智を開き才藝を長ずるハ學にあらざれば能ハず是れ學校の設あるゆゑんにして日用常行言語書算を初め士官農商百工技藝及び法律政治天文醫療等に至る迄凡人の營むところの事學あらさるハなし人能く其才のあるところに應志勉勵して之に從事し志かして後初て生を治め産を興し業を昌にするを得べしされハ學問ハ身を立るの財本ともいふべきものにして人たるもの誰か學はずして可ならんや夫の道路に迷ひ飢餓に陥り家を破里身を喪乃徒の如きハ畢竟不學よりしてかゝる過ちを生ずるなり從來學校の設ありてより年を歴ること久しといへども或ハ其道を得ざるよりして人其方向を誤り學問は士人以上の事とし農工商及婦女子に至つてハ之を度外におき學問の何物たるを辨ぜず又士人以上の稀に學ふものも動もすれハ國家の爲にすと唱へ身を立るの基たるを知すして或ハ詞章記誦の末に趨り空理虚談乃途に陥り其論高尚に似たりといへども之を身に行ひ事に施すこと能ざるもの少からず是すなはち沿襲の習弊にして文明普ねからす才藝の長ぜすして貧乏破産喪家の徒多きゆゑんな里是故に人たるものハ學ハずんハあるべからす之を學ふに宜しく其旨を誤るべからず之に依て今般文部省に於て學制を定め追々教則をも改正し布告に及ぶべきにつき自今以後一般の人民華士族農工商及婦女子必す邑に不學の戸なく家に不學の人なからしめん事を期す人の父兄たるもの宜しく此意を體認し其愛育の情を厚くし其子弟をして必ず學に從事せしめざるべからざるものな里高上の學に至てハ其人の材能に任かすといへども幼童の子弟ハ男女の別なく小學に從事せしめざるものハ其父兄の越度たるべき事

「被仰出書」を要約してみると次のようになる。①立身出世するには学問を修める必要があり、学問を修めるために学校を設立した。②そのために学校は実用に適した学問を設定してあるので、才能に応じ勉学すること。③沿襲の習弊を打破して、誰しもが学ぶ必要があること。④学校や学問を修得するのに、官費に頼ってはならないこと（民費負担）。すなわち、学問をした結果は、その人の個人の利益になるから民費負担は当然のことである。

「被仰出書」に関する論説は多々ある中で、井上久雄の論を採用してみよう。井上は「被仰出書」の教育理念は、近代化の論理と統一化の論理であり、それは知識主義と統制主義の原理であることを立証しながら、次のように発言している。「知的財の獲得が経済的財の獲得に連動していること、すなわち、近代市民社会における財獲得の原理が、被仰出の精神ににじみ出ていることは明らかである。学校教育が立身の基礎であり、しかも、学校教育によってのみ立身出世の可能性がひらかれるという明治以降の教育観を培養した源泉を、被仰出のなかにみることもできよう。教育の個人的な効用を被仰出は教育理念の基調としているからである。[2]」つまりわが国近代教育の出発は、知識主義に立ちながらの立身出世主義の教育であり、個人の効用をめざす教育観になりたっていた。すなわち、本稿の趣旨に沿って考えると、わが国の近代の教育は立身出世をカクレミノに、「他者」の視点をすこぶる欠いた教育観にひたってしまっていたのである。

「学制」や「被仰出書」と福沢諭吉との関係には諸説ある。また福沢自身の思想道程の変化にも多説がある。ただ、福沢と被仰出書には切り離せない関係があることは事実であろう。福沢諭吉の残した偉大な功績は誰しもが首肯するところである。ところで小泉信三が、「当時の日本人にとり警抜大胆を極めた」とされ、「あれほどまでに時人を覚醒刺衝した[3]」と評価した『学問のすすめ』を検討してみたい。

有名な「天は人の上に人を造らず人の下に人を造らずと言えり」のすこしばかりすぐ後に「賢人と愚人との別は、学ぶと学ばざるとに由って出来るものなり。また世の中にむつかしき仕事もあり、やすき仕事もあり、そのむつかしき仕事をする者を身分重き人と名づけ、やすき仕事をする者を身分軽き人という。すべて心を用い心配する仕事はむつかしくて、手足を用いる力役はやすし。故に、医者、学者、政府の役人、または大なる商売をする町人、夥多の奉公人を召使う大百姓などは、身分重くして貴き者というべし。」と、賢人と愚人、身分の軽重を説き、先述した井上の指摘した知的財の獲得が経済的財の獲得に連動するような立身出世への途を示唆している。その初編ではさらに、学問を修得するには「分限」を知ることが肝要であることを力説して、こんな例示をしている。「シナ人などの如く、（中略）自国の力をも計らずして妄に外国人を追い払わんとし、却ってその夷狄に窘（くるし）めらるるなどの始末は、実に国の分限を知らず」とまで断言している。

ややゆがんだ立身出世論が「第二編」にある。引用してみる。「国法の何物たるを知らず、己が職分の何物たるを知らず、子をばよく生めどもその子を教うるの道を知らず、いわゆる恥も法も知らざる馬鹿者にて、その子孫繁昌すれば、一国の益は為さずして却って害をなす者なきに非ず。かかる馬鹿者を取扱うには、迚も道理をもってすべからず、不本意ながら力をもって威し、一時の大害を鎮むるより外に方便あることなし。」目を疑うような論旨ではないか。これが近代の知であろうか。これは後の「国民優生法」や「優生保護法」を補強するような優生思想とみてとれる。優れた者だけの立身出世術になってしまっている学問のすすめである。

やがてわが国は「富国強兵」対策に資する教育に移行していくことになる。立身出世の「世」とは「世の中」や「世間」を意味するが、実質的な立身出世とは「国家社会のしくみ」に組み込まれていくことになる。逆にいえば、「国家社会のしくみ」に組み込まれていくことによって「身を立てる」教育となっていった。わが国のこれまで共同体社会に培われてきたムラと、そこに機能してきた人間関係、例えばユイとかモヤイの関係は影を潜めていったのである。(4)

「学制」と「被仰出書」から百数十年を経て、戦後「教育基本法」が制定された。それは戦前の教育勅語体制を根本から拒絶し、いわゆる平和憲法の理念に沿い制定されたものであった。しかし、すなおに教育基本法を読むと、その第一条を中心に、「個」の論理が優先しているように思われる。誤解を恐れずにあえて提言するならば、教育基本法の精神に最も欠けているものは、「他者」への顧慮ではないだろうか。このことは、なにも教育基本法に限定される問題ではなく、教育全体として社会全体を通して指摘しうる問題である。同時に、この他者への視点の欠如は、近代以降の日本の姿そのものではないだろうか。

ひるがえって、わが国の教育体制の中で欠けているものの一つは、他者であるアジア、アフリカ、あるいはラテン・アメリカに対する認識を全く排除してきたことではないか。ひっくり返してみると、植民地・従属化されてきた世界では、外来文化と土着文化との徹底した対決をかもしだし、その思索は内向し、きびしい抵抗精神と自己定立への動きを生んできた。殴った文化と殴られた文化の相違であろうか。

かつて私はこんな主張をしている。この考えに今も変わりはない。「近代のわが国では、隣国の友誼の歴史を、逆に侵略の歴史に塗りかえてしまった歴史をもっている。同時に、わが近代の教育・文化における価値の追求は、いわゆる欧米先進諸国のそれの直訳・模倣に性急であった。ゆえに、その思索は内向せず、西欧文化への懐疑を内面化する機会と努力を少なからず欠いていた。(中略) それゆえに、教育・文化の面でも、実体のない「個」であり、生命のない「個人」、他者を顧みない教育観を形成してきた。ために、わが国は、「自らのアジア」を卑下してきたし、戦後に至り、不可知であったアジア、他者であった隣国に慄然としなければならない情況を生んだのである。そこに、近代の教育の歴史の再整頓が望まれる理由がある。(5)」こんな時、私はそれこそ小泉信三流に表現すれば「警抜大胆を極めた」、そして「覚醒刺衝」を受けた論述に遭遇した。

それがケニヤッタ著『ケニヤ山のふもと』である。

ケニア（Republic of Kenya）は一九六三年に独立をみるが、それ以前、長い間主としてイギリスの植民地であった。ギクユ民族の居住するケニヤ山周辺は農耕地帯で、多くの人は白人プランテーション労働者として働くことになった。ケニヤッタ自身も、「ギクユの民衆は農業民である。彼らが羊と山羊の大群と、それよりはいくらか小さな範囲で牛を飼っているのは、ギクユの社会組織が、いわゆる〝結婚保険〟、支払い、犠牲、肉の宴、呪術の儀礼、潔めの儀式、人びとの衣服の材料などに、家畜をたえず供給することを必要とするからである」(6)と述べているとおりである。

植民者はその国の肥沃地を優先的に植民地化する。ギクユ民族の主な居住地は、まさにそれに該当する。一九二〇年には、南アのパス制度（アパルトヘイトと連動する）と並んで、ギクユ民族の多数はキパンデ（非情な指紋制度を含む原住民登録制度）と強制労働などによる弾圧を受ける。ギクユ民族から民族独立運動が高まるのは当然の帰結でもあった。ケニヤッタはその中心人物なのである。

ケニヤッタの略歴を『アフリカを知る事典』から紹介してみよう。(7)

ケニヤッタ（Jomo Kenyatta　一八九〇？—一九七八）

ケニア独立運動の指導者、初代大統領。ムゼー（スワヒリ語で〈長老〉の意）の名で国民に敬愛された。一九二八年に民族運動組織キクユ中央協会（ＫＣＡ）書記長となり、機関紙で健筆をふるう。翌二九年、土地問題陳情のため渡英。三一—四六年の第二回渡英中、ヨーロッパを回り、モスクワでも勉学するとともに、ロンドン大学で音声学、人類学の造詣を深め、出身部族であるキクユ族の生活を描いた《ケニア山のふもと》（一九三八）等を執筆。四七年ケニア・アフリカ人同盟（ＫＡＵ）党首となり、五二年に急進派テロ事件（マウマウの反乱）の首謀者の嫌疑で投獄された。六一年釈放後、ケニア・アフリカ人民族同盟（ＫＡＮＵ）党首となり、六三年五月の選挙により首相に就任。同年一二月にケニアが独立し、翌年一二月の共和制移行に伴い、初代大統領となった。野党非合法化等の強硬策もとったが、政権はおおむね安定し、死去まで大統領を務めた。この間、アフリカ人優遇政策をとる一方、在住白人入植者に対して穏健な措置を講じ、親欧米外資導入政策と相まって、ケニアにアフリカ諸国で有数の経済発展をもたらした。ナイロビ市内に彼の廟が造られている。

こんな背景の中で執筆されたのが『ケニヤ山のふもと』である。本書は、基本的にはギクユ民族の政治、経済、製造、成人式、結婚制度、宗教、魔術、医術など多方面にわたり、その一部にこれから紹介する注目すべき「教育制度」が載っている。ケニヤッタは本書の執筆資格として、このように述べている。(8)

私は、私の年齢集団の活動にくわわり、その指導者にえらばれた。のちには、外部の世界を知っているという理由で、ギクユ内の進歩的運動の全体の指導的地位につくことになり、その地位をいまもたもっている。ギクユ中央連盟の総書記として、私は一九二八―三〇年に、ギクユの最初の新聞、ムイグウィサニア Muigwithania を創刊し、編集した。そのためギクユの国じゅうを旅行して、多くの人びと、老人にも青年にも逢い、文化、政治、社会、宗教、教育、その他のさまざまな問題について、彼らと議論する機会をえた。やがて私は長老職の三つの段階（キアマ　キア　ムブリ　イサト Kiama kia mbori ithato）をへ、そのため長老会議に参加することも、ギクユの国の各地での長老会議のやり方を知ることもできた。また、戦士階級の一人として、ギクユの戦争技術の実際的な知識を習ったばかりではなく、マサイの国のンガレ　ナルク（Ngare Narok）の近くに住んで、マサイの戦術を身近に経験し、それについて多くのことを知った。そのほかに、他の多くの部族もたずねた。

かれはさらに、魔術や医術、新しい宗教運動などについて、さまざまな地域の訪問や、各種関係者・団体との接触による結果の成果をあげている。

もともとアフリカを理解する根本は、部族（民族）生活にあると指摘されている。『ケニヤ山のふもと』の訳者・野間寛二郎は次のように的確に述べている。(9)

アフリカを理解する根本は、部族生活にある。部族生活を正しく理解しないかぎり、今日のアフリカの動きをつかむことも、じつは困難であろう。だが、この部族生活について、今日まで私たちに伝えられた多くは、いわゆるヨーロッパ的な見方に立つもので、アフリカ人を偏狭で、好戦的で、無知な野蛮人と見ることであった。そこからいわゆる部族主義（トライバリズム）という言葉が生まれ、帝国主義者はこれを温存し、植民地支配に巧みに利用しつづけてきた。

しかし三世紀半にわたった奴隷制度と、それにつづく獣的な植民地統治から、アフリカの民衆をまもってきたのは、この部族生活の根底に横わる共同体的要素であった。彫刻、音楽、舞踊を通じて、最近世界の注目を浴びているアフリカの文化を破滅からまもってきたのも、この部族生活である。

奴隷商人の侵入を封じたギクユ族は、この部族生活を、もっとも長く純粋に保存し、独自の方向に発展させてきたといえよう。

さきに記述したように、ギクユ民族の生活を幼少期より体験したケニヤッタの著述に特別な意味を感じとることができる。ケニヤッタ自身も、ギクユの部族（民族）組織には、三つの重要な要素をあげている。第一は、家族集団（ムバリ mbari またはニョムバ nyomba）で、血によってつながっている者。第二は、氏族（ムヒリガ moherega）で、同じ氏族名をもち、遠い昔に一つの家族集団から出たと信じられる数個のムバリ（家族集団）を一つの集団に集めたもの。第三は、年齢階梯制度（リイカ riika）で、あらゆる部族（民族）活動の中で一致団結させるものである。すなわち、ギクユの政治・社会・宗教・経済生活の中で、老人、青年、少年などさまざまな年齢集団の協力による活動が円滑に行なわれるのである。ギクユの教育は、以上の三要素が複合して螺旋状に展開していくところに特徴がある。

『ケニヤ山のふもと』は、第一章・部族の起源と親方制度、第二章・ギクユの土地所有制度、第三章・経済生活、第四章・製造、第五章・教育制度、第六章・少年と少女の成人式、第七章・若者たちの性生活、第八章・結婚制度、第九章・ギクユの統治制度、第十章・ギクユの宗教、祖先崇拝、犠牲の式、第十一章・東アフリカの新宗教、第十二章・魔術と医術の施行から成り立っている。このうちの第五章・教育制度の中で最も注目すべき一ページをそのまま転載してみる（傍線は筆者）。

ギクユの教育制度でもっとも顕著な点で、ヨーロッパの教育制度ともっともはっきり区別される特徴は、個人関係が最重要視されていることである。教育政策についてのおおやけの声明はどれも、教育の目的は単なる知識の獲得にはなくて、人格の形成になければならないという使い古した言葉をくりかえしている。しかしヨーロッパ人の実際のやり方は、この原則からはずれており、アフリカにおけるヨーロッパ人の教育方法は、全体としては知識を最大の目標としており、試験とか学則にかんするかぎり、それ以外のものに重点がおかれているとは考えることができない。ヨーロッパ人は、人格の形成がもっとも重要であるといいながら、人格は周囲の人びととの関係のなかでのみ形成され、また事実それ以外に人格の形成される道はないということを忘れているのである。正しい知識と思想を与えておけば、個人の関係は各個人の判断にまかしておいてよいとヨーロッパ人は考えているが、ここにヨーロッパ人とアフリカ人のもっとも根本的な見方のちがいがあるように思われる。ヨーロッパの教育制度では、学校の同等化、そしてとくに社会的従属、結婚、家族、学校、才能、民衆の国家との関係などは、おのずから育ってきたものであり、歴史的形態として、しかしつねに変化できるものであり、自由な人間、つまり個性は、それを支配する力を持たなければならないと見られているといえよう。なぜなら、最高の善は個性の自由であって、反対に他の人びととの対等関係、とくに相互の従属関係は、なにか副次的なものとされているからである。ここで、この問題に密着したつぎの疑問を提出しておくことが必要である。「ヨーロッパの教育制度の目標が個性にあるというのが正しければ、そのような教育をうけたヨーロッパ人が、アフリカ人の有機的な部族関係のなかに正しい地位を見つけるのが困難なのはあたりまえではないか。」これを要約すれば、ヨーロッパ人にとっては「個性が人生の理想である」が、アフリカ人にとっては他の人びととの正しい関係と、他の人びとへの正しいおこないが人生の理想である、ということができる。教育哲学がこの二つの偉大な真理をより高いものに統合できることはいうまでもないが、現実には、ヨーロッパ人が一方を強調するあいだは、アフリカ人は他方を強調しつづけることになろう。

古今東西、数多ある教育論の中で、これほど感銘を受ける提言は他に見当らないであろう。引用の傍線部分、襟を正して味読してみる。「人格は周囲の人びととの関係のなかでのみ形成され、また事実それ以外に人格の形成される道はない」という。文中、「人格」を「教育」に置き換えてみると、「教育は周囲の人びととの関係のなかでのみ形成され、また事実それ以外に教育の形成される道はない」のだと主張する。

さらにさらに核心に触れる。すなわち、「他の人びととの正しい関係と、他の人びとへの正しいおこないが人生の理想である」と。これも換言すれば、「他の人びととの正しい関係と、他の人びとへの正しいおこないが真の教育である。」

先述の野間寛二郎の指摘のように、三世紀にわたった奴隷制度や、それに基づく植民地支配の中で、アフリカの文化の破壊を守ったのは部族（民族）生活であった。その内実についてケニヤッタはいっている。つまり、ギクユの社会で最も重要な教育原理は具体的な人間と人間との関係のなかにあり、集団内の共同の努力、共同の責任感、共同の犠牲や祈り、共同労働のなかに存在するのである。そこには、他の人びととの正しい関係と、他の人びととの正しいおこないの関係がみてとれる。

ケニヤッタは、ヨーロッパ文化の学術の発展や富の繁栄への憧憬をひそかにもっていたにちがいない。しかしそこに内在する知識中心、個中心の文化に疑問と批判をもった。ケニヤッタは一方で社会主義文化の正義ある統治や公正な分配への憧憬を強くもっていたにちがいない。しかしそこに内在するイデオロギー中心、教条主義中心の文化に疑問と批判をもった。ケニヤッタは正しい知識、正しいイデオロギーの伝達は教育ではない、と断言する。

あたかも、アフリカから遠く離れたブラジルから、パウロ・フレイレは、『伝達か対話』の冒頭において、「人間として生きることは、他者および世界とかかわって生きることである。それは、世界をそれ自体で独立した、認識可能な客観的現実として経験することである」とし、「人間の存在は、他者との関係、他者との交流においてのみ可能である」[10]と主張している。まさに教育論、他者論において、アフリカとブラジルとの共響、協奏の姿が美しい。物にフレイレは、「教育は、エクステンシオン（普及）か、コミュニカシオン（伝えあい）かのいずれかを志向するものであり、そのいずれを志向するかによって、それは支配の行為ともなれば、解放の行為ともなりうる」[11]ことを説いている。フレイレの実践における理論の重要概念である「意識化」の問題についても、「他者、あるいは現実世界との関係を認識し意味化する力を獲得しながら、自らと他者あるいは現実世界との関係を変革し人間化しようとする自己解放と同時に相互解放の実践」[12]と把えている。

改めて耳を傾けよう。他者論におけるアフリカとブラジルの共響、協奏。それは依存への第一歩である。

注

(1) 教育史編纂会『明治以降教育制度発達史』第一巻、教育資料調査会、一九六四年。
(2) 井上久雄『学制論考』風間書房、一九六三年。
(3) 小泉信三「解題」(福沢諭吉『学問のすすめ』岩波書店、一九八一年)。
(4) 楠原彰「キユク族の成人式」(アフリカ問題懇話会『アフリカを学ぶ雑誌a』第五号、一九七二年七月)。
(5) 大槻宏樹『自己教育論の系譜と構造』早稲田大学出版部、一九八一年。
(6) 『ケニヤ山のふもと』「序」。
(7) 伊谷純一郎ほか監修『アフリカを知る事典』平凡社、一九八九年。
(8) 『ケニヤ山のふもと』「序」。
(9) 野間寛二郎「訳者あとがき」。
(10) パウロ・フレイレ著、里見実ほか訳『伝達か対話か』亜紀書房、一九八二年。
(11) 里見実「序　意識化と対話の統一をめざして」(同前)。
(12) パウロ・フレイレ著、小沢有作ほか訳『被抑圧者の教育学』亜紀書房、一九七九年。

◉第六話◉

重いものと軽いもの――一人前の人間誌

一　一人前の基準

二　他者との関係

一　一人前の基準

一人前とはなにか。「ひとり前」ともいう。人間は、他人様よりも「ひとり分」だけ前へ出てもよいのである。ひとは、他人様よりも二歩以上前に出てはいけないのである。ましてや三歩以上、他人様の前に位置することはご法度である。近代以前の社会では、年齢階梯組織に基づく世代教育が、共同体の中で培われてきた。村落の維持継承のために、人々の価値観が一様化され、その価値観が螺旋状のように世代間に循環されることが求められていた。だから、一人前の人間とは、他者よりも一歩前以上出ることはない人間のことである。

このことは「分（分限）」の思想と深く連動していく。福沢諭吉は、「学問のすゝめ　初編」（『福沢諭吉全集』第三巻、岩波書店、一九五九年）で、「学問をするには分限を知る事肝要なり。人の天然生れ付は、繋がれず縛られず、一人前の男は男、一人前の女は女にて、自由自在なる者なれども、唯自由自在とのみ唱へて分限を知らざれば我儘放蕩に陥ること多し」と説いている。ここに、一人前論における分の思想がみてとれる。もう一方で、一人前の「前」とは分配、あるいは「分け前」を意味している。つまり一人前とは、大人と同量の分け前を獲得すること、同時に労働量も大人と等しく務めることによって、ヒトヤク（一役）が務まることを意味する。

前近代社会の教育の基本は、「子どもからおとな」への道である。「おとなにすること」が教育である。子どもとおとなの中間の青年期は近世には存在しない。若者＝一人前＝おとな、の図式が近世である。その近世の若者入りは、およそ一五歳であり、家柄・門流などに関係なく、およその村落では、おとなは「平等の出発」が認められる。近代社会では、青年期が導入され、おとなの基準は、本人が選択する教育機関（主として学校）の種類と修業期間とによって決められるため、近世のような「平等の出発」は存在しない。

改めて、近世における一人前にとっての「平等の出発」を考察すると、近世社会においては社会の構造的変化が少なく、同様な生産労働に従事し、地縁血縁的な相互扶助が機能していた社会にあっては、「一人前の基準」が社会生活の公準として確立していたからであろう（岩永久次「「一人前論」について」〈熊本学園三〇周年記念論文集〉商大論集第三九号、一九七三年）。およそ一五歳での「平等の出発」の背景には、仕事量における一人前、仕事の質（技術）における一人前、社会的地位（人間関係）における一人前、祭祀における一人前などの基準が存在していたのである。

「平等の出発」の第一歩は「若者入」である。若者入りは、「若者達をほんとうの一人前にする為の教育であり、訓練であった。若者組の任務や目的には処に依ってもっと卑近ないろいろなものがあったが、究極のところはやはりこの点であったと思はれる。併し乍ら若者組はかゝる目的の為に意識的に作られた機関では無く、元来極めて自然に発達した団体であったから、決して何らかの目的を以て固苦しい教育や訓練の下に図抜けた謂はば一人前以上の人物を作ったのではなかった」（大日本連合青軍団『若者制度の研究』一九六六年復刻版、日本青年館）。ただ個々の青年を、それぞれの村落において相応しい人物に育てあげていくことは、いずれの共同体においても必要としていたことである。若者入りをした結果、当該村落において獲得した条件は、一に結婚資格の公認であり、二は神事祭礼に参与する権利であり、三は一人前の労働能力の確認による労働賃銀の獲得であった。同時にこれらの権利の裏腹に一定の義務が背負わされた。例えば、火災予防、盗難予防、外来人の取締り（地域により流人の取締り）、村落の警備、水害除去、治安維持、風紀の取締りなどがあげられる。このような過程を経て、若者は精神的にも身体的にもその村落に相応しい一人前の人間として世代の中核を構成していくことになる。

一五歳を基準として一人前と認められるものに、例えば一揆の動員対象は、年齢明示のものに限ってみると、一五歳以上六〇歳以下とされている（安丸良夫「解説民衆運動の思想」日本思想大系五八『民衆運動の思想』岩波書店、一九七〇年）。洪水の動員対象をみても、一五歳以上六〇歳以下が多い（穂積陳重『五人組制度論』有斐閣、一九二一年）。これは近代に入るが、長野県における道路橋梁の動員対象は一五歳から六〇歳、愛知県の消防への動員対象は一五歳から六〇歳であった（神谷力『家と村の法史研究』御茶の水書房、一九七六年）。二宮尊徳自身でみると、「毎年一回づゝ酒匂川の土手普請あり、一戸一人づつの賦役なりしが金次郎は親無き伜に十二歳より此の賦役に就きしが、仕事しつつ思ふやう、我の孤にして貧なると憫みて、村の人達は幼き我を一人前と見做して、許し給ふ」（中里弥之助『二宮尊徳言行録』内外出版協会、一九〇七年）と記されている。酒匂川の土手普請の動員年齢は一五歳であったろうが、二宮尊徳は労力不足ながら一二歳で出役し、なおかつ一人前とみなされた例である。

それでは、一人前として認められるための仕事量はどうであろうか。参考として、宮城県地方を中心とした調査からみてみよう（吉田美津子「いわゆる一人前について・その他」岩崎敏夫編『東北民俗資料（四）』万葉堂、一九七五年）。

名取郡秋保町長袋の場合

ワラジ　十二、三足（出来ない人で六足）。

なわない　めし食ってから女の朝仕事。

すみしご　十五、二十（かや買ってワラぶってすみしご編む）。

かをやかり　十月、家をふく準備をする。

たきぎ（しょい）　一セ（四十本ぐらい）。

シバ　縄で三マルぐらい。

田植え　一反歩（ヨイで六、七反歩）。

田うない　五セ（遅れた人に手伝った）。

草刈り　一、二セ（草刈るところがないと一セ）。

炭焼き　男が焼いた。普の炭は今の倍ほど長い。炭は仙台市の八幡町まで行って売った。八幡町には炭の仲買人がいて競走して炭を買った。馬で炭を運んだり、馬車で運んだりした。

宮城郡宮城町新川の場合

ワラジ　十足〜十二足。

じんべい　五足。

なわない　五百ひろ（一ひろは三・五尺ぐらい）。

すみしご　三十枚。

たきぎ、まきしょい　細かいので三十、四十本。大きいもので二十本ぐらい。

田植え　一反歩。

田うない　多くは出来ず、五セぐらい。

畑うない　五セ（男）。

稲刈り　五セ（上手な人）。

草刈り　　　　　二セ（朝と雨が降った時に刈る）。
炭焼き　　　　　（省略）。

亘理郡逢隈牛袋の場合

ワラジ　　　　　五足。
じんべい　　　　一足（一日以上かかる）。
なわない　　　　千縄（朝四時起床）。
田植え　　　　　一反。
田うない　　　　一反（馬でうなうになってからは楽になった）。
畑うない　　　　一反（女は男より一、二割落ちる。しかし土の具合による）。
稲刈り　　　　　一反。
麦まき　　　　　三セうなってまけば一人前。
草刈り　　　　　二セ（二人で草束六ぱ）。

津軽地方における一人前の一日の農業労働の基準量（ワッパカ）は、男性の場合、①三本鍬で田を一反歩鋤くこと、②縄は六、七把なうこと、③米を一石搗くことであり、女性の場合の一人前は、一日に一反歩の田植をすることなどと決められていた（平山和彦『青年集団史研究序説』新泉社、一九七八年）。伊豆諸島の場合でみると、一人前になるための労働量は、①家普請に出れば「しいの木の四寸角一二尺物」を一人でかつぐこと、②船普請では、七尋船の船板を二人かつぎが一人前、③浜普請では、四挺櫓の伝馬船は四人かつぎが一人前であったし、米一俵分の重さの力石を担ぐのが一人前であった（坂口一雄『伊豆諸島の若者組と娘組』未来社、一九八五年）。佐渡においても、稲刈りにも稲運びにも一人前の仕事量があり、「一人一日四〇刈り以上、一人一束五把から二束が標準、稲運びはカチュウといい、女子は四束、あるいは四束五把、男子は五束一背負」となっていた。夜なべ仕事としては、男性は縄ない、俵、草履、雪沓（ゆきぐつ）、蓑、牛馬の沓づくり、茣座（ござ）、莚編み、女性は苧（お）績み、糸ひき、粉ひきなどがきめられていた（祝宮静ほか編『日本民俗資料事典』第一法規出版、一九七〇年）。以上のように、村落社会における一人前の認定には二つの基準、すなわち一つは年齢設定、二つは「一人役」「一手役」にみられる労働力であった。

村落とは離れて、職人社会における一人前について参考までに触れておきたい。まず、井之口有一・堀井令以知編『職人ことば辞典』（桜楓社、一九八三年）から考察してみる。（一）「職人の種別と徒弟制度」でみると、①「目見得」、②「契約（弟子入り）」、③「礼奉行」（年季を終了した証に親方は弟子に道具一式を与える）の順序を踏むが、弟子はさらに一年間にわたり親方の許で無給の仕事をする。これを礼奉公（恩返し奉公）という。この礼奉公が終了してはじめて一人前の職人として自立することが可能となる。④「一生の親」、一人前の職人になっても、親方は一生の親代わりとなる。次に（二）「職人としての誡め・心掛け」についてみてみよう。①「師は針、弟子は糸」、「大工とつばめは軒で泣け」…どんなつらいことがあっても我慢すること、この苦しさを経て一人前になれる。②「下手な大工で切っては継ぐ」…余分が手間がかかるうちは一人前になれない。③「手切り、まら出し、釘こぼし」…手を切ったり、褌をだらしなく締めて陰茎がはみ出したり、釘を溢したる職人は一人前にはなれない、などがある。（三）職人の一人前までの「修業年齢」を箇条書き風にまとめてみる。

・陶工の一人前…「土もみ三年　ろくろ十年」。

・菓子作りの一人前…「火床三年、あん炊き十年」。

・大工の一人前…「鉋は調子三年、墨付けは見慣れ聞き慣れ」。
・板前の一人前…「包丁十年、塩味十年」。
・そば作りの一人前…「一鉢、二伸し、三包丁」。
・菓子屋…「餅屋は三代続いて一人前」。
・蕎麦…「蕎麦コネ三年」。
・庭師…見習いとして弟子入りして兵役までが第一修業期、三〇歳ころ第二期、御礼奉公、親方から独立して一人前。
・手描友禅…一人前まで十数年。
・祇園…（オチョボ）将来は仲居になる少女、成長すると「赤まえだれ」をした一人前の仲居。（鑑札受かる）正式な舞子・芸子になること。仕込みから一人前として登録される。（御杯）「定めの誓い」をたて、三三九度の盃を交わして一人前。
・鍛治屋…刃物を打っているだけで、そこの部分が厚い薄いがわかれば一人前（〈クロワッサン〉一九六一年四月一〇日特大号）。
・コビキ…「山小屋三年、白木屋三年」（山のコビキ場の仕事で三年、里におり材木屋の修業が三年）（『日本民俗資料事典』前掲）。

一人前の思想と同じく、一軒前もあった。一戸前も同じである。それは村落において、一人前の権利・義務をもつ家のことを指した。すなわち、祭祀への参加、共有財産に対する権利の保持を意味していた。小前とは一人前・一軒前の前と同じく、身分・資格または権利・株の意味で百姓前と呼称されていた（『日本民俗事典』前掲）。「一人前の一軒」とは、「スカオシ」ができるようになること、田植の扶助ができることを意味し、一軒前の共同性を意味していた（岩本由輝『柳田国男の農政学』御茶の水書房、一九七六年）。伊豆諸島では、一人前になることを「郷入り」と称するが、郷は三〇軒から四〇軒の結合体であり、相互扶助の合力組織で漁撈や防災、難波船の救助などの役割を負っていた。郷入りの条件として、米一俵を陸上で担げるのではなく、「通船のとも」から担げなければ一人前の扱いは受けられない仕組みになっていた。それは防災や難波船の救助などの緊急時における共同性を保つための状態からきているのである（『伊豆諸島の若者組と娘組』前掲）。一人前における共同性の観点からみると、かつてマサイ族では、ライオンを一人で槍で刺し殺すことができなければ一人前と認められないことはよく知られている。この単独狩猟に合格するとバンド（狩猟隊）の一員と認定される。本来の狩には、このバンドによるソサエティが必要である。それが狩りの戦略グループにおける共同性である（斎藤令介『原始思考法』講談社、一九九一年）。

話題をアフリカに転じると、アフリカの一人前として真っ先に割礼の儀式が想定される。J・ケニヤッタ（J. Kenyatta）は『ケニヤ山のふもと』で、ギクユ民族の割礼について次のように記述している。ギクユ民族の年齢階梯のなかの、「もっともきびしい歩みは、少年と少女に社会の成員としての完全な権利を与える割礼である。これはまえには、若者が一人前の戦士となれると考えられたとき、はじめておこなわれた。その慣習上の年齢は、したがって十八歳から二〇歳までであった。しかし今日では、少年は十二歳から十六歳のあいだにこの儀式をうける。この時期に若者は〝一人前になり〟、〈生まれかわる〉のである」。割礼を受けて一人前と認定された者は、戦士、おしゃれ、踊り手、ご馳走食い、男らしい男、部族の完全な一員、財産を継ぐ資格者、結婚して自分の家屋敷をもつ、善悪を知る、過ちを犯せば罰を受ける責任をもつことになる。つまり一人前とは、〈生まれ変わる〉ことが求められている。カマラ・ライエ（Camara Laye）も、割礼は一人前の人間として「生まれかわらなければならない」

とし、一人前になるための教えとして、誠実であること、正直な人間になるために徳を積むこと、神や両親や長老や隣人に対し義務を果たす能力をもつことをあげている（さくまゆみこ訳『アフリカの子』偕成社、一九八〇年）。割礼が終了し、「生まれかわり」の象徴として「おとなの服」が贈られ、名実ともに一人前の仲間入りができるのである。もちろん、割礼には苦痛を伴うが、それが一人前への報酬ともなるのである〈〈クロスロード〉第二〇巻第二二八号、一九八四年一二月号）。アフリカにおける「文化的断絶のある社会も、全成員を細かな年齢範疇に分類する社会と、単純に一人前の成員たる成人と未熟な非成人とに二分する社会とに大成できる」（伊谷純一郎ほか監修『アフリカを知る事典』平凡社、一九八九年）のも、「生まれかわる」ことが可能な社会の分類を指摘していよう。

二　他者との関係

さて、いよいよ本題の「重いものと軽いもの」のテーマに近づいていこう。一人前を考えるとき、なにもブルジョア体制の中でみるような、「小学校に入る前に、子供は煩鎖な家庭生活と僮の交友とによって、一人前の我利我利亡者になって、利己的、排他的、非協同的な感情、意志の持ち主となっている（赤根葭男「ブルジョアの組織と本質」〈種蒔く人〉第五巻第一号、一九二三年七月）ような人間を対象とはしていない。たしかに、センベーヌ（Qusmane Senbēne）がいうように、「一人前の人間になることは難しいことです。一人前とはなにかを定義することはできないけれど、人間は一人前にならなければならないのです。自分を受けとめ、働き、気を落とさず、泣かず、他の生活を無断で利用せず、また許してはならず、されるがままになってもいけない。人間になるとはこういうことかもしれません」（小栗康平訳『アフリカから日本へのメッセージ』岩波書店、一九八九年）ということは首肯できよう。センベーヌがいう一人前イコール「人間になる」ことは、タイ社会における一人前、つまり仏教という大伝統の宗教にみる修行者になること、単なる一人前ではなく「熱した」人間になることと共通していよう（青木保『儀礼の象徴性』岩波書店、一九八四年）。

筆者自身、一人前とはなにか、に注目した契機は、国分一太郎『教師』（岩波書店、一九五六年）の中の一節であった。その部分を振り返ってみたい。「子どもの教育というのは、この日本の国に、つねにいる六歳（幼稚園・保育所を入れれば三、四歳）から十五歳ぐらいまでの子どもの集団を相手にして、休むことなしにつづいている仕事です。（中略）教師というのは、この年齢の子どもの集団、未来をになう世代をりっぱな人間、りっぱな国民としての資質を持ったものに育てることを役目とする人たちです。（中略）教師には、単純に考えれば、ひとりひとりの子に、彼らが一人前の人間になるために必要な準備をしてやる仕事と、彼らに今日および明日の日本国民ないし人類の仲間としてふさわしい精神的資質と傾向をつくってやる仕事と、この二つの仕事が、同時に課せられています」。要約するまでもなく、教師の仕事は、子どもを一人前の人間になるために必要な部分をひもとくことである。それでは、子どもが一人前に育つ〝もの〟とはなにか。「重いものと軽いもの」とは、その〝もの〟を探す旅でもあった。

一九七七年一月一五日、「朝日新聞」の「天声人語」欄で次のような記事を載せている。長野県大鹿村、当時中学三年生二七人が、一人前について九時間にも及ぶ討論をした。その結果、一人前とは、①耕運機などの農機具を動かせるようになること、②家の手伝いで親と同じだけの仕事ができること、③社会情勢を知る力が備わること、などで山村に生きる中学生の大地に足のついた結論が多かったようである。その中学生たちが、やがて二〇歳となり成人式を迎え、改めて一人前を考える機会に恵まれ意見が交わされた。成人式を迎えての一人前は、例えばの一として、自分の行動に責任をもてること、他人に迷惑をかけずに生きることはできないが、与えられた仕事は責任をもって果たすこと、例えばの二として、「一人前とは何かを自分のものさしではかれるようになった時が一人前」があった。例えばの三として、ガラス工芸の仕事を選択している青年の意見があった。

重い物と軽い物があったら率先して重い物をもつこと、そういう人間になること、それが一人前かな

探し求めていた一人前の意味をやっと求めることができた。「重い物と軽い物があったとき率先して重いものをもつ」、人間形成における他者との関係、他者への尊重、一人前への熱い回答である。

◉第七話◉

人の間——寄り添う

一　一茶の添寝

二　源信の看取り

三　〈遠田のかはづ天に聞ゆる〉

四　賀川豊彦「涙の二等分」

五　「おまへはいゝかい」「はい、よろしうございます」

六　『かけがえのない父母へ』

一　一茶の添寝

小林一茶（弥太郎）は、享和元（一八〇一）年の三月、久しぶりに故里の長野県柏原に帰り、父・弥五兵衛と再会しともに喜びにひたる。しかし、お互の無事を慶びあったのも束の間のこと、その翌四月に父は悪性の傷寒（しょうかん）に罹り病床生活に入ってしまう（「日記」には、「脈は内に沈みて所謂陰生の傷寒なれば、快気も万に一つなるべし」とある）。父親想いの一茶の懸命な看護が続くが薬石効なく、父は五月二十日に六九歳の生涯を閉じてしまう。

一茶は父の病臥した四月二十三日から翌月の五月二十一日の臨終までの看取り、看病、看護の日記を綴り、さらに二十二日の野送り、二十三日の骨拾いから初七日と記録している二十八日までのおよそ三五日間に及ぶ父の観誌を残している。後世に『父の終焉日記』(1)と題されたものがこれである。『父の終焉日記』ではあるが、一茶は熱病と闘う父に、昼夜その枕頭に侍して寄り添い、臨終には「胸もふさがり魂つぶれて、人なき国にしあらば、誰憚らず声を限りに泣くべきを、さらでも誰はばからぬ紅涙は目に遮ってねぶられず」の状態で筆を濡らしたものである。一茶の切ない「寄り添い」の部分を抄録してみよう。

父の発病以後、その症状は一進一退のようであった。頼りにしていた野尻の医師も、善光寺の医師も、希望をもてる話はなかった。ただこの日記には、父が夜着に身をもたせながら、一茶に昔話を語るような一日は、父子交歓の美しさに富んだものであった。父子ともに熱心な浄土真宗の信者らしい法悦の図もあるが、一茶が父への看取り、父の死後の慟哭の図は、読む者の涙を催すものである。では肝心な「寄り添い」の部分の抄録にうつる。

四月二十三日

急に発熱さかんにして、膚は火にさはるがごとくなれば、飯をすゝむれども一箸も喉に通らず、こはいかにとひとり驚き、魂を消すといへどもせんすべなく只揉みさするより外はなかりけり。

二十五日

悶へ苦みもがきたまふ。傍に付添ふ事のかなしびは、みづからなやむよりも思ひまさりて苦しかりき。

二十九日

父の傍に寝させつつ、灯の影に寝顔を振向けて、父の寝姿を守り居たりけるに、夜只苦しげに息を空へ向けて吐きたまふに見るも心いたましく、

五月二日

おのれが枕元に付添ふゆゑに、母は父にまで憂目を見する事の本意なさやと思へども、かゝる有様を見捨てゝ何地へかそぶきはつべき。

四日

枕元につきそふは我ひとりなり。（中略）親は二度と逢はるるものにしもあらねば、仮令百歳付添ひたりともあきたらまじきに、（中略）なほ父のいたはしく灯火をかかけて頭をもみ足をもみてまゐらする也。

五日

心ちよけに寝姿をつくづく守り奉るに、顔色うるはしく脈を伺ふに一ツとして不足なければ、十ウに九ツは本腹ならめとよろこび侍りけり。

八日

ただ灯火をかかけて寝顔をまもるばかりなり。

十一日
薬を煎じながらも、寝顔の蠅を追ひやりつつ、病顔をまもりをるに、

十二日
枕元に付添へて、目前の非なる事みすみす諫むる事能はざるは是非もなき事どもなりけり。良薬口に苦しといへども病に利あり、諫言耳に逆ふといへども殆き家治まる。

十四日
かくて、今朝の顔見奉るに、きのふ無かりし顔のむくみこそ心得ね。またく酒毒の顔にのぼりたるべしと、つらつら五体をうかゞひみるに、むくみ又倍せり。

十五日
御顔の様心にかゝれば、夜の明くるを待てうかゞひ奉るに、賎帛のほとり聊か黒気あらはれぬ。

十六日
枕元に寄添へ『往生の大事、忘れたまふな』と、念仏を病人にすすめ、おのれも高々と称ふる人あり。

十八日
一茶は例の御足揉みて居たりけるに、父はふと目を覚し、のたまはく、『汝、此度は長く昼夜の介抱過分なり。深き父子の縁由あればこそ斯かる時にをりあふならめ。必ず心労なりなどと思ひてくれなよ』と、

二十日
寝姿の蠅追ふも今日が限り哉
かくて日も暮れぬれば、枕元の器の水に甲斐なき唇を濡しまゐらすばかりなり。（中略）卯の上刻といへる頃、

眠るが如く息たへさせたまへり。あはれ空しき屍にとりつき、夢ならば早くさめよかし。夢にせよ、現にせよ、闇に灯火失へる心ちして、世に頼みなきあけぼのなりけり。

二十一日

今宵は真の名残とおもへば、父の屍に添寝して、香のけぶりの絶間なる時しは、寝姿をつくづくながめ奉るに、おとついの朝、笑ひながら越しかた、行末の物語ありしが、今宵の今は空しき屍と変じたまふ。(中略) 翌日のかなしびは如何ならんと思へば、胸もふさがり魂つぶれて、人なき国にしあらば、誰憚らず声を限りに泣くべきを、さらでも誰はゞからぬ紅涙は目に遮ってねぶられず。只、死顔をまもり居たりける。

一茶が、いかに父想いであったか雄弁に物語っている。父も一茶に身の一切を委ねていたか、その風景が浮かぶ。以上から、一茶の父に寄り添う姿の圧巻は二つ。臨終の日の「あはれ空しき屍にとりつき」と、その翌日の「父の屍に添寝して」の部分であろう。父の死後も、一茶は屍に添寝しているのである。なんと美しい寄り添いの容(かたち)ではないか。美しさのあまり、一茶自筆と伝えられる圧巻の「父の屍に添寝して」がみえる箇所を図7-1に掲げておく(2)(二行目にみえる)。だからこそ、その翌々日、父の白骨を拾う日、一茶は「病床の辺りのなつかしく、あからさまに寝たまひし父の目覚むるを待つ心ちして、悩みたまふ顔は目を離れず、呼びたまふ声は耳に残」る感慨にひたっていた。父と添寝した病床が、その病床にいた父が一茶の悩からも身体からも離れないのだ。

一茶の父弥五兵衛は熱心な浄土宗信者であった。『父の終焉日記』の四月二十八日には、祖師親鸞上人の忌日に当たり、父は大病にもかかわらず、朝早く起床し、口をすすぎ、仏壇に向って念仏を唱えている様子が記されている。五月十九日の臨終の前日には、『い、い、往なん、連れて歩め』、『いふに及ぶ、至心心経欲生我国』、『いざ、行かん、いざ、行かん』のように、極楽浄土への往生の遺言めいた言葉も残している。一体、一茶の寄り添い＝添

図7-1　小林一茶『父の終焉日記』より

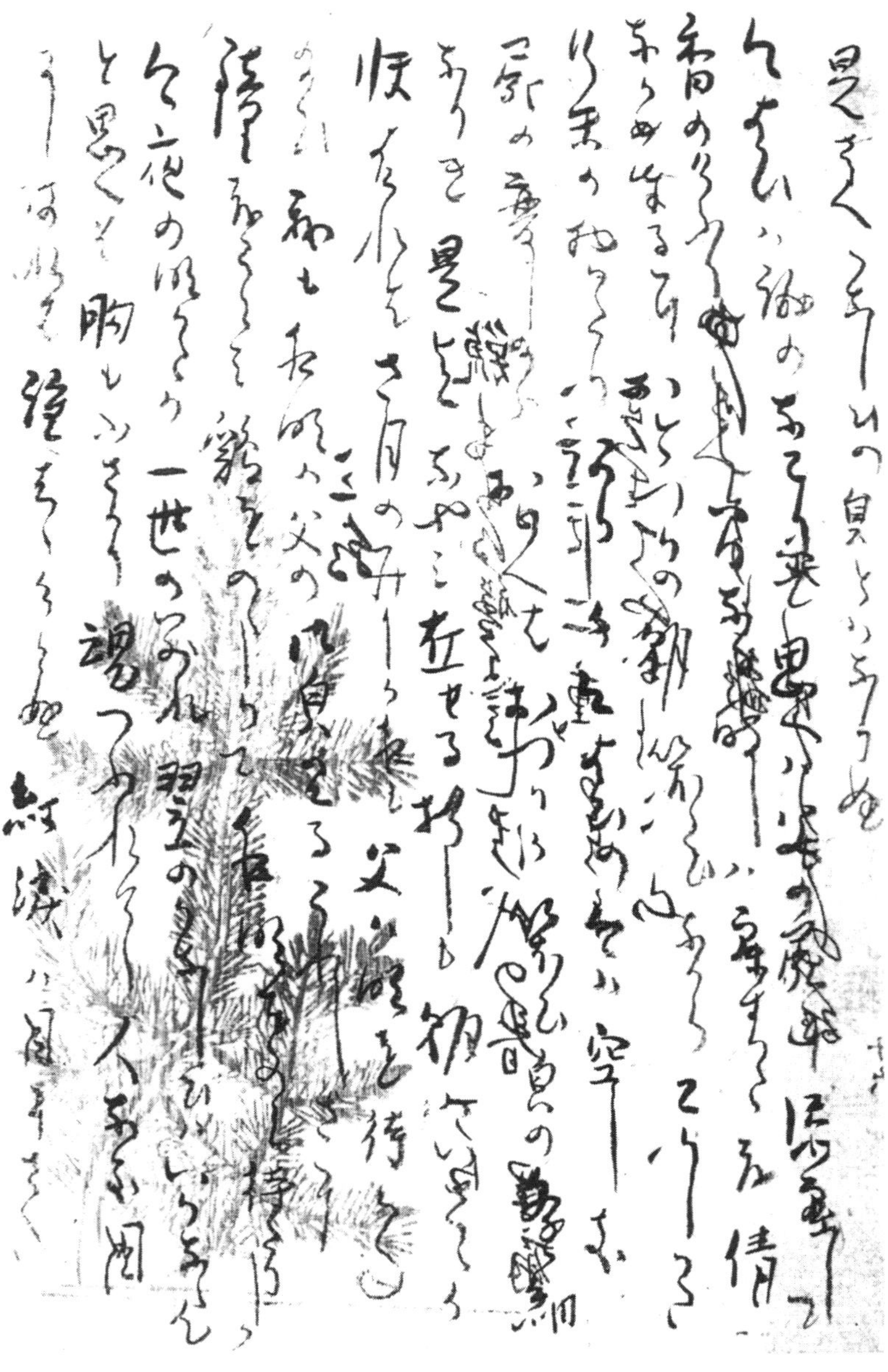

寝の原型はどこにあるのだろうか。

二　源信の看取り

源信（九四二―一〇一七）は、わが国仏教史上の第一群の最澄（七六六―八二二）、空海（七七四―八三五）から約二〇〇年後、第二群の法然（一一三三―一二一二）、明庵栄西（一一四一―一二一五）、親鸞（一一七三―一二六二）、道元（一二〇〇―一二五三）、日蓮（一二二二―一二八二）から約二〇〇年前という特異な時代の傑出した僧である。

源信は九八五年に完成したといわれる『往生要集』(3)をまとめている。『往生要集』は、日本浄土教史上、まれにみる巨峰として、貴賤賢愚を問わず、老幼男女の別なく、人々の讃仰するところとなった。いわばそれまでの一切の類書の中で群を抜いた一大金字塔の書と評されている。その大略は、「大文第一　厭離穢土（おんりえど）」「大文第二　欣求浄土（ごんぐじょうど）」から始まり、「大文第九　往生の諸行」「第十　問答料簡」から成っている。その巻上の序に該当するはじめには、「それ往生極楽の教行は、濁世末代の目足なり。道俗貴賤、誰か帰せざる者あらん」ことを目的としていた。さらに「大文第一」では、「厭離穢土とは、それ三界は安きことなし、最も厭離すべし。今その相を明さば、惣べて七種あり。一には地獄、二には餓鬼、三には畜生、四には阿修羅、五には人、六には天、七には惣結なり」と描き、直ちに地獄に、等活地獄、黒縄地獄、衆合地獄、叫喚地獄、大叫喚地獄、焦熱地獄、大焦熱地獄、無間地獄の八種の実相から説き始めている。

さて、「寄り添う」「看とり」に関する論述は、「大文第六　別時念仏」のうちの「第二　臨終行儀」に興味深く展開されている。まず病者あるときは無常院を建てる。その堂の中には「一の立像を置けり。金薄にてこれに塗り、面を西方に向けたり。その像の右手は挙げ、左手の中には、一の五綵の幡の、脚は垂れて地に曳けるを繋ぐ。当に病者を安んぜんとして、像の後に在き、左手に幡の脚を執り、仏に従ひて仏の浄刹に往く意を作さしむべし」としている。これこそが、まさに「安らかに死んで往く」安楽死の原点ではないだろうか。安楽死の行儀は、さらに頂点に達する。

行者等、もしは病み、病まざらんも、命終らんと欲する時は、一ら上の念仏三昧の法に依りて、正しく身心に当てて、面を廻らして西に向け、心もまた専注して阿弥陀仏を観想し、心と口と相応して、声々絶ゆることなく、決定して往生の想、花台の聖衆の来りて迎接するの想を作せ。病人もし前境を見れば、則ち看病人に向ひて説け。既に説くを聞き已らば、則ち説に依りて録記せよ。また病人、もし語ることあたはずは、看病して、必ずすべからくしばしば病人に問ふべし、いかなる境界を見たると。もし罪相を説かば、傍の人、則ち為に念仏して、助けて同じく懺悔し、必ず罪をして滅せしめよ。

安楽死臨終の行儀は、第一に、看護人は必ず寄り添うこと、第二に、病人のために阿弥陀仏の「お迎え」の準備の念仏を絶やすことなく務めること、第三に、なおかつ、共に助け共に懺悔すること、第四に、病者の残す言葉を記録することである。あたかも『往生要集』の完成したその年に、横川に安楽院（無常院、往生院）設立の結社活動が始まった。このときの申し合わせは、共に念仏の善友として、最終臨終の際に互に相助け、病人が発生した折には日を選ばず訪ねて安否を問うことなどが確認されている。さらに続く。「人の命はいつ果てるともわからないから、看病人二人を定め、二日を一番として交替して宿直に当た」(4)る行儀である。看護人の寄り添いの原点をここにみることができよう。

結社活動である「首楞厳院二十五三昧結縁」の「臨終行儀」の五でも、「往生要集」にならい、次のように定められている（比叡山専修院編『首楞厳院二十五三昧結縁過去帳』恵心僧都全集・第一、比叡山図書刊行会、一九二七年）。

五　病者ノアタリニ人チアツメテヲクヘカラス。其故ハ一人ハ心ヲスマシテ念佛ヲハケメトモ。傍ラニハヒタヒヲ合テ物語ヲハシムレバ。音々思々ニナリテ。或ハ立居立入ニ物ノサハカシキコト限リナシ。故ニ志ヲ三業ニ等クセヨトイ、テ。善知識ハサタメテ五人ニハスグヘカラス。三人ハ善キ仏ナリ。一人ハ枕ニ居テ念仏ヲス、メ。一人ハカタ〳〵ニ居テ其心ニ隨ヘシ。一人ハハシ近ニ居テ雑事ヲイヒツクヘシ。此外ニ人更ニナニノ用アランヤ。ユメ〳〵余事ヲ耳ノホトリニキカスヘカラス。悪縁門ノ内ニイレヘカラサルナリ。

すなわち、病者の看取りは五人以下にすること、三人の場合、一人は病者に寄り添い病者の心を癒すこと、一人は病者の枕辺に居て念仏をすすめること、一人は雑事を行うことなどを定めている。

これに類した図が図7-2である。無常院において、病者は西に向けて、阿弥陀如来につながる五綵幡（ごさいばん）を握っている。三人の善知識（この場合は僧侶にみえる）が、病者に寄り添い、念仏を唱え、話を聴き話をする様子がみてとれる。

ちなみに、無常院にあたる京都大原の三千院の「極楽往生院」の御堂は、源信の姉の尼君の建立であると伝えられている（石田一良「恵心教美術の精神」〈日本思想大系月報〉五、岩波書店、一九七〇年九月）。

源信の看取りの思想から、一つは無常院の問題は、本来の安楽死の原点であること、二つはホスピス（ビハーラ）の原点であることを確認できるのではないかということである。もう一つ加えるならば、仏教（宗教）とはなにか、にかかわる問題である。源信の時代、善知識（僧侶、ないし死者への引導資格者）は病者の生前に念仏を唱え、病者を自然のままに彼岸に導く様子が描かれている。現代は、僧侶（聖職者）が向き合うのは死者となってからであって、生前に〝行〟をする行為はほとんど認められていないのではないか。幕末の時代においても、「仏教とい

図7-2　慈空『臨終節用』（明治14年再版本）より

う宗教が、現世の生命の終った後の永遠なる再会という点において、より安楽な、またより恩恵に満ちた後生を約束してくれるからである。死という最後の瞬間が近づいたときには、坊様（ボンサン）すなわち仏教の僧侶がやって来て経文を誦し」（J. F. van Overmeet Fisscher 著、庄司三男・沼田次郎訳『日本風俗備考』I、平凡社、一九六八年）と記されている。幕末においても源信の時代と同様に、僧侶は病者の生前に関係をもっているのである。

ところで、ここで源信自身の母親の看取りの様子をみてみよう。源信は比叡山において修業を重ね、「御八講」の大役を任ぜられる。源信が、いかに学問上においても稀有な研鑽の賜であったに相違ない。源信は、このことを母に書信で報告をする。母親の返書は意外なものであった。母親の返信の内容は、源信を比叡山に送ったのは、「名僧ニテ花ヤカニ行キ給ハムハ、本意ニ違フ事」であった。母親の願いは、立身出世、高名になることではなく、「人々を救う」ような僧への期待であった。これは俗説ではあるが、母親が源信に宛てた歌として〝後の世を渡す橋とぞ思ひしに　世渡る僧となるぞ悲しき〟が残されている。源信は母親の返信を読み、涙を流し、その期待に沿うべく必死の修行を積んでいく。母親の願いに近づく源信にとっての七年は長かった。しかし、母も老い、再会への機会は熟し、源信は母の許へと急ぐ。再会の図は『今昔物語集』に詳しい（山田孝雄ほか校注『今昔物語集』三、岩波書店、一九六一年）。

僧都、「此クナム詣来タルト」高ヤカニ云ヘバ、尼君、「何デ、疾クハ御ツルゾ。今朝暁ニコソ人ハ出シ立ツレト。」僧都ノ云ク、「此ク御シケレバニヤ、近来戀ク思エ給ヒツレバ、参ツル程ニ、道ニゾ使ハ値タリツルト。」尼君、此レヲ聞テ、「穴喜シ。死尅ニハ値ヒ給フマジヤニヤトヨ云思ツルニ、此く御ハシ値ヒタル事、契リ深ク哀レニモ有ケルカナ」ト、氣ノ下ニ云ヘバ、僧都ノ云ク、「念佛ハ申シ給ヘヤト。」尼君、「心ニハ申サムト思ヘドモ、力无キニ合セテ、勧ムル人ノ无キ也」ト云ヘバ、僧都、貴キ事共ヲ云ヒ聞セツヽ、念佛ヲ勧ムレバ、尼君、懃ニ道心ヲ起シテ念佛ヲ一二百返許唱フル程ニ、暁方ニ成テ消入ル様ニテ失スレバ、僧都ノ云ク、「我レ、不来ザラマシカバ、尼君ノ臨終ハ、此クハ无カラマシ。我レ、祖子ノ機縁深クシテ、来リ値テ、念佛ヲ勧メテ道心ヲ起シテ、念佛ヲ唱ヘテ失セ給ヒヌレバ、往生ハ疑ヒ无シ。

ほぼ同様に、『恵心僧都絵詞伝』巻下（比叡山専修院編、恵心僧都全集・第五、比叡山図書刊行会、一九二八年）には、

「老が病今きはめて重し。幸に対面せんことこれ少縁にあらずと、時に僧都ねんごろに称名念仏の功徳を説。西方浄土の依正を讃じ給へば。母の道心日ごろに弥まし。欣求の思ひまめやかに。称名数返まうして。遂に寛和元年九月十八日。享年七十一歳面貌ゑめるが如くにして。正念に往生し給へり」と伝えている。源信の母は無常院（往生院）には移せなかったが、源信の母に寄り添い、念仏を唱え、看取りの美しさをうかがえる。

三 〈遠田のかはづ天に聞ゆる〉

『赤光』（岩波書店、一九九九年）に収められている「死にたまふ母」は、斎藤茂吉が、やがて「わが母を焼かねばならぬ」母への〈寄り添い〉、〈添寝〉の絶唱である。

「死にたまふ母」は五九首からなっている。「其の一」は、斎藤茂吉が、生母・いくを見舞うため夜汽車に乗り、「みちのくの母のいのちを一目見ん」、「ははが目を一目見ん」と急ぎ、山形の「上の山停車場に下り」、母に近づくまでの一一首である。「其の二」は、母の枕辺に寄り添い添寝し、ついに母の臨終をみとる一四首である。すでに「其の一」において、かけがえのない母の命に対する思いの丈が、茂吉の全身を伝わって示されてきたが、「其の二」においてその思いは絶頂に達する。

寄り添へる吾を目守りて云ひたまふ何かいひたまふわれは子なれば

斎藤茂吉は、みちのくの母のいのちを一目見んと、急いで薬だけは持参して駈けつけたが、母のいのちを助けようとする自身の思いが到底及ばないことを痛感する。茂吉は母に、じっと寄り添う。母は茂吉をじっと見つめる。母の眼差しと茂吉の眼差しが、お互いのいのちを通して響換する。寄り添いながら、母の無言の会話が通じあう。

胸がしめつけられる。

死に近き母に添寝のしんしんと遠田のかはづ天に聞ゆる

茂吉は母に添寝している。感動。

茂吉は母と添寝している。ひと。

静かな夜であろうか。遠田のかはづの鳴き声が遠くからも近くからも聞えてくる。かはづの鳴き声は、自らの生命の謳歌なのであろうか。それともわが母への鎮魂歌なのだろうか。なにを訴えようと鳴いているのだろうか。かはづの声は、茂吉だけに聞えているのか。母だけに聞えているのか。二人ともに聞えたか。はたまた二人ともに実際には聞えなかったか。大自然への依存であろうか。

いのちある人あつまりて我が母のいのち死行くを見たり死ゆくを

わが母の「生の世界」から「冥界の世界」へ、わが母の蘇生することの不可逆性を確認せざるを得ない現実を確認し、有縁の人みんなが、〈母の身に〉寄り添ったし、有縁の人みんなが〈母のいのち〉に寄り添ったのであった。

このように「死にたまふ母」五九首は、「生の交響曲」といえるが、以下に「其の一」「其の二」を掲載し、〈わが母を焼かねばならぬ火を持てり天つ空には見るものもなし〉のような野辺送り、火葬、遺骨を拾う「其の三」一四首、並びに〈寂しさに堪へ分け入る山かげに黒々と通草の花ちりにけり〉のような、心の中の母を尋ねる山あいの生活「其の四」二〇首は割愛した。

死にたまふ母　其の一

みちのくの母のいのちを一目見ん一目みんとぞただにいそげる

うちひさす都(みやこ)の夜(よる)にともる灯(ひ)のあかきを見つつこころ落ちゐず

ははが目を一目を見んと急ぎたるわが額のへに汗いでにけり
灯あかき都をいでてゆく姿かりそめの旅と人見るらんか
たまゆらに眠りしかなや走りたる汽車ぬちにして眠りしかなや
吾妻やまに雪かがやけばみちのくの我が母の国に汽車入りにけり
朝さむみ桑の木の葉に霜ふりて母にちかづく汽車走るなり
沼の上にかぎろふ青き光よりわれの愁の来むと云ふかや（白竜湖）
上の山の停車場に下り若くしていまは鰥夫のおとうとを見たり

其の二

はるばると薬をもちて来しわれを目守りたまへりわれは子なれば
寄り添へる吾を目守りて言ひたまふ何かいひたまふわれは子なれば
長押なる丹ぬりの槍に塵は見ゆ母の辺の我が朝目には見ゆ
山いづる太陽光を拝みたりをだまきの花咲きつづきたり
死に近き母に添寝のしんしんと遠田のかはづ天に聞ゆる
桑の香の青くただよふ朝明に堪へがたければ母呼びにけり
死に近き母が目に寄りをだまきの花咲きたりといひにけるかな
春なればひかり流れてうらがなし今は野のべに蟆子も生れしか
死に近き母が額を撫りつつ涙ながれて居たりけるかな

母が目をしまし離れ来て目守りたりあな悲しもよ蚕のねむり
我が母よ死にたまひゆく我を生まし乳足らひし母よ
のど赤き玄鳥ふたつ屋梁にゐて足乳根の母は死にたまふなり
いのちある人あつまりて我が母のいのち死行くを見たり死ゆくを
ひとり来て蚕のへやに立ちたれば我が寂しさは極まりにけり

四　賀川豊彦「涙の二等分」

武藤富男は、賀川豊彦を次のように評している。(5)

　賀川豊彦は何であったか？　学者であったか、社会事業家であったか、作家であったか、伝道者であったか？　彼はそのいずれでもあった。しかしそのいずれにもまして詩人であった。

　この評は、正鵠を射ているか否かは別にして、賀川豊彦（一八八八―一九六〇）は自らの詩「永遠の乳房」の「序」において、自分は詩のほかには書けない男かも知れぬと断わりながら、「凡てを、私は、凡てを、神に賭けた。恰も、博徒が、賭場でするやうに。私は、生命も、賎産も、書物も、言論も、行動も、凡てを、神の賭場にはった。そこに私の詩の全部がある」(6)と述べている。この自序からみると、さきの評は首肯しうるものであろう。とはいえ、賀川豊彦といえば、辞典の多くは彼のことを広い意味の「キリスト教社会運動家」と記述している。実際に賀川の活動範囲は広く、キリスト教伝道活動、救済事業、労働運動、農民運動、社会福祉活動、医療・共済・保険を通して協同（消費）組合活動、幼児教育、さらには平和運動と枚挙にいとまがない。しかしここでは、詩人として認知されている「涙の二等分」に描き出されている貧困嬰児への〈寄り添い〉、そして〈添寝〉の悲しくもぬくもりのある美しい風景を伝えていくことにしたい。

「涙の等分」の舞台は、一九〇九年で、賀川二一歳のとき、神戸神学校在学中のことであった。この年は、伊藤博文がハルピンで暗殺され、その前年は大逆事件の引き金となった赤旗事件が起きており、さらにその前年一九〇七年は、日露戦争恐慌の端緒が現われていた。そして一九一〇年はついに大逆事件につながり、さらには韓国併合によって石川啄木は「時代閉塞の現状」を発表する暗い状況が続いていた。「涙の二等分」にみられる貰い子殺しの状況は、日露戦争後に発生した経済恐慌による不景気は、貧民窟に深刻で重大な影響をもたらした。

賀川の新川における貧民窟運動の最初の印象を、後に賀川の伴侶となる賀川はる子は、「乞食の親分」として、こんな風に紹介している。(7)

この夏は夜業のない晩など夕餉を終つて、一家六人、自宅の前に椅子を出して涼むことや星をみたりすることを喜こんだ。皆健康で平安で嬉しかつた。その夏も過ぎてまた忙がしい時機に近づいて来た。

その頃の日曜の或日例に依つて牧師は説教のため工場に来られた。今日は一人の青年を伴つてゐる。三十分の説教が済むと、私の支店長は立ち上つて青年を紹介した。私はその人を見た時、粗末な、裾の破れた袴とに依つて、これは牧師の書生だと思つた。弱々しい体である事はその蒼白な顔を見ても解る。たゞ不思議に思ふことは着物などに似合はず髪の毛を綺麗に而も極めて美しく別けてゐる。一見して好人物とは受け取れない。と云つて悪人らしくもない何か大野心でもあるのではないかと思はせられる様なところが見える。青年は鋭敏らしい眼ざしで集まつてゐる七八十の男女工を一回見廻してあとは、社長の紹介するまで黙つて牧師の説教を聞いてゐた。(中略)

支店長の紹介が済むとかの青年は社長の引き退つ後に立つて口を開いた。
「私は新川に住む乞食の親分であります」と蒲柳な質の持主とも思はれない大声を出した。それでその言葉と、その声の大きいのに皆吃驚して仕舞つた。私はその乞食の親分と云ふのを聞いて訳が解らない。或程新川には神戸市中に出る乞食が多いに相違ない。然し兎に角く裾が切れてゐても袴を穿いて教育も有り相なこの青年が乞食の親方とは合点が行かぬ。（中略）

その日は一日中女工達は習つた歌を口のうちで繰り返した。説教と違つて皆には興味がある。青年の噂も出るのであつた。女工の中には新川貧民窟から来てゐる子供達もあつたがその中の十一歳のあきちやんは私に説明して呉れた。

「おはる姉さん、アノ先生な新川の賀川先生だつせ。異人さんの子だんね。何時でも西洋人さんが来よつてだつせ。先生の家には乞食が居りまつせ。病気のお爺さん、お婆さんも先生が世話して居りまんね。淫売も居りまんね。先生病気の人の大小便を取つてやつてゐまつせ。アノ先生。耶蘇だつせ、朝でも早ふに大きな声で讃美歌、唱ひまんね。晩もだす。」

やや横路にそれてしまうが、賀川はる子（ハル、春子）に対し、賀川豊彦自身も「妻恋歌」(8)を贈っている。葺合新川での貧民窟運動を通した二人の寄り添う姿を垣間見ることができよう。

わが妻恋しいと恋し
三十九年の泥道を
ともにふみきし妻恋し

工場街の裏道に
貧民窟の街頭に
共に祈りし妻恋し

憲兵隊の裏門に
未決監の窓口に
泣きもしないでたたずみし
わが妻恋しいと恋し

千万金を手にしつつ
襦袢の袖口つくろいて
人に施す妻恋し

財布の底をはたきつつ
書物数えて売りに行く
無口な強き妻恋し

あられに霜に雷鳴に
傘もささずに走り行く

強きわが妻いと恋し

緑の髪は白くなり
肌には深き皺（しわ）よせて
若きかんばせ失せゆけど
霊のわが妻いと恋し
めしいの夫の手を引きて
みめぐみ数える妻恋し
主にある春子様

賀川が実際に見聞し、救済活動を展開した貧民窟の現状は、「飢餓も、姦通も、失業も、不道徳も、忍耐も、恋愛も、家庭の不穏も」その他多くの人間に係わるものごとが秩序を失った場であった。賀川は雨の降る日でも貧民窟に坐って、読書しながらも貧民の子どもたちの歌声に思わずそぞろ涙を催す日々であった。例えばこんな歌が流れてくる。(9)

お母（かア）ン、早く帰り
裏に狐がないとるぞ！

狐について特別の迷信をもつ貧民窟の子どもが、家に一人留守番をさせられて、淋しさのあまり、親を思い、親を案じ、自らが狐を恐れるごとく親も狐を恐れると思いつつ歌うのである。こんな歌も。

うちの裏の赤猫が

虎猫三匹、子産んで
一匹死んだら皆死んだ

貧民窟でのいつも変わりなく行われている小さな貧しい葬式を見て、貧民の人達の葬式は、子猫の葬式よりも劣っていると感じている歌らしい。あるいは、貧民窟の可哀想な少女に対して、阪神電車停留所の名前になぞらえた語呂合わせの歌もあった。

おいし（大石）しんざいけ（新在家）
なぜ髪いはや（岩屋）
あたま虱の、わきのはま（脇浜）

さて、「涙の二等分」は、こんな背景をもっている。神戸神学校の学生の自分であった賀川が、貧民窟救済活動に入るとすぐに起こった事件を題材としている。当時、貧民窟では貰い子殺しが頻繁に行われていた。不義の結果生まれた嬰児を、通常で当時五円の値段をもらい受け、それを餓死させてしまうことである。賀川はそれに伴う葬儀を何回も何回も執り行った。ある日、貰い子殺しの常習犯とみられる老婆が検挙されたので、賀川は直ちに警署に出掛け、老婆の手から瀕死状態の嬰児を引き取った。命を絶たれてしまう運命寸前の嬰児をみるにみかねて命をつなげたのである。

当時の賀川周辺の「貰い子殺し」の実態は次のようであった。(10)

明治四十三年一月二日の夕方、初めて礼拝式をまもつた。狭い五畳の部屋が一杯になるほど集つてきた。賀川は幸福感にひたりながら、出来るだけやさしく話をした。「病気の癒されんことを感謝し奉る」と、祈祷と感謝を間違へて祈るものもあつた。

次の朝早く、稲木は車ひき人夫をつれてきた。貰つて育ててゐた子供が、昨夜死んだが、一文の葬式もないので、葬式費用をくれと言ふ。早速その家に駈けつけて見ると、五畳に八人済んでゐる。穢い賃借りの布団の中に死体をおいて、赤ん坊の着てゐたモスリンの袷の着物がかけてある。袷の着物をもちあげてみると、死んだ貰ひ子は、百日足らずの赤ん坊である。瞼は全くつぶれたやうに赤くむけ、頬の肉は落ちてしまひ、手はひからびて枯葉のやうである。

金に困るものだから、死ぬとわかりながらも、僅か五円の金に目がくれて貰つたと言ふ。母乳もなく、牛乳も買へぬものだから、お粥とおも湯ばかりを与へてゐる間に、死んでしまつたのだ。「おいたべらう」とあだ名された男に話をして葬式をすることにした。「おいたべらう」は貧民窟の葬式のできない人々の死体をひとりで片づけて、煙草の空箱や蜜柑箱に死骸をつめて背中に負ひ、春日野の火葬場に運ぶのが職業であつた。その日も「おいたべらう」は、夕刻蜜柑箱に赤ん坊の死体をつめて運び出した。（中略）

この家は、貰ひ子殺しがこれで三遍目だと近所の人はいふ。賀川は、こんな醜い世界のあることを悲しみながら、キリスト教式の葬式をしてやつた。

貰ひ子殺しは、不景気の産物であつた。日露戦争後の経済恐慌は、深刻に貧民窟に影響した。貰ひ子殺しはあとからあとから起つた。

中野某といふ女は、三十三四歳であるが、乳もないのに貰ひ子をして殺し、賀川が葬式をしてやると、一ヶ月もたたないうちに、次の貰ひ子の葬式を頼みにきた。行つて見ると、貧乏で布団がない。二月の寒空に、死んだ子供を肌につけて、昼間にもかかはらず、寝てゐる。賀川は金を与へて帰つた。其後十日程たつて、再び訪ねて行くと、女はまた寝てゐる。この醜い片目の怠惰な女は、三人目の目腐り赤ん坊を肌につけてゐるのであつた。

さて賀川が「貰い子殺し」の嬰児が「おいし」である。詩人・賀川豊彦の「涙の二等分」(11)を味読しよう(図7-3は賀川の直筆)。

おいしが泣いて／目が醒めて／お襁褓を更へて／乳といて／椅子にもたれて／涙くる
男に飽いて／女になつて／お石を拾ふて／今夜で三晩／夜昼なしに／労いて／一時ねるとお石が起す
それでもお母さんの気になって／寝床蹴立てとんで出て／穢の子抱いて笑顔する
貰ひ子殺しの／残しもの／殺し損ねられた／この梅干しの実／腸カタルで／四十度の熱
夏の夜短／世は静か／近所の時計が／一時なる／そろそろ／壁が／しわたきをする
天井がもの云ひ／柱が嘆く／殺人犯のあった家／血を嘲って／床板が吠ゆ／寂しいね、寂しいね
ア、／どうしてこうまア／世は不人情なんだらう／私やおいしから見たら／地球はまるで／氷の玉の様なもんだね、
エエ、エ！／おいしも可哀相じゃが／私も可哀相じゃ／力もないのにこんなものを／助けなくちゃならぬと教へられた、／私——　　私もかあいそうじゃね
こらこらひのけ／おいし梅干しの実人形よ／お前も女の屑じゃぞよ／こんなに男が弱っている時やア／女が男を慰めるのが／あたりまへだぞ
あら？　？　おいしが唖になった。／眼があかぬ。死んだんじゃ！／おいおい未だ死ぬのは早いぜ／わしは葬式料がないんだぜ／南京虫が／脛かんだ——ア痛い！
おいおいし／起きんか　起きんか？／自分のためばかりじゃなくて／ちっと私のためにも泣いてくれんか？

泣けない／よし／泣かしてやろう

お石を抱いて／キッスして／顔と顔を打合せ／私の眼から涙汲み／おいしの眼になすくって

あれ、おいしも泣いてゐるよ／あれ神様、／おいしも泣いてゐます。

賀川が、おいしに添寝している。おむつをかえて、ミルクを溶いてやる。おいしを預り、寄り添って三日三晩世話をする。自分は昼夜なく働いて疲れているが、ひと寝しようとすると、おいしに起こされる。それでもおいしを抱いて笑ってみせる。そんな一、二連から最終連で涙の二等分のせつなさが凝縮されていく。この詩には、この世における最も悲惨な、そして絶望的な貰い子殺しにかかわる賀川の苦悩と受難がみてとれる。幼い生命を守り続けるための苦闘がある。嬰児を抱いて授乳する母親に比すべき、美しくも暖かい賀川の無償の愛情が満ち溢れている。人に寄り添う姿に人の世へのほのかな希望がこの詩から沸ぎあがってくる。与謝野晶子は、いみじくも次のような賛辞を贈っている。「私はこの詩集を拝見して、賀川さんを一層尊敬し、一層信頼します。賀川さんに景福あれ、賀川さんの事業に恩寵あれ。我国の諸種の改造運動が軽躁と粗暴とから免れようとするには、賀川さんのやうな指導者と実行者とを一人でも多く得ることが必要であると思ひます。私は最後に、この詩集が、あらゆる家庭に、教場に、事務室に、工場に、乃至街頭に於ても読まれることを祈ります。（中略）賀川さんのみづみづしい生一本な命は最も旺盛にこの詩集に溢れて居ます。若し我国にも人生派または人道主義の詩があるかと云ふなら、私は第一にこの『涙の二等分』を挙げようと思ひます。」(12)

賀川には別に小説としても『死線を越えて』がある。『死線を越えて』(13)が注目を浴びる理由は、賀川の貧民窟における贖罪感の働きが、万人の胸奥に霊感を呼びおこしたことである。多くの人々は、賀川のように他人のために己れを捧げて尽くしたい意志をもちつつも、実行することは甚だ不可能であるが、『死線を越えて』の主人公・新

図7-3　賀川豊彦直筆「涙の二等分」

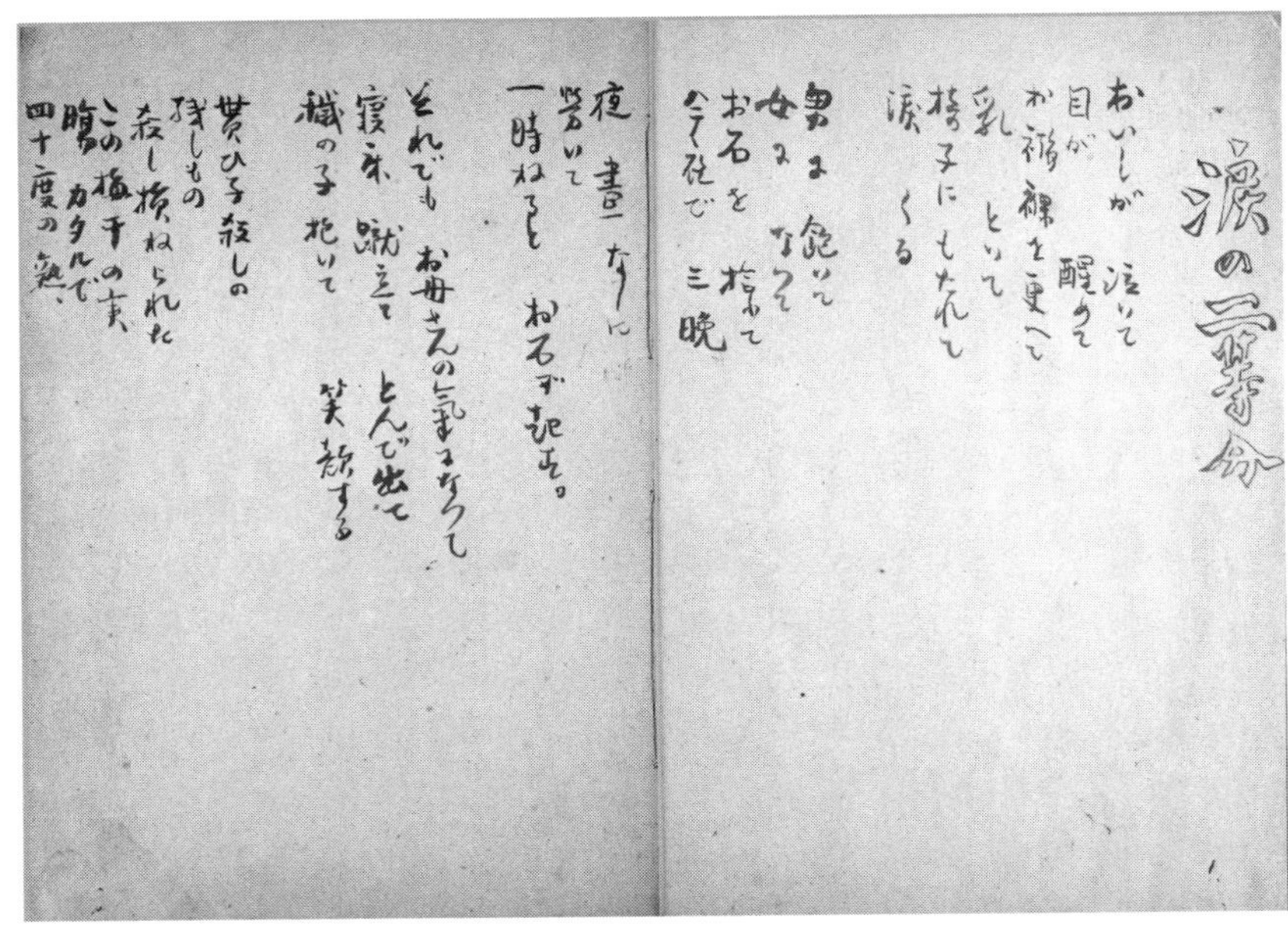

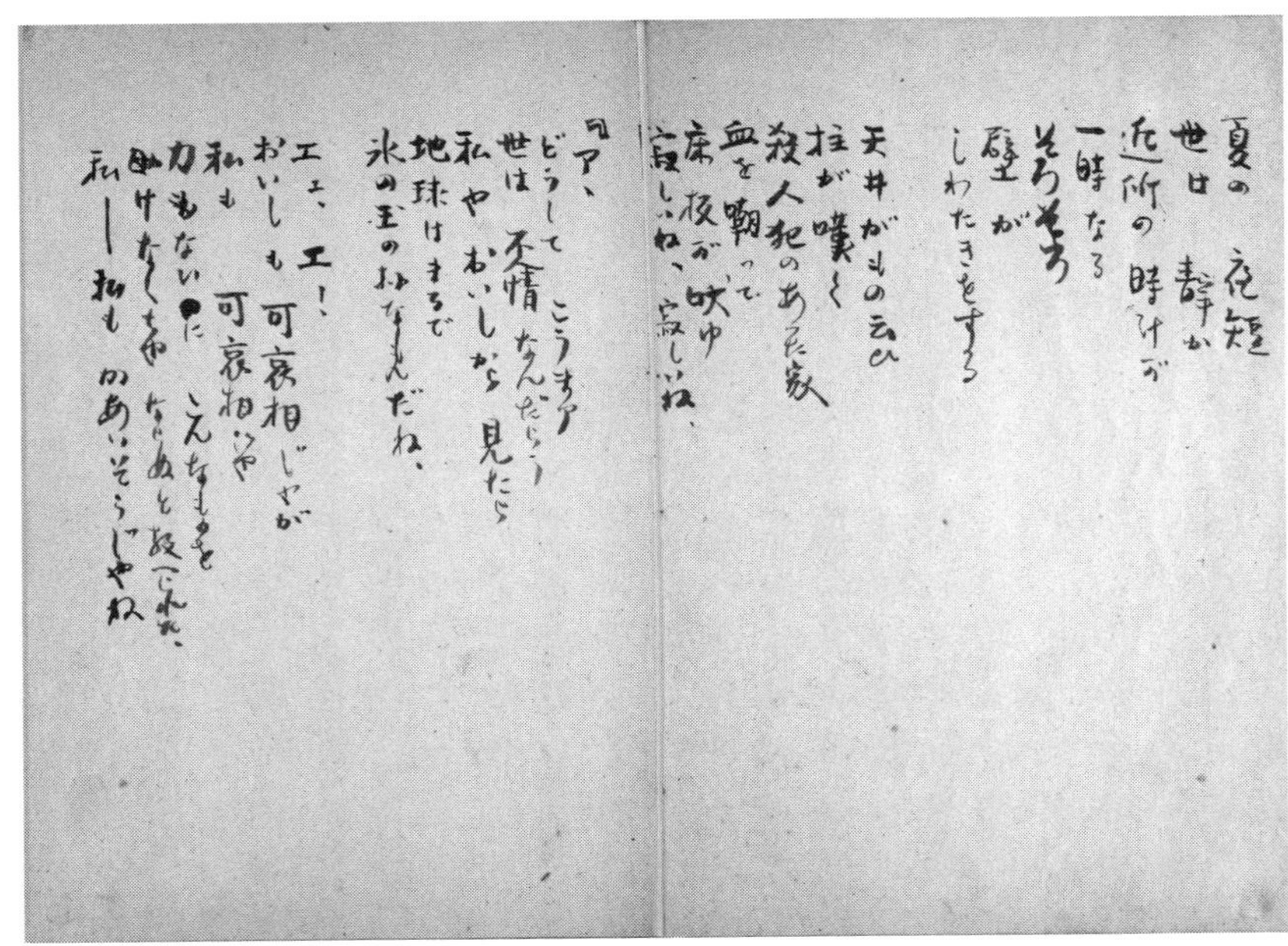

こら こら ひの
おいし 人形よ
お前も 女の肩じゃぞよ
こんなに 男が弱って了はやア
女が 男を慰めるんだ
あたりまへだぞ

あら？ や、 おいしが 唖になった、
眼があかぬ。 死んだんじゃ！
おい おい 未だ死ぬのは 早いぜ
わしは 葬式料がないんだぜ。
南京虫が
噛かんで ーーア 痛い！

おい おいし
起きんか 起きんかさ、
自分のためばかりじゃなくて
ちっと 私のためにも
泣いてくれんかさ、

泣けない
よし
泣かしてやらう

お石を 抱いて
キッスして
頬と頬を 折合せ
私の 眼から 涙 汲み

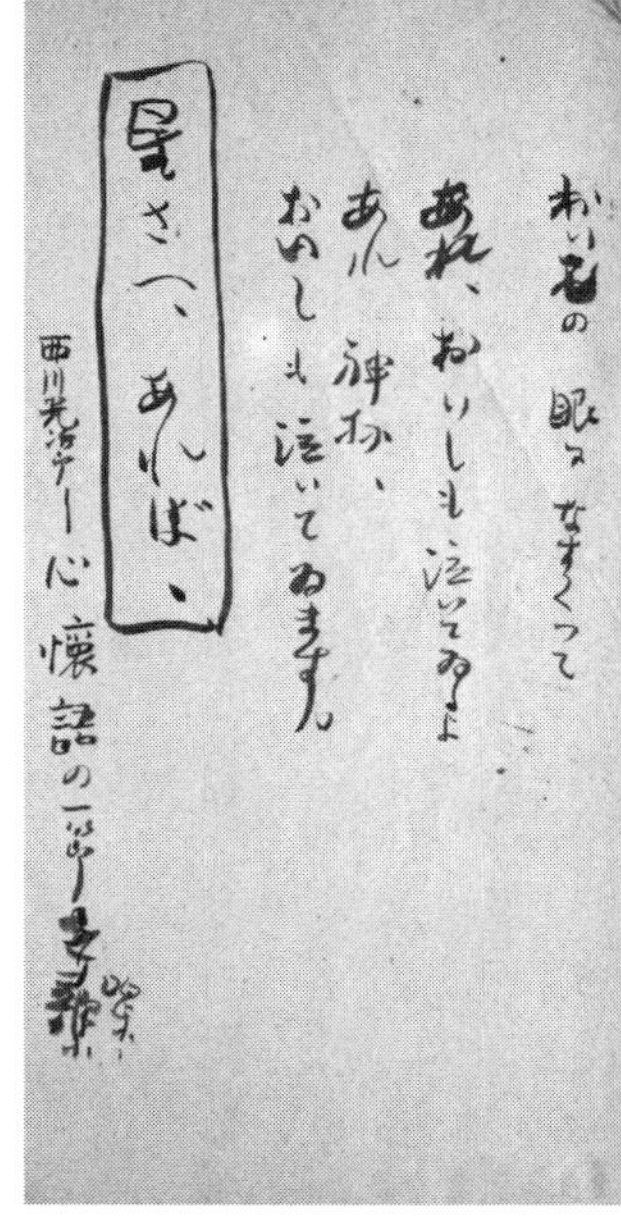
お石の 眼が なすくって
あれ、おいしも 泣いてるよ
あれ 神様、
おいしも 泣いてゐます
星さへ、あれば、
西川光次郎 一心懐語の一部一

見栄一（賀川豊彦）は、それを敢然と実行した。それは「涙の二等分」の延長とみることができよう。「涙の二等分」で、うれしい話がある。おいしは、その後、生の親の手にもどり、兵庫県の小学校に通うようになったという。

もう一つ、胸をうつ話がある。賀川は、おいしの成長の姿を、そっと垣間見に出かけたことがあったという。(14) おいしの成長を見守った賀川豊彦の瞳は、見るひとの涙を何等分にするのだろうか。

五 「おまへはいゝかい」「はい、よろしうございます」

横山大観は、幸田露伴の思い出のなかで、「あの娘さん（文子さん）は、たいへん露伴さんに教育された方です。非常にしかられた方のやうです」(15) と述べている。その幸田文は、一九〇四年に幸田露伴の次女として、東京府南葛飾郡寺島村大字寺島（現・墨田区寺島町）に生まれている。横山大観の見方のとおり、幸田文は、「父は私の十六の時に、炊事一切をやれと命令した。継母をさしおいてさせられるのだから、ひるんだこと云ふまでもなかった。逡巡を見て取って、『おれが教へてやるからわけは無い。切目正しからざるものは食はずだ、これだけのことさ』とかぶせられ、いやも糸瓜も無かった」と述懐している。これだけではなく、露伴の世の常とは違うきびしい躾は例えば障子の張り方や桟のはたきの使い方、掃除の仕方、おしろいのつけ方、豆腐の切り方、借金の挨拶などなどに及んでいた。(16) 文の八六年の生涯は、六歳で実母を亡くし、八歳のとき父親は気位が高くて自我の強い女性と再婚し、義母と父親との良くない関係から父親の厳しい家事の躾を受け、弟の結核の看病、二四歳で結婚するも三四歳で離婚し、ひたすら父・露伴の看病に終始するという男性社会の中での悲運な境遇であった。

看取りの面では弟だけでなく、四二歳の時にはピアニストである叔母の幸田延子の病中ではその死に至るまで看護に当たり、兄である露伴もいたく感謝したという。(17)しかし文の看取りにも限界をもっていた。看病に一家言をもっていた。だから文はいう。「看病は一朝一夕、きのふ始ってけふ終るといふものではない。一週間病めば一週間、一年病めば一年、病んでゐる中全部が看病であり、心身晴れて休む間はない。父をみとる子といふものが一人きりしかゐない私の場合に、労働時間法も当てはまらず定期休暇をくれる人もゐず、自分から怠けてけふ一日はと気まゝにしてみても、心まで休まるものでなく、常住坐臥、はっとしたりどきっとしたり、とりたてゝこれと云へない些細な、しかも執拗な憂愁の連続が看病といふものだった」(18)。これは文の本音であろうし、唯一の愚痴でもあったのであろう。しかも文の場合は、父親が「国宝的なかただから、どうかしっかり御看病願ひたい」など周囲から圧力も加わって、心身ともに大変な労力を要したことは唯の目にも明らかであろう。

しかし、しかしである。文は老いていく父、病んでいる父に半生を捧げた自負と誇りがあった。ある時、文はめずらしいことに父からドイツ製の高級なカメラを買ってもらったそうである。(19)文が心と身体の全部をつかって見つづけたのは、弟や父親の生命ではなかったのだろうか。

幸田露伴（一八六七―一九四七）の行跡のうち、誕生と死亡を摘出してみよう。(20)

誕生…慶応三年（丁卯）、陰暦の七月、月まつる日の夕、江戸神田の地に幸田成延の第四子として先生は生れたまひぬ。名は成行、幼名は鉄四郎と名けつ。一歳、已に病む。死して而して蘇るもの数次なりしといふ。医曰く、この児憫むべし、命の殤せざらば、則ち身の廃せんこと必せりと。

死亡日…昭和二十二年七月十一日、齦より血を出し、数日間歇して続く。発熱す。嚥下性肺炎を発す。熱は消退せしかど、多量の出血の為胃腸を害し、不眠の状態にて食欲を減じ、心臓の衰弱を来す。二十三日、誕辰八十年を迎ふ。二十七日、烈しき暑さの為狭心症様の発作をおこし重態に陥り、三十日午前九時十五分屬纊に就きたまひぬ。

こうしてみると、露伴は生来健康にはあまり恵まれていなかったようにみえる。昭和二十二年七月十一日に、「齦より出血し」云々とあるが、すでに「疎開中の一昨年の春、数日中に次々と上の門歯が落ちてしまったのには、父自身も驚いたらしかったが、家の者達も暗澹としてしまった」そうである。その後に、齦の型を取り、義歯の金冠九本を入れることによって、なんとかその場は凌げた。費用は、その当時で八千四百円かかった。(21)

いよいよ昭和二十二年七月がやってくる。文の「終焉」(22)から露伴の七月十一日、二十五日、二十七日の様子を再現してみる。七月十一日、朝、露伴は大量の出血で、頬、鬚、枕、シーツを赤く染めた。痰吐きの中にも相当量の血が拡がっていた。露伴は、「寝たきりになってからは、とかく身の不自由、ぶざまが癇の種になることが多く、自分を嘲罵するさまは気の毒であった」し、目に見る姿は痛ましいほどであった。同日の午後には、出血や痰吐きで、「顔全体に見る〳〵充血して来、瞼は怒張し、苦しみの筋は走り」手の施しようもないほどであった。その後また第三回の出血が起った。文は、「ふと親一人子一人という感情が走って、突然『おとうさん死にますか』と訊いた。『そりゃ死ぬさ』と変に自信のあるやうな云ひかたをし、『心配か』と笑った」と綴っているが、ここに親子の寄り添いのほほえましさがある。七月二十五日、夜、この三日ほど露伴は睡眠がとれていない。睡眠薬の効果もなくなってきている。「身体の向きをかへてくれと云ってゐるので、左下に向け、土橋さんは父と対ひあひ私は背を見る位置になり、別に痛いとは云はれなかったが期せずして二人とも摩擦をはじめた。肩と背は日日骨立って来てゐた。『痩せましたね。』『む、、――』と受けて、『かうしてあっちへ向けてもらったりこっちへ向けてもらったりしてゐるうちに、自然の時が来る』とさりげない調子で云った。私は父の肱を掴んでのしかかった。『おとうさん、さうなりますか。』『なる』くるりと眼球が動いて」、優しくあわれみの眼差しが向けられた。

さて、死去の三日前の二十七日、露伴は「仰臥し、左の掌を上にして額に当て、右手は私の裸の右腕にかけ、『い、かい』と云った。つめたい手であった。よく理解できなくて黙ってゐると、重ねて、『おまへはい、かい』と訊かれた。『はい、よろしうございます』と答へた。」

これも父娘の寄り添い、添い寝の姿である。だからである。「あの時から私に父の一部分は移され、整へられてあったやうに思ふ。うそでなく、よしといふ心はすでにもってゐた。手の平と一緒にうなづいて、『ぢゃあおれはもう死んぢゃうよ』と何の表情もない、穏かな目であった。私にも特別な感動も涙も無かった。別れだと知った。『はい』と一ト言。」

露伴の死の二日前の二十八日からは、文の「父（菅野の記）」に詳しい。その二十八日、「もうどうにもいけなかった。血色はよかったが、一ト晩でやつれが見えた。」「まるで父にして父でなき、ものだった。」「私が父にして父にあらざるものと見て、恐れをののいたものは、実は父のからだの上へ死が這ひあがってゐたのだ。私は死の顔を知らなかっただけである。けさは、私の父でなく死の占領したもの」にみえた。けれども、文の父への看取りはすさまじかった。

父の蒲団の上へ一緒にすわりこんで、じっと見てゐた。

添寝の姿はいつも美しい。文の慈父をみる眼、慈父の愛子文をいとおしみ憫れみつつみる眼は、まさに人の間を結ぶ証しである。文の「父（葬送の記）[23]」では、「一ト口にみとり介抱といふが、私達親子の中では臥てゐた父がみとられたのでもなければ、起きてゐる私が介抱したものでもない、互のことだったのである。」

「骨太なだけに筋肉が萎えはじめては、胸や肋骨がむごたらしく、鎖骨の窪みは気味がわるかった。胃部が断崖のやうに落ち窪んで、腹がたふ〳〵してゐた。」「これが私のよく知ってゐる四十余年間の父の、臨終の肉体だった。」

「人間」とはなにか、については別稿にゆずる。ここで一つだけいえることは、「人間」とは「ジンカン」である。「人の間」である。人間が人間として存在するためには、この人の間を埋めなければならない、結ばなければならない。人と間を結ぶものとして、本稿では寄り添うもの、みとりの中の添寝をあげてみた。逆にいえば、人と人が寄り添う、添寝する行為こそが人間を生み育てるものである。もう一度、文に登場してもらうと、「父（葬送の記）」の最後を次のように結んでいる。「親は遂に捐てず、子もまた捐てられなかったが、死は相捐てた。躍りあがれぬ文子が一人こゝにゐる。しかし四十四年の想い出は美醜愛憎、ともに燦として恩愛である。これから生きる何年のわが朝夕、寂しくとも父上よ、海山ともしくない。」文の父との半生の寄り添いが伝わってくる。

幸田露伴は、臨終の際、質の深さにおいて、この世の自然に依存しきったのであろうか、質の濃さにおいて血の通った文に依存しきっていたのであろうか。露伴から約一〇年ほど若いが同世代といえる中勘助は、その随筆で、「妹の死」と「母の死」を発表している（渡辺外喜郎編『中勘助随筆集』岩波書店、一九八五年）。中勘助は一九〇二年に旧制第一高等学校に入学するが、同期には藤村操、安倍能成、小宮豊隆、野上豊一郎、尾崎放哉らがいて学友に恵まれていた。同時に旧東京帝国大学英文科に入学してから、第一高等学校時代に引き継いて夏目漱石の教えを受け、文学への道はひらけていった。

中勘助は、一九一二年、かれが二八歳のときに、妹・やす（二三歳）を亡くしている。『銀の匙』を書きあげ、閲読を乞うため夏目漱石に原稿を送った年である。また一九三四年、自身が五〇歳のとき、母・鐘（八六歳）を亡くしている。「妹の死」は一九二八年に、「母の死」は一九三四年に発表されたものである。

「妹の死」では兄妹愛に溢れた人間誌である。兄は妹をこんなふうにみる。「妹は昼のうちはうとうとしているが夜になると頭が冴えて眠られない。そしてみんながよく寝てるのに自分ばかりひとり目をさましてるのが寂しく、また体も苦しいのでひとをおこしてはむずかる。私もそばに寝てるのだが私だけはおこそうとしない。」妹は兄にこんなふうにせがむ。

「すまないけれど寂しいからここにきてちょうだいな。」

「寂しいからそばへよって手をもってちょうだい。」

「寂しいから手を握って。」

「苦しい。唇をしめして。」

「誰か息をこしらえてちょうだい。」

そんな状態のなか、妹は臨終を迎える。「妹の瞳孔は散大してなにも見えないらしかったがその眼もとうとうつぶってしまった。それでもなにかいうらしく唇をうごかして自分の顔のまえにかきさぐるような手つきをした。間もなく息をひきとった。最後の息というものはいくたび見ても最後らしく、そしてよそ目にはせつないものがある。」だから、妹の屍体は、「寂しがって私をよんだことなど思い出して」いると兄は感じている。勘助の妹への看取りは、他者への思いやりの情が精一杯尽くされている。

中勘助は「母の死」についても記録している。母が重態に陥った一九三四年の九月初旬から一〇月初旬の臨終のときまでの看取りである。日付けは記されていない。それぞれの日付けが「断片」の言葉で始まっている。中勘助の母への寄り添いの場面を綴ってみよう。(24)

断片。鼻を叩いて笑わせたのはきのうの朝だった。ものがいえん　といったのがその午後だった。きょうはもう微笑の影もない。朝病室へいったら目をあいていた、妹の最後のときのそれとおんなじ切れの長い目を。蒲団のうえをずらすようにそろそろと私のほうへのばす手をとって前屈みに顔をよせる。母は顔をしかめながら苦痛と衰弱にもつれる舌をようやく動かせて

「きょうは死ぬ」

というのを

「灌腸がきいたからくになったでしょう」とそらせる。その返事もただやっとこさとうなずくばかりである。妹の死ぬときもそうだった。

断片。子供子供した気嫌のいい顔はもう見られなくなった。目をさました母はいつも悩んでいる。覚醒して苦しんでるのよりは麻酔した寝顔のほうが見たい。赤子みたいに力なくうめいている。母よ、母よ。膝のうえに手をとっていても母は刻刻に私を離れてゆく。（中略）

断片。いよいよ最後の時が迫ってきたようだ。ときどき見えそうな目をあいて見まわしたり、人の顔に視線をとめたりするがわかる様子もない。なにをきいてもうなずくこともしない。ただ反射的に手足を動かしてるらしい。苦痛もない。おそらく苦痛を感ずる力もないのだろう。私との感情関係は母のほうからはもう断たれてしまった。きのうあの力ない声できょうのこの状態を予感したかのように　あした　といったっけが。

夜。冷っこくなった母はこの世につくべき息の残りをしずかについている。母の臨終が精神的にも肉体的にも安らかなのが嬉しい。おりおり首をうごかして、ひゅう　と微かな声を出す。ひとりでに出るのかもしれない。そんなとき急に母が近よってきたみたいな気がする。母か、これはもうなかば母の記念像である、最初に私を抱愛したであろうときから五十年母であったところの人の。

中勘助の必死の臨終の看取りの中で、母は刻々と勘助から離れていく。同時に子と母が手や息で交わう中で、母は刻々と勘助の胸のうちに近づいていく。この世の依存の美しさであろうか。中勘助母、一九三四年一〇月八日没。享年八六。

六 『かけがえのない父母へ』

長野県上伊那郡長谷村（旧・美和村、現・伊那市）に「孝行猿の話」が伝えられている。一八世紀中葉、紀州藩の学者神谷養勇軒（善右衛門）が、藩主徳川宗将の命を受け、『新著聞集』一八巻の説話集を完成させた。その一巻第二「慈愛編」の中に収められているのが、「孝行猿の話」の由来となっている「猿子親を療して人心を感発す」の説話である。「猿子親を療して人心を感発す」の内容は次のとおりである。「冬の日に猟に出た男は帰り道に大猿を射止め、明日に皮を剥すつもりで囲炉裡の上に吊し寝た。深更になり目を醒してみると、子猿が一匹づつ、かわるがわる囲炉裡で手をあぶりあたためては、親猿の疵口に手当てている。男は、この哀われさをみて、先非を悔て一心不乱の念仏者となり、諸国行脚の旅に出た」というものであった。寛延二己巳版『新著聞集』（早稲田大学図書館蔵）の原文を掲げておく。

　猿子親を療して人心を感発す

信州下伊奈郡入野谷村の者冬の猟に出不仕合にて帰る屋の大木に大猿の居たりしをこれ究竟の事なりとて討とり夜に入宿につき明日皮を剥なん凍ては剥かたしとて囲爐裏のうへに釣おきぬ深更に目をさましみればいけておきし火影みへつ隠れつするを不審しくおもひ能々うか丶ひみれば子猿親の脇下にとりつき居けるが一匹

つゝかわる〳〵おりて火にて手をあぶり親猿（をやさる）の鉄炮疵（てつほうきず）をあたゝめしを見るより哀（あはれ）さかぎりなくて我いかなれば身一ツたてんとてかゝる情（なさけ）なき事をなしつと先非（せんひ）を悔（くひ）て翌日頓（やが）て女房にいとまとらせて頭（かしら）をそり世をのかれ一心不乱（しんふらん）の念仏者（ねんぶつじや）となり諸国行脚（しよこくあんぎや）に出てとなん

この「孝行猿の話」を元にして、二〇〇六年に長野県長谷村教育委員会は『かけがえのない父母へ――親孝行の讃歌」作品集より』（ほうずき書籍）を上梓した。その「発刊によせて」によれば、長谷村に伝わる「孝行猿」の民話の心を多くの人々に伝え、薄れゆく人情と荒れゆく世相に警鐘を鳴らす一助として、全国に作品を募った結晶である。応募作品は七歳の小学生から九六歳まで約四千点に及び、そのちの受賞作品六三点と応募作品一五一点が収録されている。旧美和村の郵便局長は、この書について、「小説のように一気に読むのではなく、折にふれて一篇ずつ」読んでほしいと望まれている。この要望に応える作品がある。全文を掲げるので味読してみよう。

添い寝して「父さん、さようなら」

小学校を出てすぐ宮大工の棟梁に弟子入りした父は、後年、自らも棟梁となって有名寺社の建築を手掛け、伝統工芸士として郷土の表彰を受けました。意志あくまで強固、我慢強さと辛抱強さと忍耐力も天下一品、明治生まれの頑固者です。

そんな父は、冬は特に強く、夏の暑さには格別に弱かったのです。昭和五十年の夏、元気よく外出した父が夕方に戻ってきた姿は、まるで死人の如く顔色がなく、冷や汗をかいておりました。敷居を跨（また）ごうとしますが、足が上がりません。走って近づくと私の腕に全身を倒し、声をかけても返事をいたしません。すぐに救急車で病院に運びました。そして救急処置後、先生に呼ばれて次の告知を受けたのです。「末期の肺癌です。あと一カ月持てばいい方ですね。これほど悪い状態まで本人が苦痛を訴えなかったことは驚きです」と。

入院十日目より激痛が父の全身を襲って、私が近づくと「殺してくれ」と哀願するのです。今ほどの有効な手当てもない当時、「あと二日、三日が危ない」と先生に告げられた私が、苦痛に耐えている父にしてやれること、それは添い寝して父の苦痛を私の体に吸い取ってあげることでした。無駄を承知で会社を休み、三日間、昼夜添い寝をし、父を抱きしめるほか術はありませんでした。

三日目の朝、目を覚ますと冷たくなった父を抱いておりました。いつまでも父を抱いて一人泣いたのです。文字どおり、人に寄り添う美しい人間関係が映し出されている。人の間を埋めるものは、他者でありながら自分自身でもある人間そのものであろうか。

注

(1) 東松露香校訂『父の終焉日記』岩波書店、一九二二年。
(2) 底本所蔵・久保田ひろ志、小林一茶著、前田利治編集・解説『父の終焉日記・浅黄空・俳諧寺抄録：一茶自筆』勉誠社、一九七九年。
(3) 石田瑞麿訳注『往生要集』(上)(下)、岩波書店、一九九二年。
(4) 石田瑞麿「解説」(同前)。
(5) 武藤富男「解説」(賀川豊彦全集刊行会『賀川豊彦全集』第二〇巻、キリスト新聞社、一九六三年)。
(6) 同前。
(7) 賀川はる子「女中奉公と女工生活」(叢書『女性論』二〇、大空社、一九九六年)。
(8) 加藤重『わが妻恋し——賀川豊彦の妻ハルの生涯』晩声社、一九九九年。
(9) 賀川豊彦『貧民心理の研究』警醒社、一九一五年。
(10) 横川春一『賀川豊彦伝』新約書房、一九五〇年。
(11) 賀川豊彦『溢恩記』大正元年十二月十七日写本印刷(活字体は『賀川豊彦全集』第二〇巻)

(12)『賀川豊彦全集』第二〇巻、キリスト教新聞社、一九〇五年。
(13)武藤富男「解説」(『賀川豊彦全集』第一四巻、キリスト教新聞社、一九六四年。
(14)『賀川豊彦伝』前掲。
(15)横山大観「露伴さんの思ひ出」(「露伴全集月報」第一〇号、一九五〇年四月)。
(16)幸田文「ちぎれ雲(雑誌)」(『幸田文全集』第一巻、中央公論社、一九五八年)。小松伸六「解説」(幸田文『流れる・闘』新潮社、一九八〇年)。
(17)塩谷賛『露伴翁家語』朝日新聞社、一九四八年。
(18)幸田文「父(菅野の記)」(『幸田文全集』第一巻、前掲)。
(19)山里幸子『幸田文』新典社、二〇〇三年。
(20)「幸田露伴を偲ぶ展覧会」日本橋三越、一九四七年一一月。
(21)塩谷賛『露伴抄』全国書房、一九四八年。
(22)『幸田文全集』第一巻、前掲。
(23)同前。
(24)渡辺外喜三郎編『中勘助随筆集』岩波書店、一九八五年。

◉第八話◉

ネコはネコを通して はじめてネコとなる

一九七七年、やさしく、かなしく、温かい本が生まれた。
文も絵も佐野洋子の、『一〇〇万回生きたねこ』（講談社、一九七七年）である。子どももおとなもおばあちゃんもおじいちゃんも、多くの人に読み語り語りつがれてきた本である。その多くの人は、読み終わると思わずきれいな涙を落とした絵本である。この絵本を理解してもらうために、佐野洋子に笑われるのを覚悟して、すこしく劇場風に編成してみた。

序　章〈一〇〇万回も死なないねこがいました。一〇〇万回も死んで一〇〇万回も生きたのです。〉

第一幕〈飼い主がきらいな飼いねこ時代――人生無自覚時代〉

第一場　あるとき、ねこは王さまのねこでした。ある日、ねこは矢に当たってしまいました。ねこは城の庭に埋葬されました。

第二場　あるとき、ねこは船のりのねこでした。ある日、ねこは船から落ちてしまいました。ねこは公園の下に埋葬されました。

第三場　あるとき、ねこはサーカスの手品つかいのねこでした。ある日、ねこは手品の間違いでまっぷたつになってしまいました。ねこはサーカス小屋の裏に埋葬されました。

第四場　あるとき、ねこは泥棒のねこでした。ある日、ねこは犬に噛まれてしまいました。ねこは小さな庭に埋葬されました。

第五場　あるとき、ねこは一人ぼっちのおばあさんのねこでした。ある日、ねこはよぼよぼになってしまいました。ねこは木の下に埋葬されました。

第六場　あるとき、ねこは小さな女の子のねこでした。ある日、ねこはおぶいひもが首にからんでしまいました。ねこは庭の木の下に埋葬されました。

第二幕〈のらねこ時代――他者に関心がない時代〉

第七場　あるとき、ねこはだれのねこでもありませんでした。ねこははじめて自分のねこになりました。りっぱなのらねこになりました。

第八場　沢山のめすねこが、お嫁さんになろうと、ねこに言い寄ってきました。ねこは「おれは一〇〇万回も死んだんだぜ。いまさらおっかしくて。」

第三幕〈出会いの時代――自立から依存へのみち〉

第九場　たった一匹、ねこに見向きもしない白いねこがいました。ねこは「おれは一〇〇万回も死んだんだぜ」と言いましたが、白いねこは「そう」だけでした。

第十場　ある日、ねこは白いねこの前で「おれは一〇〇万回も……」と言いかけて、ねこは「そばにいてもいいかい」とききました。白いねこは「ええ」

第四幕〈他者・家族の時代――自分より大切な存在〉

第十一場　白いねこは子ねこを沢山産みました。ねこは白いねこと沢山の子ねこを自分よりも好きなくらいでした。

第十二場　やがて子ねこたちは大きくなりどこかへ。それでねこは満足でした。白いねこは少しおばあさんになりました。ねこは白いねこと、いつまでもいつまでも一緒に生きていたいと思いました。

第五幕〈悲嘆の時代――生きることの原点〉

第十三場　ある日、白いねこは、ねこの隣りで静かにうごかなくなりました。ねこは、はじめて泣きました。

夜になって朝になって、また夜になって朝になって、ねこは一〇〇万回も泣きました。ある日のお昼に
ねこは泣きやみました。ねこは、静かになった白いねこの隣で静かにうごかなくなりました。

終　幕　〈もうけっして生きかえらず。自然の風景〉

『一〇〇万回生きたねこ』の焦点は、第三幕のターニングポイントにある。それは自立から依存への大転換である。白いねこへの依存、家族への依存、なによりも依存を失ってはじめて泣くことができたこと、依存を失ってはじめて死ぬことができたことである。依存があるからこそ、一日一日がいとおしいのであり、悲しみは他者への思いやりの原点である。作者・佐野洋子はいっている。「自分の命って自分のものじゃない。周りの人のものだと思う。(1)」

この絵本の刊行から読みつがれて四〇年以上、愛読者の評がまとめられている。そのうちの二名の評を抄録して紹介してみよう。(2)

しあわせに　死ねたなら　そんな　いいことは　ない。

西原理恵子（漫画家）

この絵本は、一頁ごとに言葉と絵をじっくりと味わい、瞑目してその頁のエピソードに自分の人生を重ね合わせる読み方をするとよい。そのうちに、《ああ、自分にもこんな傲慢さがあったなあ》と思いがめぐり、いつしか生きるうえで本当に大事なものは何かを考えるようになるだろう。そして、愛すればこその悲しみや「生と死」の本質を理解できるようになった自分に気づくだろう。これはまさに色即是空、般若心経の世界を描いた絵本なのだ。

柳田邦男（作家）

ちなみに、早稲田大学エクステンションセンターの二〇〇六年度「Death Education（死と向き合って生きる）」

講座受講生が『一〇〇万回生きたねこ』を読み、各自の感性で別のタイトルを考えてもらった結果は次のとおりであった。(3)

奴隷の生涯と主人の生涯／〈一生〉を手にしたネコ／泣くことを知ったネコ／「本当の心」で生きたねこ／幸せを知ったねこ／とら猫ものがたり――一〇〇万一回の人生／幸せな野良ねこ／あなたが私の立場だったらわかるでしょう／花になれたネコ／天国から招かれたネコ／とき放たれてそして愛と死／悲しみを知ったねこ／円(まる)い月になった猫／「永遠」を手にしたネコ／君なかりせば我在らじ――或る猫のつかんだ真実／永眠／白いねこ／とら猫ものがたり――生きるということ／生きることができたネコ／一〇〇万回生きた幸せなねこ／君のいなかった百万年・君といた数年間／幸せに死ねた猫／一〇〇万一回生きたねこ／トラネコの生涯と悲嘆の芽生え／涙の温かさを知ったネコ／愛すればこそ／一〇〇万回生きたネコにも死は訪れぬ／百万年かけて真実を見つけた猫／幸せって何だろう／もう生きかえらなくても、いいんだよ／白い美しいネコとの出会い／「我思う故に我あり」なんて嘘と知った猫の話――ホントは君思う故に我在りナンダ!!／ひとりぼっちのトラネコ／愛されるより愛したい

ところでナトルプ（Paul Natorp, 1854-1924）は、教育に関する体系的著作として、『社会的教育学』『哲学と教育学』及び『社会理想主義』を著している。このうちの『社会的教育学』で有名な示唆に富む文言がある。すなわち、「人間は人間的社会〔Gemeinschaft共同態〕を通じてのみ人間となる。このことを最も手短に納得するには、もし人間が人間的社会の一切の影響を外にして成長したとすればどうなるであろうかを思い浮べるがよい。この場合人間が動物に転落するであろうこと、少なくとも、特に人間的な素質が極めて貧弱にしか、すなわち一層洗練された感性の段階以上には、人間の中で発展しないであろうことは確かである。(4)」つまり、「人はただ人間社会を通してのみ

人となる」[5]のであり、「人は他人と共同生活を営むことによって初めて、人となり得る」[6]のである。

ナトルプが示した〈人間は人間を通してはじめて人間となる〉命題は、野生児の研究によっても証明できるのではないか。およそ人間は人間の間で余儀なく育てられるため、仲間からその習慣や欲望を教えられる。アヴェロンの野生児においては、「人間は〔特別な〕体力も生得観念ももっていないのに、身体に内在する諸法則によって、〔生物〕存在の首座を約束されている。だが人間は、その法則に自ら従うこともできない状態でこの地球上に投げ出され、他でもない社会という内懐に抱かれることによって、はじめて自然の中で自らに示された高い位置を占めることができる」[7]ようになるのである。アヴェセンの野生児からみられるのは、やはり人間は人間の力がなければ、「人間は弱々しいおろかな動物の一つ」[8]にすぎない。

〈人は人を通してはじめて人となる〉

〈ネコはネコを通してはじめてネコとなる〉

注

(1) 『週刊朝日』二〇〇九年一二月四日号。
(2) 『毎日新聞』二〇〇七年八月二六日「広告」欄。
(3) 大槻宏樹「わたしのDeath Education」第六号、早稲田大学オープンカレッジ。
(4) ナトルプ著、篠原陽二訳『社会的教育学』多摩川大学出版部、一九八三年。
(5) 唐沢富太郎『学生の歴史、パウル・ナトルプ「社会的教育学」』ぎょうせい、一九九一年。
(6) 松浦鶴造『ナトルプ一般教育学の研究』五月書房、一九八七年。
(7) イタール著、中野善達ほか訳『新訳アヴェロンの野生児』福村出版、一九八四年。
(8) イタール著、古武弥生訳『アヴェロンの野生児』牧書店、一九七二年。

◉第九話◉

只野真葛とデカルト

一　只野真葛の「ひとりかんがえ」
二　デカルトのコギト

一　只野真葛の「ひとりかんがえ」

「江戸に才女を見ず」とは、いつの頃からか一つの定説と化した感がある。確かに、あまたの才女・賢女が筆と妍を競った王朝時代と対比させるとき、江戸というこの時代が、同様に文化の完熟期とされつつも、優れて女性と無縁であることは否みようもない。何しろ、三百年の平和と繁栄でしるし付けられるこの時代に、女近松も女西鶴も、そして女馬琴も、出現しなかったのだから。

こんな出だしで、本田和子は「江戸の才女の嘆き」(1)を執筆している。その江戸の才女とは只野真葛のことである。只野真葛は、伊達藩医工藤平助の長女で、実名をあや子と称し、一七六三（宝暦十三）年に江戸で出生した。のちに、伊達藩士只野伊賀行義の後添えとして只野家の人となり、仙台で生涯を送った。只野真葛の主要作品は『只野真葛集』(2)によると、『むかしばなし』『奥州ばなし』『いそづたひ』『独考』『異国より邪法ひそかに渡、年経て諸人に及びし考』『女文教服式・女子文章訓付節句由来』『月次文』『真葛がはら』『歌文拾遺』などがある。本稿では、只野真葛論として『独考』を中心にみていく。人物にレッテルを貼るのは禁物であるが、しいていえば彼女は才女というよりも、むしろ社会思想家と位置づけたい。

そんなわけで、只野真葛『独考』における社会思想なり体制批判の声を聞いてみよう。まず『独考』の序に当たる部分を引用してみる。以下、とくに断わり書きのない場合は『独考』からの引用である。

此書すべて、けんたいのこゝろなく過言がちなり。其故は、身をくだり、過たることをいとふは、世に有人の上なりけり。真葛が如き、三十五才を一期ぞといさぎよく思切、この地へくだるは、死出の道、めいどの旅ぞと、かくごせしからに、今ははや無世も一つ、むかしをへたるなき身とおもへば、いかばかり人のそしり、にくみを得るとも、身にいたからず。又、この本をにくみそしるほどの人は、恐るゝにたらず。慈悲のおもひ胸にみち、あいしやうの涙に袖をしぼり、我国人の独々の身をとまさせんとて、外国の恐をもおもはず、国のつひえをもいとはず、その争の為に、出もの〳〵放すてゝなく成しこがねを、又争ふとて、ものくるはしきふるまひなすが歎かしさに、あらはしたることなれば、その心有て、真葛が人に悪るゝは、いたくもかゆくもなしと、御心得、御覧給はりたく候。

みちのく

真葛

文政元丑のとし十二月

文政元年は一八一八年で、伊能忠敬や司馬江漢らが亡くなった年でもある。真葛はこの序を決死の覚悟で執筆した経緯が明らかである。当時の為政者の無策を回り道をしながら論破しているのが心地良い。この時代、女性は直接的に政治に参加し、政治的な力をもつことが不可能であったばかりでなく、社会思想をもつことも体制批判も許されなかった時代において真葛はさらに次のように主張する。

かけまくはかしこけれども、天照大御神は女がみにこそませ。またおき長たらし姫のみことも女神にまして、外国をすべしたがへさせ結へりき。世くだりて、紫式部の君のあやなされし、光源氏の物語に次文なし。西国よりわたりし解体の書にも、女にしてときそめしといふをも見たりき。されば、女たりとも、などか心を起さゞらめや。

真葛は、この時代の女性の限界を認知しつつも、女性として大志を抱くことのもどかしさを吐露している。同時に、「男性」社会への批判にも繋がっている問題である。真葛は儒教を否定するかわりに、自分自身の経験に基づく概念を基調として思考する態度をもっていた。目や耳で調べることのできない思想は基本的に批判の対象として考えた。したがって、仏教も儒教も現実の世界を説明するものとはなりえないという立場をとるために、それらは指針にはなりえないと説く。

聖の道は、昔より公ごとに専用らるれば、誠の道らしくおもはるれど、全く人の作りたる一法を、唐土より借て用たるものにて、表むきの師道具、たとへば海道を引車にひとし。表立てむつかしきことの有ときは、是にのせておさねばうごかず。されば、まさかのとき用為、其あらましを一渡り明らめて、門外にそなへ置、家事には用ゆべからず。道具がぶきやうにて、けがすることあり。

このように真葛は、仏教や儒教が説く「道」は、真葛が描く「誠」にはつながらないことをしばしば説いていく。その一方で、社会思想面で次のように指摘する。

町人は日々月々に物の値段をあげてその品をいやしくなし我方に利のあらんことをのみねがひ、百姓はとし増に年貢をすくなくせんことを計る大乱心の世にはさまれて、武家その故をさとらで数年を送りし中、終に彼等が思ひのまゝに金銀をせめとられ今は何方の国主も町家を金主とたのみ其力により、日々月々を送らせらるゝは金のいくさの為めにはすでに町人のとりことならせられしならずや。

真葛は、幕藩制社会が解体していく姿を、武士が町人と農民とのはさみうちにあい、わけても金を扱う町人の力は巨大であって、藩主も町人の虜になっていると把握した。要するに真葛は、「武士・町人・百姓のすべての身分が、それぞれの身分が、それぞれの身分に基づいて金銀をめぐって相争う『大乱心の世』を、武士の立場から不安と憤激をもって凝視している」[3]と判断している。ところで、真葛の社会思想には別の角度からみて重要な提言がある。

　聖堂を物りし人のつどひ所として考を極めしめ、国々なる学校もそれに準へて、考をたてまつる箱をすえて、貴賤をえらまず考をたてまつらせ、彼是を照し見ば、国の益となる事多からんとおもはれしは、婦人の了簡に過ぎることながら、あまりに浅ましうて、とかくをいふべくもあらず[4]

真葛は一転して、「学者の全体」という構想による聖堂・学校の大胆な改革案を提言する。「われは女の事なれば、思のまゝをいふとも、何事のあらんと、みづからゆるせしなるべけれども」と前置きしながらも、あえて「今聖堂とていかめしき殿づくりをして、人形を作りて聖をまつり奉るは、正体なる孔子聖の御霊には、あひがたからめとおもはるゝを、公よりはじめて、国々にもその事あるは、あがめ奉るかたよからんと、思ひ侍る所ありての事ならめ、さて金あらそふ乱世也とおもひみれば、此御堂のわざは、こがねたからをいやしむ法なる故、つひえならめ、国に益なき此御堂」と批判する。そこで真葛は、聖堂と学校改革案として、一に、これらの教育施設を政治討論の場にまで拡大すること、二に、それを武士身分に限定するのでなく、中間層的知識人に開放すること、三に、そのような「聖堂」と「国々の学校」の門前に「箱」を置いて「貴賤をえらまず」意見を述べさせること、の三点に要約できよう[5]。

『独考』は、只野真葛の思想の宝庫であった。真葛は以上みてきたように、社会思想や道徳、あるいは教育問題にわたり、大胆な批判や提言を発表しつづけた。その意味では、「独力でつくり上げた思想体系によって、江戸後期の社会を考察し批判した『独考』の著者只野真葛は、江戸時代の女性のイメージに変更を迫る女性のひとり」[6]であった。近世社会においても、当時の社会政治問題や藩の経済問題、教育事情についての知識は、十分ではないにもかかわらず得られていた。それゆえに、真葛も大規模な改革案などについて論述し提言することも可能であった。

しかしながらである。真葛は『独考』を書き、発表することによって、女性が入ることがタブーとされていた「公共圏」[7]に進出してしまった。近世社会のこの公共圏は一般には学統・学派による男性社会に占められていた。真葛はいかなる学統・学派にも関係の存在であった。つまり、師祖をもたない文字どおり独力でつくりあげた思想体系であった。教育の歴史では士庶同学への道のりに多くの年月を費やしたし、さらに士庶同席への道のりも遠かった。まして男女同学・男女同席には近代をまつしかなかった。真葛は女性の障害と公共圏の障害に正面からぶつかっていた。

『独考』は、幼いときに、「世の人の苦しみを救わん」という経世済民の願いと、「女の本」になりたいという大志を抱いた只野真葛が、その実現の困難さを痛感しながらも、自らの大志を持ち続け、五五歳でまとめあげたものであった。残念ながら、時代は「江戸」であった。真葛の大志は「父のため、もしくは父を継ぐために費やされるのではなく、他家に嫁して、夫と呼ばれる人のために捧げらるべきものでしかなかった」[8]のである。

真葛のこの「無念さ」――われわれの課題として、重く深く受けとめねばならないのであろう。あくまでも真摯な真葛の志を伝えつないでいかねばならないであろう。

そんな訳で、只野真葛に敬意を表しつつも、他者論において考えると真葛にこんな限界がみえかくれする。①他者の視線からみると、「彼女が自己の思想を社会に向かって表明し、それを貫くためには、さらに別の条件を必要とした。それは、他者と関わり、他者の視線にさらされることによって自己の思想の長所と弱点を自覚しそのことを通して主体としての自己とその思想を鍛えていく社会的訓練の場をもつ」[9]ことは必要であった。②いまの論を言葉だけでひろってみても、『独考』の中に「我が生立しさまをかへりみれば、殊の外早過て、世人とつらなりがたかりしなりけり」とか、「ひとりかんがえ」のまま、「ひとりつらつらおもふやう」[10]あるいは「口外して談ずべき人なし」のように散見される。③真葛は、さまざまな社会的規範によって身動きのできないほど深く拘束されていた自分の心が、ある瞬間に上昇したことにより、その重圧から一挙に解放され自由になったことを実感したときがあった。こんなとき真葛は、「凡人は横に見る」(『独考論』)のに対して、「心抜上りたる人は上より見る」と断言しうるようになった。[11]真葛は横からみる、他者の視線でみる感覚に欠けていったのかもしれない。④真葛自身もこんなふうに述べている。「器量挟き人は偏執の病を生ず、はやく病根を抜ざれば、慢心の病に変ず、慢心の病ありて下聞を恥ざるものなし、身をくだして聞くことを恥るものは、あやまちを知るの道塞る、過をしるの道塞りて、惑はざるものあることなし、これを独学固陋といふ、学者にすらこの症多かり、(中略)おそるべしつつしむべし」[12]と。「独学固陋」に陥らないよう、真葛は他者の視線をどう考えていたのであろうか。「ひとりかんがえ」から「他者とかんがえる」「横とかんがえる」論が必要となろう。⑤本稿では真葛のジェンダー論は割愛してしまったが、「真葛は身体性だけが人間のジェンダーと感情を規定するとしている。真葛は、あらゆる「道」を否定することで、天地から人間を切り離し、人間の身体はそれだけで独立したものである」[13]と考えた。ここにデカルトのコギト論的発想が真葛のなかにひそんでいるのではないか。

二　デカルトのコギト

哲学史上、デカルト(R. Descartes,一五九六―一六五〇)の評価は一定したものである。曰く、近世哲学の祖、合理主義の祖(ベーコンのイギリス経験論に対する大陸合理論の祖)、機械的自然観の確立者、実証的近代科学を現実可

能にするための諸条件の基礎確立者、などである。なかにはこんな評価もある。(14)

デカルトは科学と人事における理性の支配の基盤を創った。自然から聖性を剥ぎ取り、個人を教会や国家の上に置いた。デカルトの個人主義がなければ、民主主義はなかった。物質を要素に還元するデカルトの分析方法がなければ、原子爆弾は開発できなかった。一七世紀における近代科学の擡頭、一八世紀の啓蒙思想、一九世紀の産業革命、二〇世紀のパーソナル・コンピュータ、二一世紀における脳の解明――全てがデカルト的なものだ。近代世界はその芯までデカルト的なのだ。

ここで指摘されている民主主義への道について、デカルトの「方法序説」を引用してみたい。(15) それは「第一部」の冒頭部分である。やや長文ではあるが、デカルトの想いを大切に読んでみたい。

良識はこの世のものでいちばん公平に分配されているものです。というのはだれでも自分には良識がじゅうぶんにそなわっていると思っていますし、そのため、ほかのことなら何ごとにつけ満足させるのにいちばん骨の折れる人たちでも、現在持っている以上にそれをほしがる習慣がないからです。この点でまさかみんなが思いちがいをしているということはありますまい。それどころかこのことは正しく判断し、ほんとうのものをまちがっているものから区別する可能力、これこそまさしく良識なり理性なりと名づけられるものなのですが、そうした可能力が生まれつきどんな人にも平等にそなわっている証拠なのです。そうなるとまた私たちの意見がまちまちなのは、ある者が他の者よりも理性的だということから来るのではなくて、ただ私たちがいろいろな道を通って自分の考えを進め、同じものごとを考察してはいないということから来るのにすぎないことにもなるのです。(注記は割愛)

この「第一部」は、学問についての考察が中核となっている。とりわけ、良識(あるいは理性)は、この世のもので一番公平に分配されている。つまり、良識なり理性は万人に平等に具わっていることを前提として考えている。ものごとを正しく判断し、真偽を区別する能力は生まれながらにして平等に具有している。しかしながら、良識なり理性を生得していても、「要はその精神をりっぱに使いこなす」ことがこの「方法序説」の「方法」につながるのである。デカルトのこの「方法序説」の「第一部」の冒頭部分に関して首肯し得る論である。けれども、「方法序説」の「第四部」[16]については若干の疑義をもっている。これもかなりの長文になるが、引用の終わりの部分を中心に考えてみたい。

だいぶまえから私は、生き方については、ひどく不確かだとわかっている意見でも、疑う余地のないものだったばあいとまったく同じように、それに従う必要がときにはあると気づいていました。これはまえにも申しあげたとおりです。しかし、そのころはただひたすら真理の探求に打ち込みたいと願っていましたので、その正反対のことをやり、ほんの少しでも疑いをふくむと想像されるおそれのあるものはみな、ぜったいにまちがっているとしてしりぞけるのが必要だと考えました。どこにも疑いをさしはさむ余地のないものが、そのあとで、何か私の信念に残りはしないかを見ようとして、そう考えたのです。たとえば私たちの感覚はときどき私たちを欺くので、どんなものでも感覚が私たちに想像させるとおりのものはないと私は想定しようと思ったのです。そして〈幾何学〉のどんなに単純な素材を扱うときにも、推論をするうちに勘ちがいをし、〈誤謬推理〉をする人がいるのですから、私もほかのどんな人とも同じだけまちがいを犯しやすいのだと判断して、それ以前に〈論証〉とみなしていた論拠をどれもこれもまちがったものとしてしりぞけました。そして最後に、私たちが目を覚ましていていだく同じ考えがどれもみな眠っているときにやってくることもありうるが、そのときには何ひとつほんとうのものはないということを考えめぐらして、私は、それまでに自分の精神にはいりこんでいたものはみな、私の夢のまぼろし以上にほんとうではないと仮想することに決めました。しかし、すぐあとで、そんなふうにどれもまちがいだと考えたいと思っているあいだにも、そう考えている自分は何かであることがどうしても必要だということに気づきました。そしてこの「私は考える、だから私は有る」という真理はいかにもしっかりしていて、保証つきであるため、〈懐疑論者たち〉のどんなに並みはずれた想定を残らず使ってもこれをゆるがすことができないのを見てとって、私はこの真理を、求めていた〈哲学〉の第一の原理として、疑惑なしに受け入れることができると判断しました。(注記は割愛)

ここで展開されているのは、「私は考える、だから私は有る」という有名なコギト論である。コギトにみられる言説は、デカルト以前にはイエス・キリストの「私は道であり、真実であり、生命である」と並んで、「一つの試金石となる言葉を世に与えた史上稀に見る存在となった」[17]ことは事実であろう。ただ当時のヨーロッパでは懐疑論は広がりをみせてはいた。同時に、コギトに類似したものとしては、聖アウグスチヌスの『神国論』に、「われ誤るならばわれあり」[18]の言辞がみられることも事実であろう。いずれにせよ、コギト論は、洋の東西を問わず先行研究の宝庫となっている。したがって、ここでは本書の趣旨に合わせて、〈他者論〉に限定して考察をすすめていきたい。

まず「コギトと他者」を論じている山田弘明の説を引用してみよう。山田はこんな問題を最初に提示している。[19]

デカルトの「コギト・エルゴ・スム」という命題(以下、コギトと略称)については批判が多い。そのうちの一つに、コギトは独我論であってそこからは他者なるものが出てこないのではないかという論点がある。たとえばフッサールは、コギトは自己という意識の島に孤立するのではないか、と批判している。西田も、コギトは直接経験の事実ではないとしたうえで、デカルトがコギトを脱して(他者としての)神の存在を論じる際に、自己と神の存在との間に矛盾があるのではないか、と見ている。たしかにデカルト哲学には他者の問題は馴染まない。かれにとって、形而上学の本来の問題は神と自己の精神とであったからである。しかし他者がまったく無視されているわけではない。本稿では、そうした批判を意識しつつ、コギトと他者をめぐる問題を考える。

山田自身の主張は後に紹介するとして、山田はコギトと他者性の問題についてさらに、「コギトが知られたこの時点では、確実にあると言えるものは私の存在のみである。他には何も見えない。私の身体も神も外界も他者も分からない。私の存在だけしか確認されていない世界にあって、省察は私ひとりに問いかけ、私の内面を掘り下げる仕方で進行する」として「ただ自分だけに語りかけ、自己を深く掘り下げることによって、少しずつ、私自身を、私にとっていっそうよく知られたもの」とするよう努めようとするデカルトの思考を展開している。さらに山田は「デカルトは独我論に陥っているのではないかと考える人は多い。実際フッサールの批判によれば、コギトの立場はまさに独我論に他ならない」とし、「デカルトのコギト論が独我論に陥るのみならず、コギトの立場を踏まえた現象学でさえも独我論的であるとの非難がありえる」というフッサールの説を引いている。それのみでなく、「現代のデカルト研究者マリオンもまた、コギトと他者の問題を、現象学と意識しつつ解明し、コギトにおいて他者は不在」である論をかりている。このように山田はコギトにおける他者性の不在を紹介しながら、自身は異なる結論を導いている。

すなわちその結論とは、「自己と他者とは、もともと陸続きになっていると思われる。自己は孤立しているわけでも、閉じたものではない。コギトは私の自我を示すが、主観的な意識の孤島にすぎないのではない。島の海面から下の、隠れた部分は陸続きになっていて、他の島や陸とつながっている。コギトはいわば深層部分において他者とつながっている」という見解である。純粋な個は存在しえないことは当然であるが、陸続き論では、他者論の本質とは異次元の問題であろう。たしかにデカルトの「省察」において、「神の存在」との関係で、独我論を脱しているとみる研究は多々見受けられる。[20] 他者論のさらなる深まりが求められるが、終わりに当たり、こんな言辞でしめくくりたい。[21]

著者は、著者である〈わたくし〉が、デカルト哲学における「私」の歩みを〈われわれ〉として辿るべく努めるばかりである。

注

(1) 本田和子「江戸の才女の嘆き」(『叢書江戸文庫』月報三〇、一九九四年二月)。
(2) 鈴木よね子校訂『只野真葛集』国書刊行会、一九九四年。
(3) 関民子『江戸後期の女性たち』亜紀書房、一九八〇年。
(4) 早川純三郎編『新燕石十種』第二、国書刊行会、一九一二年。
(5) 石崎昇子他編『教育と思想』日本女性史論集八、吉川弘文館、一九九八年。
(6) 関民子『只野真葛』吉川弘文館、二〇〇八年。
(7) B・G・オカ著、上野未央訳『只野真葛論——男のように考える女』岩田書院、二〇一三年。
(8) 「江戸の才女の嘆き」前掲。
(9) 『只野真葛』前掲。
(10) 滝沢馬琴『兎園小説』第十集(『日本随筆大成』第二期第一巻、吉川弘文館、一九七三年)。
(11) 『江戸後期の女性たち』前掲。
(12) 早川純三郎編『新燕石十種』第二、国書刊行会、一九一二年。
(13) 『只野真葛論——男のように考える女』前掲。

(14) ラッセル・ショート著、松田和也訳『デカルトの骨』青土社、二〇一〇年。
(15)『デカルト著作集I』白水社、一九七三年。
(16) 同前。なお注(7)は、「この哲学史上有名なデカルトのコギトの原文を、ラテン語とともに挙げておこう。je pense, donc je suis (Ego cogito, ergo sum, sive existo)」。
(17)『デカルトの骨』前掲。
(18) 渡辺秀『デカルト』夏目書店、一九四五年。
(19) 山田弘明『デカルト哲学の根本問題』知泉書館、二〇〇九年。
(20) 谷川多佳子『デカルト研究』岩波書店、一九九五年。
(21) 村上勝三『デカルト形而上学の成立』勁草書房、一九九〇年。

◉第一〇話◉

結憲章、舫宣言——依存の原像

一　結の創景——知識結と五人組
二　語源と呼称
三　意味と種類（内容）
四　共同防貧と「もやい直し」——結・舫の新たなまなざし

一　結の創景――知識結と五人組

社会結合を最初に指摘したのは高田保馬といわれている。その高田は、「社会は人人の関係なきところに成立せずとはいふものの、関係あるところに必ず存在するとはいひがたい。何等かの結合即ち依存又は親しみがなくては、関係が如何に強くても社会ありとはいへぬ」[1]と述べている。このなんらかの「結合即ち依存又は親しみ」の意味の籠められた影に結の創景を読みとれることができる。高田の社会の本質を求める説に結合説があり、それには「心的相互作用説」と「意志結合説」があるけれども、その最も本髄を示すのが「共存説」である。この「共存と云ふのは共同生存の謂である。共同生存とは本来的派生的の二意義を有する。本来的意義に於ては同一地点に相接触して生存する事を意味する。派生的意義に於ては地域的接触を伴はざるにもせよ、何等かの方法に於て相互作用の行はれ得ることを意識し、その行はれ得る範囲に於て共に生存する事を意味する」と高田は説く。このうちの「同一の群、又は村の構成員の共存」は二意義のうちの前者、すなわち本来的共同生存に属するものであって、結の存在もここに見出すことができよう。

結の出発として、二つの問題を指摘することができると思われる。第一は、寺院の経営・維持に関連する知識結であり、第二は、五人組制度と関連した由比の問題である。そこで第一の知識結から検討してみよう。

寺院の経営・維持及び僧尼の供養・扶持にとって必須のものは、朝廷・檀越（いわゆる施主）及び知識の三者であった。「知識」とは、僧尼にとっての知人であり、時には安居の食供を提供したり、草庵の材料を提供する存在である。さらには「善知識」と関係つけて「僧尼の勧化に感じ、勧化僧の知識となって、結縁の為めに財物を浄捨し、それによって、現世安穏往生浄土を冀ふものを指す様になった」[2]のである。このような往生浄土の機縁となるものを「知識物」と称されていた。

このようなことを背景に、一方でこれらの「知識」が団体を結成することを「知識結」と称した。「知識ユヒ」とは、知識の協力扶助団体である。「知識結」の古いものとしては、いわゆる「金井澤碑文」として認められている「高田里結知識碑」がある。[3]

上野國羣馬郡下賛郷高田里三家子孫為七世父母現在父母現在侍家刀自□□君目道刀自又児□那刀自孫物部君手足次馴刀自次□□刀自合六口又知識□結人三家氏人　次知万呂鍛師礒ア君牛麿合三口如是知識結而天地誓願仕奉石文

神龜三年丙寅二月廿九日

神亀三年は七二六年であり、興福寺東金堂建立、行基が山崎橋を造営した年でもある。知識結には知識頭主の存在が認められたりして一定の組織をもっていたが、必ずしも僧侶の存在はなくても知識結は存在可能であった。他方、知識結の規模について考察してみると、右の金井澤碑文には、知識結の人口わずかに三口と記述されていることがわかる。おそらくこれは最少規模のものと思われるが、規模の大きな例としては、「知識七百九人」（男二七六人、女四三三人）のようなものも存在していたようである。[4]既述したように、知識は財施を主とした。そこで知識結の効果として次のようにまとめられよう。第一は造寺造、第二は写経、第三は造像、第四は悔過法会、第五は薬油料、第六は建碑・義橋などをあげることができる。つまり、「貧しい財力と、乏しい機会しか有しなかった庶民階級が、仏の功徳に結縁し得る方法として、知識結は甚だ重要な役目を果した」[5]のであった。ここに結の創景のはじめの姿を確認できた。

このようにして、「結は経済的・精神的結社として姿を現はしてゐるが、これが後には経済的方面のみが強調されるやうになり、金銭・財物融通の団体となって、精神的方面の関係と全く分離して行く。即ち現在結の一種として取扱はれてゐる冠婚葬祭や資金融通を目的とする講との関係が、これから推測出来」(6)よう。以上によって結が一つの団体を表現することに問題はないが、別の課題としてそれが血縁構成を主とするものなのか地縁組織を主とするものかは、解明できない歴史的事実でもある。しかしその始原においては、結は血縁団体を基調として構成されていたのであろう。つまり血縁団体を基調とする一定の共有地における共同労働が結の本来の形態を示していると考えるのが一般的見解である。

とはいえ、結の慣行について、「極度に少ない史料のため、とは云へ二千年来我々の祖先が体験して来て、今に至る迄全国各地の農村に慣行されていながら、却って当然のこととして記録されなかつたために、それとは気付かれながらも充分に究明されてこなかつた」(7)ことも確かである。どうしても解明できない史的事実は存在する。平安時代の田植は「一ケ月もかかったが、水のかけひきなどの関係からしだいに短時日の間に植える習慣ができてきた。多くの人手を必要とするので農家数軒の者が『ゆい』を組」(8)むことによって田植の時間短縮化が可能になってきたことは事実である。一か月も要した平安時代の田植の労働時間が一挙に短縮しえたのは、結が血縁関係にとどまっていなかった事実を示している。結は血縁的紐帯が地縁的紐帯に先行していたとしても、地縁の関係は強固なものがあった。このことについて、五人組と結との関係から改めて考察していきたい。

五人組の前身について穂積陳重は、五保制度の解頽と、「保」の名称の由来を次のように説明している。「令制に定められたる五保の制は平安朝に入りてより漸く頽弛し、遂に其中期に及びて廃絶するに至りたるが如くなるが、吾人は此外に『保』なる称呼が平安朝以来、或地方区域を指称する名称として用ひられたる」(9)ことを解説する。穂積はさらに、平安京の保、鎌倉の保、諸国における保の特質を分析し、「其の指称するところは決して五戸団結の組合に非ずして、全然之と別性質なる或大小の地域区画又は地域団体を指称する」[10]ことを解明している。同時に、いずれの保においても、他の庄郷村邑におけると同じく各地にそれぞれの地方の実情に応じて隣保団結して互助共済警察糺弾の実をあげるような組合を組織している実態を確認している。さらに「新撰和歌六帖」の〈里人の軒をならべて住む宿は　五つまでこそ隣なりけれ〉の歌を引用し、五保制度は鎌倉時代にもなお遺存し、かつ四隣五保の協和団体の意味を再確認している。このことから地方郷村における隣保団体から結への道を以下のように断じていく。[11]

斯の如くにして地方郷村に漸次發達せる隣保團結の種類及び其性質に付ては、吾人は今茲に其詳細を敍述すること能はずと雖も、地方郷村の住民の殆ど全部は農耕の民なりしを以て、彼等の組合に於ては、治安警察と彼等の生業即ち農耕の互助とが、就中重要のものなりし事は推測に難からざるところなり。而して彼の「ゆひ」なるものは、恐らくは此等農耕民の間に發達せし隣保團結の形式の一種なりしが如し。

結(ゆひ)は、農耕民の間に生まれ発展してきた隣保団結の一種であると判断している。さらにさらにかれは、「堀河院百首」のうちの〈残り田は十代(そしろ)にすぎじ明日はただ　ゆひもやとはで早苗とりてん〉の歌を引き、この「ゆひ」＝「由比」をもって五人組の原名とみなし、古代における五人組は「由比」「伊比」または「延比」といい、「由比」は「元結」「結納」などの結(ユヒ)、つまり団結の意味であることを結論づけている。このようにして「ゆひ」は「結」であって、生活にとって必要不可欠な地方農民の協力扶助の目的をもって近隣相団結して結成された一種の組合団体であった。

二　語源と呼称

結（ユヒ）の語源について柳田国男は次のように説明している。「ユヒは漢字に書けば団結の結、我々日本人の協力の方法であった。田植に限らず、屋根葺きのユヒ、又は麦搗きや味噌造りのユヒもあり、髪を結ふにも風呂で背中を流すにも、ユヒしようやなどと女たちは謂って居る。以前は単なる労務の交易で無く、自他のけぢめを撤した共同の努力が、ユヒの目的であったことは、古くは上野（群馬県）の古碑にも結の文字があり、現在も海ばたの網曳く浜に、由比とぶ地名が数多く出来て居るのを見てもわかる。(12)」明解で簡潔な論旨である。なお、文中の古碑の結の文字については、すでに「結の創景」において記述したとおりである。農村労働組織の一様としての「ユヒ」の慣行について、いち早く取り組んだ小泉幸一は、その語源についてより詳しく論述している。すなわち、「ユヒ」は、「結」「結子」「由比」「伊比」「延比」などの字が充てられてきたが、その語源は必ずしも一致をみていないとし、次の五項目をあげている。すなわち、

「(一) 古代の五人組なりと見るものもあれば (二) 傭（やとひ）と同義と解するものあり (三) 中古の地域的耕作組合なりとするものもある (四) 又古来より田植其の他農耕上の共同労作自体と見るものもあれば (五) 労力の交換を意味するものもあり或は (六) 農耕上の共同労作のみならず生活の共同組織を称すると見るもの等」である。

舫の語源について、モヤイの漢字には「模合」「最合」「茂合」「持合」「催合」などが用いられてきことと関係がある。つまりもともとモヤイは近隣関係を示モヨリ（「最寄り」）が互助協同の単位であったことを示している。付

言すれば「もよあうこと」、すなわち「持ち合う」「持ち寄る」「人と寄り合って共々になす」「共同」「出し合う」などの意味をもっている。「舫」の字は文字どおりに、「船と船とをつなぎあわせること」「もやうこと」「むやい」で、動詞の「もやう（むやう）」は「舫ふ（纜ふ）」の意味である。大波や荒波の時に、船を二艘以上連結して波浪に負けない体勢を組む姿勢から、単独では不可能なことを可能にする協同の意味となったのである。[13]漢字の「催合」は「二人以上の者が一緒に仕事をすること。共同。おもやい」で、「催合う」は、「寄り合って共同で事をする」ことでもある。なお、舫は漁村の場合は、船と船とをつないで波浪に立ち向う意味だけでなく、網漁に限らず共同で漁に当たる場合には、その収穫を平等分配する点に特徴があり、結との相異点でもある。旧南部藩の場合でみると、「もやひ」は「催合」であり、「もよあう事即ち持合う・持寄る・人々寄合いて共々になす・共同・出し合う」ことを意味した。舫と書くときは、元来舟と舟とをつなぐ意味であったが、舟をつないで波浪に負けない強力なものにするということから、共同や相互扶助の意味に変化していったが、とくに漁村においては地曳網漁をはじめとして、鮑・海鼠・海藻採取など広範囲に行われていった。[14]

結は村の最も古い共同組織の一様式であり、かつ自然発生的な民間伝習であって、全国にわたる広範囲の慣行であるところから、その呼称も一様ではないが、地方別の呼称とその意味するところは、「農村労働組織の一様式としての「ユヒ」慣行（一）」[15]、『日本家族制度と小作制度（下）』[16]、「『郷土研究』方言欄」[17]、「日本農民史」[18]などに詳しい。

三　意味と種類（内容）

人間社会の発達過程の中で、最も根本的かつ普遍的なものは、人間労働と社会的結合であるといわれている。「ユヒ」なる慣行は、社会経済事情に伴ないさまざまな形態をとりつつ、農漁村社会制度に不離の関係をもたらしてきた。主として農村における小作制度、地主制度、奉公人制度あるいは村落の自治制度などの問題を理解するためには、少なくとも「ユヒ」の慣行が重視される理由がここにあるわけである。例えば小作制度発生の問題については種々の原因があげられるであろうが、その一つとして「ユヒ」の分化を示すことができよう。民族経済社会において村落の生活は地親の統制にあって、子分の労働も統一されていた関係、労力の活動は一つの集団的な協力、すなわち「ユヒ」であった[19]。それが地親と子分との経済関係が薄くなり、同時に子分の家の生活が独立してくるようになって、従来の労働関係は分化してきた。すなわち地親と子分の間における関係と、子分同志の間におけるものである。この場合、子分が地親に対する間柄が名子または手子である。

この点に関して柳田国男は、「名子の制度は地頭即ち大家の家の労力蒐集法であるが、名子自身の労力融通法としては、結(ゆひ)と云う手間替の組織があった。ユヒはつまり組合労作であって、小前のもとにとっては甚だ重宝な労働組織があつた。此組織は、単に田植ゑとか刈入れとかの場合だけに限らず、家普請の時にも此方法によつたものであつて、越後あたりでは此事をゴチャウ（牛腸）と云つて居る」[20]と述べている。同じように有賀喜左衛門は、「私は特にヤトイという言葉に注目した。（中略）室町時代にはユイと結びついて使われていたという点であった。地頭役という言葉も同様に古いから、これと関連して考えることは大切であるが、私は地主大手作における形態の共通性に足がかりを求めて、地主大手作に本家や出入人の労力を結集する形がユイの古い（原初的な）形であると見た」[21]と実証的研究の結論としている。そして同時に、地主大手作中心に結成される本家末家的ユイと小農的ユイの二形態は、古い時代から併存していることも認めている。つまり結の共同労働の組織は、服従関係から成立したものと、相助関係から成立したものとが共存していたのである。[22]つまり、同族団の結合は必ずしも緩弛していないものの、農業経営は各戸が似た程度であり、「オモヤも今日では特に大きくない。地主も特に大きなものはないので、労力の互助依存も余り差異はなく」[23]という情況であった。

ここで改めて結合の原点について考えてみたい。田村善次郎は「モヤイ・テツダイ・ユイ」をテーマにしながら次のように指摘している。[24]

日本の「ムラ」の組織単位となっている「家」は家自体がひとつの生活共同体を構成しており、それなりの独立性を持っているのだが、では、生活のすべての局面にわたって独立自営の経営体、組織体として存在し得たかというと必ずしもそうではない。独立した生活単位として生き続けるには規模が小さく、弱い面をたくさん持っていた。したがってムラの家々は、ムラという地縁集団の中で、血縁関係や婚姻関係、地縁関係など各種の関係を持つ他の家と生活上のさまざまな機会に共同し、連合しあってお互いに補いあい、助けあって暮しをたててきた。

このような視点から、村落の共同関係における互助協同、相互扶助の関係に注視している。もっとも人間は共同生活を始めたときから相互扶助・互助協同は「生きる術」としてあったことは確かであったと思われる。恩田守雄も、「共同体は自己と他者との関係性が強い地域社会の互助集団と言える。相互扶助は人々が集まる、すなわち寄り合うことから始まった。それは人々が力を寄せ合うため、また皆が力を合わせる合力を得るためである。（中略）

一人では思い浮かばない知恵も他者と共にあるとき生まれる。このような相互扶助は、共同体の中では義理や交際と同じ意味をもっていた。生活圏を共有するときそこに一定の社会秩序を求めるが、相互扶助は地域社会の秩序、ルール（掟）そのもの」[25]として、互助行為の出発点を他者との連帯と共生に求めている。

そこで、ユイとモヤイの意味をまとめておきたい。ユイは①最広義には、共同生活圏における結合としてのユイ、②広義には、互酬的行為における社会結合としてのユイ、③狭義には、交換労働（労力交換）、労力結合としてのユイである。モヤイは①最広義には、共同生活圏における共有としてのモヤイ、②広義には、再分配的行為、平等分配としてのモヤイ、③狭義には、協同労働としてのモヤイとなる。[26]なお細部にみれば、例えば大洲藩でみられたような困窮者救済の催合[27]のような互助行為も多々存在していた。さらにユイにもモヤイにも一種の互助の平等性があり、労力の貸借においても「ユイヲカス」「ユイヲカエス」も同等の労力の交換を意味していた。[28]平等性の一面としては、例えば「馬二日と人間一日」[29]とか、「男一日、女一日半」[30]がみられる。

「ゆひ」「もやひ」は労作そのものを共同にする伝来の習俗文化であるが、その内容は一様ではない。その語義についても共通した意義をもち、両者は密切な関係をもっている。概略的にみると、「もやひ」には共産共有的な内容が濃厚に遺存している傾向がみられるのに対し、「ゆひ」は比較的に私経済間の相互利益の内容がより強く遺存している傾向がみられる[31]ようである。いずれにせよ両者は不可分離な内容を内包しているが、以下に「ゆひ」と「もやい」が担ってきた内容（種類）を列挙していく。

（一）「日本に於ける原始共産制の遺在」[32]

「ゆひ」の種類。田畑の耕作に對しても、田打、代踏、田植、草取、刈入、臼引、麥搗等に至るまで一ケ年間を通じて各種の農耕の上に行はれ、その他養蠶についても、掃立、繭かき、桑畑の手入等にも行はれ、又山仕事、味噌煮農具の新調、串柿の皮むき、漁具の新調、網曳、家屋の建築、屋根の葺換、機織等を初め、冠婚葬祭、其他各互助、（中略）田植とか、繭かき、味噌煮、屋根葺、婚禮、葬儀等。

（二）「農村労働組織の一様式としての「ユヒ」の慣行（二）」[33]

「ユヒ」の種類

農業上の「ユヒ」

耕種＝苗代の整地及施肥、苗取、田起、田打、代掻き、田植、田草取り、稗抜き、稲刈、収穫、脱穀調製、畑起、麦播、麦刈、麦脱穀調製、大小豆蒔付収穫、桑園の中耕除草、結束、株直し、紫雲英播種、菜種蒔、大麻の播種、藺草植、茶摘、果實の收穫、肥料運搬、畑中耕除草、ホップの棚作等。

養蠶＝桑摘、上簇、繭掻き等。

養畜＝秣刈、厩肥搬出、馬無盡等。

加工＝製茶、楮の剥皮、大麻製造、柿剥、繩結ひ、農具新調、漁具新調等。

其の他＝開墾、耕地整理、土地改良、堆肥製造、踏ませ（厩肥製造）、下草刈、泥土揚げ、養鰻養舎魚（池換へ）、荷造包装、薪伐り、薪運搬、炭焼き等。

農業以外の「ユヒ」

家屋新築、家屋普請、屋根葺替、味噌炊、味噌仕入れ、餅搗、除雪、薪取、薪運搬、木の葉浚ひ、機織、裁縫、冠婚葬祭、按摩、灸、髪結等。

（三）『日本民俗資料事典』[34]

モヤイ　刺網、クマ・シカ・イノシシ狩猟。農耕では焼畑の火入れ、共有田の耕作、水車利用、共同風呂、屋根茅採取。

ユイ　田植、田打ち、草取り、稲刈り、茶摘み、肥はこび、畑打ち、果実採取、繭かき、上簇やコウゾむき、カキむき、土地改良、薪伐り、屋根葺き、味噌煮、餅つき、機織り、からあんま、髪結い、灸すえ、風呂肩流し。

（四）「南部藩に於ける舫制度の研究」(35)

地曳網漁、鮑・海鼠・海藻採取、伐採、流木、屋根萱採り、開墾、もやひ風呂、もやひ水車、もやひ道具。

（五）「モヤイ・テツダイ・ユイ」(36)

モヤイガリ、モヤイヤボ（焼畑）。

（六）「協同労働と相互扶助」(37)

一、村仕事として、（イ）道普請　（ロ）橋普請　（ハ）堰浚へ　（ニ）社寺　（ホ）火の番、村丁　（ヘ）村役への報酬。　二、協同設備として、（イ）モヤヒ風呂　（ロ）共同水車　（ハ）共同倉庫。　三、民家の建築として、（イ）屋根替　（ロ）新築。　四、農耕として、（イ）焼畑と林産物　（ロ）田仕事　（ハ）畑仕事　（ニ）其他（茅屋根用、牛馬糧食用、堆肥用などとしての野山の火入れ等）。　五、吉凶として、（イ）婚姻　（ロ）葬式　（ハ）病傷時。

（七）『互助社会論――ユイ・モヤイ・テツダイの民俗社会学』(38)

（イ）　ヒトのモヤイ（労力モヤイ）

・村民労力の結集と共有財の維持管理―公務型モヤイ

共有地（コモンズ）の村仕事、ヤクメ（役目）、義務人足、道普請、溝さらい、草刈り、井戸替え、雪かきなど。

・村民（仲間）労力の結集と再分配─公務（共済）型モヤイ
「茅頼母子（茅講、茅無尽）」、「屋根葺講」など。

・共有地（コモンズ）やモノの共同所有と維持管理のための労働力の再分配─公務型・共済（救済）型モヤイ
「モヤイ山」、「モヤイ田」、「モヤイ水車」、「モヤイ風呂」など。

（ロ）モノのモヤイ（物品モヤイ）

・共有財の徴集と再分配─公務型モヤイ
村仕事としての「茅頼母子（茅講、茅無尽）」、「屋根無尽」など。

・個別物資の徴集と再分配─共済型モヤイ
「米頼母子（模合）」、「麦頼母子」、「草履頼母子」、「藁無尽」、「籾模合」、「俵模合」、「砂糖模合」、「豆腐模合」など。

・生活困窮者や被災者救援の物品供与─救済型モヤイ
「米頼母子」、「夜具講」、「畳講」、「模合田」など。

（ハ）カネのモヤイ（金銭モヤイ）

・特定の物品購入のための共同集金（物品購入型）─共済型モヤイ
「牛モヤイ」、「馬モヤイ」、「仏壇モヤイ」、「瓦頼母子」、「畳頼母子」、「布団講」、「自転車講」など。

・生活資金と貯蓄目的のための集金（資金貯蓄型）─共済型モヤイ

「親無頼母子・無尽」。

・困窮者や被災者救済の義捐金―救済型モヤイ

「親頼母子・無尽」、「取り立て講」、「焼け講」など。

四　共同防貧と「もやい直し」――結・舫の新たなまなざし

どうも今の日本は「立派な」格差社会であるらしい。格差の指標の一つである「相対的貧困」とは、世帯所得を世帯員数などで調整した「等価」所得の中央値の五〇パーセント未満の低所得をさす。つまり「相対的貧困率」は所得の分布における中央値の五〇パーセントに満たない所得の人びとの割合を示すものである。ここで二〇〇〇年代半ばにおける相対的貧困率は第一八話に示したとおりである。この日本の相対的貧困率は一九八〇年代以降上昇し続け、二〇〇〇年代半ばでOECD諸国のいわば悪い方の上位に位置する。加えて、さらにやや深刻な問題として、日本の相対的貧困率の高さが、社会的信頼指標の数値と相関してしまう点である。

社会的信頼性とは、「他人と接する時、相手を信頼できるか、用心する方がいいか」の設問に、「いつも信頼できる」「たいてい信頼できる」と回答した者のことで、日本は主要国のなかで最も低い率となっている。つまり日本の相対的貧困率は非常に高く格差社会を反映し、逆に他者への信頼性は諸外国の中で最も低い三一・三パーセントを示している（大沢真理『生活保障のガバナンス』有斐閣、二〇一三年）。にわかには即断しえないが、こんな状況から社会的排除への気運や孤立無縁化への情況を産み出しかねないのだ。「他者不信の社会」（浅倉むつ子「共生社会の創造」日本学術会議〈学術の動向〉第一九巻第五号、二〇一四年五月）から「他者共信の社会」こそが求められているのが現代である。

ここでむりやりに、結や舫の話と結びつけるのは野暮な話である、と思われる。しかししかしである。柳田国男はかつて〈共同防貧〉を提示していた孤立の貧窮を考えたとき、以前は農村共同体が職業の集団でもあったので、孤立に対しては相互救済の力が農村には依然としてみえていたのである。したがって、〈共同防貧〉の手段は、以前の農村に厳然として内在していた。結のような存在は、この共同防貧の内面をしっかりと支えていたのである。結の世界は共生社会を維持してきた日本の固有の文化ともいえるのである。(39)

農村労働組織の一つの様式としての「ユヒ」の慣行をいちはやくとりあげて分析してきた小泉幸一は、村の共同組織の最も古い形態を遺存しているのは、労働の融通・交換、すなわち労力の慣行であると判断する。(40)それこそが「ユヒ」である。古来より、「ユヒ」は複雑な社会経済上の一事実として厳存した生活組織の一部門であったことから、伝来的な「ユヒ」の慣行は一応衰微されてきたものの、「ユヒ」のもつ意味内容は解消されたわけではなく、農家小組合の中に生き残っている。小泉は次のように説明する。(41)

最近経済更生運動の進展と共に更生計画の単位として、又其の実践の基本として部落を協力の単位とすると共に部落を基体とする農家小組合が重要視せられて来たことは注目すべきである。このことは農村の更生が部落のもつ共同社会的性質に依拠しなければならないことが理解せられた為である。同時に村の共同社会的性質の究明と其の現在農村への復帰適用と云ふことは等しく考へられて来たが、「ユヒ」も其の一である。従来の「ユヒ」の慣行を其ま丶現代に生さんとする事の無謀であることは云ふまでもないが、之れを現代に適合する様に取り入れることは極めて重要である。

この「ユヒ」慣行が組合の紐帯となって、農家小組合の結成をなした事例を以下に示しておく。(42)

A　「ユヒ」仲間にて農家小組合を組織せる例

（1）岩手県岩谷台町増沢自彊会、（2）長崎県五島岐宿村二本楠農事改良実行組合、（3）奈良県宇陀郡三本松村三本松農事実行組合など八例

B　旧来の共同田植仲間にて農家小組合を組織せる例

（1）岡山県吉備郡高松村高松共同耕作組合、（2）島根県能義郡大塚村細井中谷士地耕作組合、（3）鳥取県東伯郡旭村今泉農事改良組合など六例

C　屋根葺替仲間にて農家小組合を組織せる例

（1）鹿児島県西串良村八幡迫共同作業組合（往時よりトキと称ふ屋根葺等を共同になしたる仲間にて設立したるものである。）、（2）千葉県安房郡北三原村別所農家組合（明治五年旧来の屋根替仲間にて屋根替実行組合を設立、其の後別所農家組合と改めたものである。）

D　旧来の葬式組合を農家小組合となした例

（1）熊本県飽海郡西里村坂ノ下農事小組合、（2）熊本県阿蘇郡白水村宮田甲農事小組合

E　「ユヒ」仲間と見らるべき講組の農家小組合を組織せる例

（1）宮城県桃生郡須江村茄子川農事改良実行組合、（2）静岡県引差郡中川村第九部落農会、（3）福島県下般尾農事実行組合など五例

F　「ユヒ」組と見らるべき茶講古賀が農家小組合を組織せる例

（1）佐賀県東松浦郡七山村の農家組合、（2）佐賀県杵島郡江北村佐宮志農家組合など四例

これら農家小組合の共同作業は、「ユヒ」の慣行の伝来を引き継ぎ、水田共同経営、米麦共同耕作、水田共同作

業、田畑共同耕鋤、共同除草中耕、米麦共同収穫、共同桑園経営、病虫害共同駆除、蔬菜共同加工、屋根共同葺換など、五〇種以上に及んでいた。

もっとも、近代以前の互助社会におけるユイ及びモヤイの具体像についての例示として、次のような事例もあげられていた(43)。会津藩・白河藩の「救済型モヤイ」、「社倉」、「赤子養育制度」。広島藩・福山藩の「救済型モヤイ」、「社倉穀」、「義倉田」。盛岡藩、参勤交代互助制度としての「舫」、互助金融機関としての無尽、頼母子。八戸藩・弘前藩の金銭共済組合の「舫」、「茂合」。秋田藩の農民救済組織、乳幼児保護、「感恩講」。小谷三志・不二道のテツダイ奉仕活動。沖縄の集団的・個人的互助主義としてのモアイ（模合）活動などである。

結・舫の現代における新たな展望をみてみよう。佐賀県の場合、一九九七年の諫早湾閉め切り以降の漁民の肉声の結晶として、「よみがえれ！『もやいの心』」運動がまだ耳新しい。諫早住民の抵抗の論理にあらわれた「有明海復興への祈り」は二〇〇〇年すぎても「もやいの心の共有」として生き続けている(44)。伊豆諸島の新島の「モヤイ運動」は特有の動向である。新島の特産としては、世界中にイタリアのシシリー島と新島にしかないといわれる抗火石がある。この抗火石彫刻が「モヤイ」（「モヤイ像」）と呼ばれている。新島では「ユイ」「結い」「よいとまけ」などの意味を古くから「モヤイ」と呼んできたが、それは同時に人権共存の繁栄社会の姿そのものを表現している。モヤイ精神とモヤイ生活は人権共存の基盤となっている。さらに加えて、漁村としても栄えた新島のモヤイは、単なる協同としてのモヤイ、労力としてのモヤイのみでなく、「利益の共有と分配」を意味している。そんなところから、新島では新島を「訪れる人」も、新島で「迎える人」も共に共同利益を享受する「モヤイの心」をモットーとしている。新島で人々を迎えるモヤイ（像）は、人権共存と生活共存の心を精一杯詰めて立っている(45)。

地域で結や舫を学習する例も多々みうけられる。和歌山県では「二二世紀を見据えた二一世紀のキーワード『結いの心』」が、男女共同参画学習促進事業の一環として、共に生き、支え、学び合える地域社会づくりとして結の講座が開催されている。[46]「わかやま・ヒューマン・カレッジ」がそれである。岩手県の「いわて子どもプラン」にも「結っこコミュニティ」づくりとして、子育て相談ユニット、子育て支援ユニット、母子保護ユニット、健全育成ユニット、思春期ユニットを結の心で共有・支援・実行する施策が立てられている。[47]

結・舫が現代化の中で最も強烈な力となって迫ってきているのは「もやい直し」運動ではないかと思われる。「もやい直し」とは、人と人、人と自然のつながりの再生を願って熊本県水俣市から生まれた言葉であり、[48]水俣病患者・緒方正人氏が提唱されたといわれている。「もやい直し」運動の水俣の再生と不可分の関係にある。水俣の問題はここで詳細に取り上げられないが、チッソの前身である日本窒素肥料が設立されたのは日露戦争後の一九〇八年である。一九三二年には日窒水俣工場において有機水銀を含む排水がほとんど無処理のままに水俣湾百間港へ放流され、一九四一年に水俣病と疑われる最も早い患者が発生してしまう。一九五六年に水俣病発生が公式に確認される。厚生省（当時）が水俣病を公害病と認定したのは、それから一二年後の一九六八年であった。さまざまな経緯を経て、水俣問題が風化されていく懸念の中、近代社会においてとかく無視される傾向にある個の存在をいかに回復し、「個」と「個」の、さらに「人間」と「人間」の、「人間」と「自然」の新しい関係の創出が求められる。水俣病事件が提起するこの問題は、水俣固有のものではなく、現在に生きているわれわれ一人一人が受けとめねばならない問題である。実はここに「もやい直し」の核心がある。

「もやい」とは、原則的には、船と船とをつなぎとめること、共同で事をなすことであるが、「もやい」とは「水俣においては死者、生者、未生の者とを、さらには人間と他の系（一定の相互作用または相互連関を持つと思われるつながり。生態系もその一つ）とをつなぎとめることを意味する。[49]」水俣再生の鍵は、被害者への補償や治療、不知火海への水銀へドロ除去の問題のみでなく、むしろ地域社会における人間関係の再構築、環境問題への取り組みを通じた市民間の共通基盤の創造などが不可避の問題である。改めて、「人間と他の生態系とのもやい」――「もやい直し」を現代社会のテーマとしたい。

「もやい直し」の縁に「生存のもやい直し」がある。貧困と命の危機を救う「自由と生存の家」のオープンがそれである。[50]「自由と生存の家はフリーター全般労働組合の住宅部会によってつくられたもので、さまざまな人を支える空間として船出したものである。この「自由と生存の家」には「インディスペース」が存在する。何事であれ集まり、語り合い、支えあうことで暖かさに包まれたりする助け合いシステムである。もう一つ、「もやい直い」の縁がある。「変革のアソシエ」設立時の呼びかけの中に、現代の歴史認識をふまえ、「いま必要なことは、社会変革の新しい基軸を早急に構築することです。資本主義に反抗し、新しい地平を開く批判的・創造的知性の舫（もやい）を生み出すことです。違いを結ぶ批判と創造の星座を作り出すことが喫緊に重要なことです」[51]と呼びかけている。こうした可能性の絆、新しい基軸の拡充と構築という営為のうえに、農漁村の崩壊、都市における貧困の累積、格差、因習・慣行などをくいとめる広範な人々のアソシエの形成が求められよう。ここに結や舫の思考に基づく違いを結ぶ批判と創造の新機軸がつくられるのである。そんな背景をもとにして〈季刊　変革のアソシエ〉の巻頭論文には「舫（もやい）宣言」を載せている。「舫とは、岸の杭から伸ばした綱で船と船をつなぎとめることをいう。私たちの歴史的風土に根ざす苗を大きく育て、人間性を踏みにじる権力への抵抗の基盤となる力強い舫（もやい）を紡ぐことのできる土壌がいま形成つつある」[52]というのが舫宣言の前文になっている。さらなる縁がある。二〇〇一年に「もやい結び尾の会」設立集会が開かれ、任意団体「もやい」が設立されたのが、二〇〇三年に「特定非営利活動法人自立生活サポートセンター・もやい」である。[53]「もやい」とは、沖合いで漁師が嵐に合うと船と船を結び合わせて避難したり、たとえ嵐でなくても数隻で「もやって」情報交換をする互助活動である。「自立生活サポートセンター・もやい」は、この「もやい」の精神のもと、自立という名の孤立を解消し、都市化の中で忘れ去られてきた人と人とのつながりの回復をめざしていく。「自立生活サポートセンター・もやい」は、まさに「もやい」のように、「人生の荒波」を乗り越えられる仲間同志の支え合いを創出している。(54)

注

(1) 高田保馬『改訂社会学概論』岩波書店、一九二二年。
(2) 竹内理三『奈良朝時代に於ける寺院経済の研究』大岡山書店、一九三二年。
(3) 狩谷望之纂『古京遺文』中尾直治翻刻、随年集誌発行、一八九三年。
(4)『奈良期時代に於ける寺院経済の研究』前掲。
(5) 同前。
(6) 津下剛『近代日本農史研究』光書房、一九四三年。
(7) 同前。
(8) 宮本常一『歳時習俗事典』八坂書房、二〇一一年。
(9) 穂積陳重『五人組制度論』有斐閣、一九二一年。
(10) 同前。
(11) 同前。
(12) 柳田国男「村のすがた」(『定本柳田国男集』二一巻、筑摩書房)。
(13) 恩田守雄『互助社会論――ユイ、モヤイ、テツダイの民俗社会学』世界思想社、二〇〇六年。
(14) 盛田稔『南部藩に於ける舫制度の研究』(盛田農民文化研究所第五輯)盛田農民文化研究所、一九五二年。
(15) 小泉幸一「農村労働組織の一様式としての『ユヒ』の慣行(一)」(帝国農会〈帝国農会報〉第二五巻第八号、一九三五年八月)。

(16) 有賀喜左衛門『日本家族制度と小作制度（下）』（有賀喜左衛門著作集Ⅱ、未来社、一九六八年）。
(17) 柳田国男「『郷土研究』方言欄」（『定本柳田国男集』三〇巻）。
(18) 柳田国男「日本農民史」（同前・一六巻）。
(19) 「農村労働組織の一様式としての『ユヒ』の慣行（一）」前掲。
(20) 柳田国男「農村家族制度と慣習」（第一五巻）。
(21) 有賀喜左衛門『村の生活組織』（有賀喜左衛門著作集V前掲）。
(22) 藤沢衛彦『生活と民俗の歴史』（日本文化史講座第六巻、新評論社、一九五五年）。
(23) 有賀喜左衛門『村落生活』国立書院、一九四七年。
(24) 田村善次郎「モヤイ・テツダイ・ユイ」（河岡武春編『生業』講座日本民俗五、有精堂出版、一九八〇年）。
(25) 『互助社会論――ユイ、モヤイ、テツダイの民俗社会学』前掲。
(26) 同前。
(27) 桜井久次郎「大洲藩御種子蔵制度の一性格」（〈愛媛の文化〉第八号、一九六八年一二月）。
(28) 『村の生活組織』。
(29) 同前。
(30) 直江広治「村の労働と生活」（民俗学研究所『民俗学の話』共同出版社、一九四九年。
(31) 橋浦泰雄「日本に於ける原始共産制の遺在」（〈歴史科学〉第三巻四号、一九三四年三月）。
(32) 同前。
(33) 小泉幸一「農村労働組織の一様式としての『ユイ』の慣行（二）（前掲・第二五巻第九号、一九三五年九月）。
(34) 祝宮静ほか編『日本民俗資料事典』第一法規出版、一九六九年。
(35) 『南部藩に於ける舫制度の研究』前掲。
(36) 「モヤイ・テツダイ・ユイ」前掲。
(37) 橋浦泰雄「協同労働と相互扶助」（柳田国男編『山村生活の研究』岩波書店、一九三七年）。
(38) 『互助社会論――ユイ、モヤイ、テツダイの民俗社会学』前掲。
(39) 柳田国男「明治大正史」（『定本柳田国男集』二六巻）。

(40)「農村労働組織の一様式としての『ユヒ』の慣行（一）」前掲。
(41) 同前。
(42) 同前（三）。
(43)『互助社会論——ユイ、モヤイ、テツダイの民俗社会学』前掲。
(44) 永尾俊彦『ルポ諫早の叫び』岩波書店、二〇〇五年。
(45) 吉岡攻『モヤイ——新島と島おこし』六興出版、一九九〇年。
(46) 和歌山県教育委員会『二一世紀を見据えた二一世紀のキーワード「結いの心」』二〇〇〇年。
(47) 鈴木真理子『いわて子育てネット』岩手日報社、二〇〇一年。
(48) 小林蓮美「貧困と命の危機を現場から救え」〈週間金曜日〉七七〇号、二〇〇九年一〇月）。
(49) 小林昌司「水俣の再生——「もやい直し」に向けて」〈進歩と変革〉五九三号、二〇〇一年）。
(50)「貧困と命の危機を現場から救え」前掲。
(51) 本山美彦「舫（もやい）宣言」〈変革のアソシエ〉第二号、二〇一〇年四月）。
(52) 同前。
(53) 牧岡清子「生活困窮者支援団体の設立と展開〈松山大学論集〉第二七巻第五号、二〇一五年一二月）。
(54) 稲葉剛「現代社会の『もやい直し』へ」〈季刊Shelter-Less〉二〇〇一年夏号、第一〇号）。

◉第一一話◉

『病家須知』

——初の他者援助法

貝原益軒著『養生訓』は自己修養としての養生書である。セルフコントロールの養生書である。平野重誠著『病家須知』は他者への援助法の書である。「医者三分看病七分」の日本初の看護書である。もう一つ。介護福祉学への序曲の書でもある。

『病家須知』は、近世後期の漢方医であり、武家出身の町医者であった平野重誠（一七九〇—一八六七）の著作である。平野は四二歳から著述をはじめているが、『病家須知』はかれが著した最初の書物である。従来、病気の治療や養生書は多数上梓されているが、平野の本によってわが国初の看護書をみることができる。平野は病人を看護する家族や看病人に役立つように「他者への援助法」の視点で具体的に書いている。ここに、平野重誠『病家須知』の最も重い功績が認められる。(1)

近世の社会では、儒教の浸透にともない、武家社会において、男性も親孝行の一つに看病があげられていた。例えば、林子平は次のように論じている。(2)

一人々其子の口腹を養ふ事深切なれとも其老親の口腹を養ふ事深切ならさる人多シ其証拠ハ子の食物ハ飯をやはらかにたけ、野菜の皮を去レ蚫蛤(アハビハマグリ)等ハ食はするな抔ト折入て世話すれとも歯損シ弱リて年高(タケ)たる老親の食物にはさのみ心を配て調理する事もなく只壮健なる己レ等が食物を進メて扨老親の歯ニ難叶して食得ざるをば歯の悪きは御損也抔ト云迄ニてさのみ心苦クも思はざる也其報(ムクイ)忽チ己レが身に来て己レ年老歯損シて子に養はるゝ時、己レが其老親の食物に心を不用如ク其子も亦其親の食物等に心を不用して硬堅(コハクカタキ)物ヲ其儘進る也是他なし段々言シ如ク親たる人、子を教るの道を不知して子に老を養フの道を教さるに因レり此如ク子に老を養ふの道を教されば幾代(イクダイ)経ルとも段々に老親トさへなれは快ク物を食ふ事不成して命を終る也（中略）亦親の身

に取ては是程損なる事もなし因て能々此処を思慮して子弟には老を養ふの道を丁寧に教置べし是天命を知ト云へし

武家社会だけでなく、農民や町人が医師の治療を受ける裁量は一家の主人（男性）にあり、もう一方では、生活の世話や看病には女性が担う場合が多かった。そのような事情から、近世社会の中で、医師の選び方や看病に役立つ指南書が要請された。そんな背景で『病家須知』は世に迎えられたのである。

平野革谿の事蹟によれば、「革谿の名は重誠、字は誠之、通称は元亮、革谿の外黙翁、桜寧居士、考槃老人等の別号があり、其居室の名は澤善居、洗心庵、無適庵等である。」そのほかに、子公、元良、玄良、一夢道人などと名乗っていた。重誠は自ら好んで「市井の医隠」と称していたという。(3) 祖父・平野重栄は医人としての初代であり、父・重良は二代目であり、重誠が三代目となる。かれは一七九〇年に江戸両国で出生し、薬研堀、現在の東京都中央区日本橋で開業（和蘭内科医）し、一八六七年に七八歳で亡くなっている。幼少のころより父について漢方を学び、「素問」「霊枢」「難経」「傷寒論」や唐・宋・元・明の名のある医書は読破するとともに、当代日本の漢方医学の頂点に立ち、医学館を創立し、考証学派を大成した多紀桂山（元簡）一門に学んだ。(4)

平野の学風は、要約すると、①病状は自然療能の現われである。医師はその病状を正しく診断し、その治癒力を助けるための治療を行うべきという病理観。②薬物の効能は、個々に論ずるべきではなく、配合によって変化するという薬理観。③古方派（いわゆる東洞流）、後世方派、蘭方（オランダ流）などの一辺倒を排斥、などである。(5) 医道の要諦としては、①人の命は尊く重いものである。②医は重大な大任をもっている。③勉強や研究が必要である。④私心をもたない。⑤言行一致、内外一致。⑥医技は常に訓練が必要である。⑦病治は人の病苦をわが身に引き受けて行う、という七項目をあげている。かれの著作は表11-1に掲げる一覧のとおりである。(6) この一覧でわかるように、最初の著作は『病家須知』であるが、『一夕医話』(7)は、平野重誠の最晩年の随筆風医学書である。そのため、平野の医学思想の集大成をなしているものとみてよい。本書は、世々医業を継承してきた老医が、平野に質問しそれに答える形式をとっている。第一問から第十四問にわたっているが、『病気須知』を理解するうえで重要な芯をなしているのでその概略をまとめておく。

第一問「大医先生ト称ル、者マデモ。多クハ虚飾ノミニテ。真実ニ医学ヲ研究セント思者ハ絶テ無キニ。」(権威のみに頼ってはならぬことを説いている。)

第二問「予ガ見識ノ立トイフハ。其心ノ嚮トコロ定リテ動スヲイフナリ。其故ハ。先吾医ノ業ハ如何ナルコトヲ職分トスルトナレバ。人ノ疾苦ヲ愈スベキ為ニシテ。」「人ノ病アルトキニ。副急(サシアタル)苦悩ヲ除ンテ悕ヨリ。二ツナキ身命ヲ医ノ所措ニ委任スルニアラズヤ。」(医者の職分について説いている。)

第四問「自然受用」を説いている。

第五問「吾医ハ、人ノ病ヲ愈スルヲ以テ専務トスル事ナレバ。純我意ヲ屏(シリゾケ)私心ヲ去テ、唯仁愛ノ情ヲ以事ヲ処スベキコトナルニ。」「実際ヲ主トシテ学ベシ」(医学とは人の病を癒するためにあるべきであるから、その助けとなるものであれば、たとえ素人の雑伎からでも採用すべきである。そのため、後世派とか古方派とか折衷派とか単純な区分けは不要であり、むしろ医論抜きの平易な医論が肝要であることを説いている。)「一タビ病アルニ臨デハ。生殺ノ権ハ。唯一人ノ医士ノ手ニ存コトナレバ。其任ノ至テ重キコトハ。」(病者に現われた病邪の所在を示す病位をしっかり診断し、証(病候)に随って治療するのが最善であ

表11-1　平野重誠のおもな著作一覧

No.	刊行年	著書名	備　考
1	天保3～5年刊 (1832～34)	病家須知	8巻8冊、うち2冊は『坐婆必研』
2	天保6年刊 (1835)	養生訣	2巻
3	天保8年刊 (1837)	玉の卯槌	2巻
4	天保14年起草 (1843～48)	為方絜矩	12巻12冊
5	嘉永元年起草 (1848)	生成方選俗弁	2巻2冊
6	嘉永2年草稿 (1849)	病位弁議	2巻2冊
7	嘉永5年刊 (1852) 刊年不詳	歌傷寒雑病論俗弁 延寿帯効用略記	11巻6冊 1巻
8	嘉永6年刊 (1853)	硝石製煉法	1冊
9	嘉永7年刊 (1854)	革谿医砭 天日嗣弁 廏馬新論	1冊　※この年安政と改元 1冊 1冊
10	安政元年刊 (1854)	知幾約言 救急摘方正篇	1巻 1巻1冊
11	安政3年刊 (1856)	救急摘方続篇 (軍陣備用救急摘方)	1巻1冊
12	安政4年刊 (1857)	救急撮要方 診脈弁義・診舌弁義	1巻1冊 (起草　巻冊数不詳)
13	万延元年 (1860)	皇国開闢由来記 (大日本開闢由来記)	7巻4冊
14	慶応2年（重刻) (1866)	一夕医話	3巻3冊 ※安政4年新刻したものが火災に遭ったため重刻

ると説いている。）

第六問「薬物ノ性效」を説いている。

第七問「真ノ医術」として「妄情俗慮ヲ省キ」、「毀誉栄辱ノ念ヲ一掃」することを説いている。

第八問、第九問、第十問「医術ノ正鵠トスベキモノハ、他ニアラズ。唯傷寒論一部ニテ事足ルコトナリ。」「人ノ体躯ヲ以テ薬物ノ内試ニシテ、徒ニ至重ナル人命ヲ玩弄シ、治スベキ病ヲモ壊証トナシ、或ハ死ニ赴シムコトノ多キニ至ルハ、嘆息スベキノ甚キナリ。」（平野は多紀元堅に師事するが、この『一夕医話』では元堅の父・元簡を唯一「先生」と呼び、師説の『傷寒論輯義』を奉じている。一方、平野の傷寒論は運気論・臓腑経絡説を否定し、温泉や灸、民間療法などを採用した古方派の後藤艮山に近い立場をとっている。）

第十四問「医学ノ修行ヲ速ニ成就センコトヲ欲スルニハ。飲食。寤寐。身体。気息。心意ノ五事ヲ調通セシム可コトヲ弁ズ。」（資生産業みな仏教の具五縁、呵五欲、棄五蓋、調五事、行五法の立場に立って終わっている。）

平野の医道に関する要諦は以上のとおりであるが、『日本医学史』が語るかれの業績をいくつかに分類してその果した役割を次のようにまとめている。[8] すなわち、「診科」について平野重誠の「病位弁義」など、「切診（脈学）について平野重誠の「診脈弁義」など、「養生科」について、今日のいわゆる公衆衛生に関して「平野重誠ガ玉ノ卯槌ヲ著ハシテ、個人ノ身体ヲ強壮ニシテ以テ伝染病ノ侵入ヲ防グベキコトヲ唱へ、又凶年後ノ養生ヲ説キタルハ識見アリト言フベシ」と評価している。さらに「軍陣医学」について平野元良の「軍備要救急摘要」など、「灌水法」について平野元良「水療俗弁」「既済私言」など、さらに「看護法」について、医者三分、看病七分ノ諺モアリテ、看護ノ治病ニ必要ナルコトハ古ヨリ世人ノ唱ヘシトコロナルガ、ソノ看護法ニ就キテ稍組織的ニ記述セルハ平野元良ノ病家須知（天保三年刊）ニ始マル。ソノ説ニ依レバ『看病トイフコトハ病者ノ飲啖、坐臥ノ介抱ト、薬ヲ服シムルコトノミヲイフニハアラデ、是ニ三等アリ、其第一ハ病ノ萌ヲ塞クコトナリ、第二ハ既ニ病アルモノハ其病ノ由テ来タル所ヲ考ヘ、速ニ適当ノ治ヲ施スコトヲ勉ムルナリ、第三ハ病勢既ニ進ミテ坐臥ニ人ノ力ヲ頼ルモノニアリテハ、薬ノ力ヲ恃ムベキハ勿論ナレドモ、ソノ腸胃ノ状態・気候ノ関係・平素ノ習慣・衣服・臥辱・病室・大便ノ色相・臭気ノ区別・通利ノ状態・小便ノ色・多少・溷独等ニ注意シ、又患者ノ寤寐ヲ察シ、勉メテ精神上ノ安慰ヲナスコトニ注意スベシ』ト言フ、ソノ記述ハ通俗的ナリト雖モ、ソノ説ニハ首肯スベキモノ多シ。

と一定の評価をくだしていることに注目しておきたい。

『病家須知』は一名『病家意得草』とも冠しているが、第一巻から第八巻までの膨大な医術看護書である。そこでその概要を知るために、坂本玄子の「解題」(9)に依拠しながらその先行研究の一部を抄録してみる。第一巻は、「天命をおそれ我欲を慎む養生の心得から、養生の方法、すなわち、食・眠・体・息・心の五調和をもって、最大の福である健やかさを得ることが説かれている。医師の用い方、薬の誤用注意、病気のうつるわけ、看病人の三つの役目があげられ、『医者三分看病七分』とことわざにいわれる看病人の心得の大切さが説かれ、患者の身になって対処する多様な手だてがあげられている。」第二巻は、「病者の看護では、まず病人に適する食物を選び、そのよしあしをみきわめ、病人の求めにあわせることが説かれている。」第三巻は、「小児養育の心得」のほか、「小児の大病である痘瘡について、（中略）その時期ごとの手当てが膨大に叙述されている。」第四巻は、「女性が知るべき妊娠・つわりの心得、腹帯の用い方、子癇・小便閉の心得、臨産・産後の心得、出産にともなう諸異常の心得と、懇切に素人の理解しやすい文で説明がされている。」第五巻は、「傷寒・痢病などの温疫・時疫といわれたうつる病気について、その病態の多様さと手当てが説かれ」「痛風も同じく内攻し悪化する薬の誤用が多いことが説かれている。」第六巻は、「救急問題をとりあげている。食物・毒物の急性中毒の症状と治療法、昏睡・脳卒中・めまい・てんかんなどの発作とその対応、さらに鼻血・吐血・脱肛・やけど・咬傷・全瘡打撲・捻挫・脱臼など急症な外傷が記されている。」第七・第八巻は、『坐婆必研』は「とりあげばこころえぐさ」の上下巻として書かれたものをここに採録している。以上とは別に、末廣貴生子は『病家須知』の内容の考察として次のような興味ある指摘をしているので、その要点のみをあげてみよう。(10) 一つめは、介護福祉思想の最も基本となる記述が多くみられること。二つめは、僧職や神職による祈祷の無益であること、つまり合理的科学的医療と看護を主張していること。三つめは、看病人、看護者、看侍者の心得としての用意、役目、領知を記述していること。四つめは、看病を衣、住の清潔と整備、とくに排泄への観察などの介護技術、生活支援技術の実践と、病人と家族への心配りやコミュニケーション技術の実践に触れていること。五つめは、お産・子育て・養生・看病・終末、を人の命の連続として把えていることなどである。

さて以上『病家須知』の意義を考察してきたが、ここから〈他者への援助法〉として平野が『病家須知』で紹介している看護医術の二、三を図説し、本稿のまとめとしたい。図11-1は「大病後夜寝かぬるものを睡むる法」である。病人が危険な症状からやや回復したのち、身体の回復が遅れているときに安眠できない場合がある。そんな時に症状を検討せずにむやみに薬に依存すべきでないことを説いている。安眠法としては、「水滴を雨だれのように、臼をつくほどの間隔で、病人に数えさせ、雑念を除き心穏かに眠ませる」方法を説いている。図11-2は、頭部を保護する目的で巻くときに用いられるもので、この方法は今日でも応用されているものである。この包帯は木綿

〈白ざらし〉から作られたもので、現在のように市販されているものではないので、用途に応じて作製されたもので、「まく」「纏」「縛」に対応していた。図11-3は、頬のはずれ、肩や腕の脱臼した場合、俗家（しろうと）でも修復可能な方法をわかり易く図説している。ちなみに、やや繁雑ではあるが、図11-1の原文のみ挿入しておく。

〈大病後夜寝かぬるものを睡むる法、并図〉

凡眠には、先その心を臥しめて、後に眼ヲ臥しめよと、古人の教しは、眠の未出ぬ前に、先その思想を断て、心意を定し精神を収て、後に眠につく時には凶夢なく臥時穏なり。睡眠に由て精神再力を得が故に、寤後身体爽快になり、病も自然と発ぬやうになるをいふ也。然に癥瘕・気癖あるもの、及喜 怒 哀 楽 の情妄 動易ものは、将に睡んとすれば雑慮妄 念まづ心頭に現起て、精神の煩を為が故に、眼は疲倦て睡んとすれども、心は睡を能ず。たまたま瞑目れば、幻夢を見、睡 中少も安をなし。毎夜如此なれば、心身漸に萎頓て、経脈の運動怠慢て、遂に不治の癥癖を醸成を有にも至なり。かかる気癖ある人の長病にかかり、険 症やや癒て後、只身体の素に復し難時に当て、睡ことの安からざる類は、いつも多クあることにて、若それらをそのままに棄置ときには、再 沈 痾 の基となることあり。さればとて今世に称誉ところの麻睡剤などは、其症をも詳にせずして、妄に用べきものにあらず。病者に従て酌用の有ことなれども、医人もこれを研窮せずして、人を誤もの世に多ければ、まして俗家の 弁知べきことに非ず。今此に図する処は、それらの類には異にして、仮令其症を詳にせずして妄に用たり共、決して害有ことなき催睡活用の一法にして、予が歴験も又多し。其法はありあふ小桶などに、かりに簷滴の様を設て、春ほどの間毎に、ぽたりぽたりと点る音を、病者に数させて、雑慮を省、心を平力にして、穏に睡に着しむる術なり。尤 旁 の人にも制て静謐なら使るか或は寂寞ところの室に在て施 行にあらざれば、其効少し。故に世人よくその意を得て後に、これを病者に試べし。

図11-1

図11-2

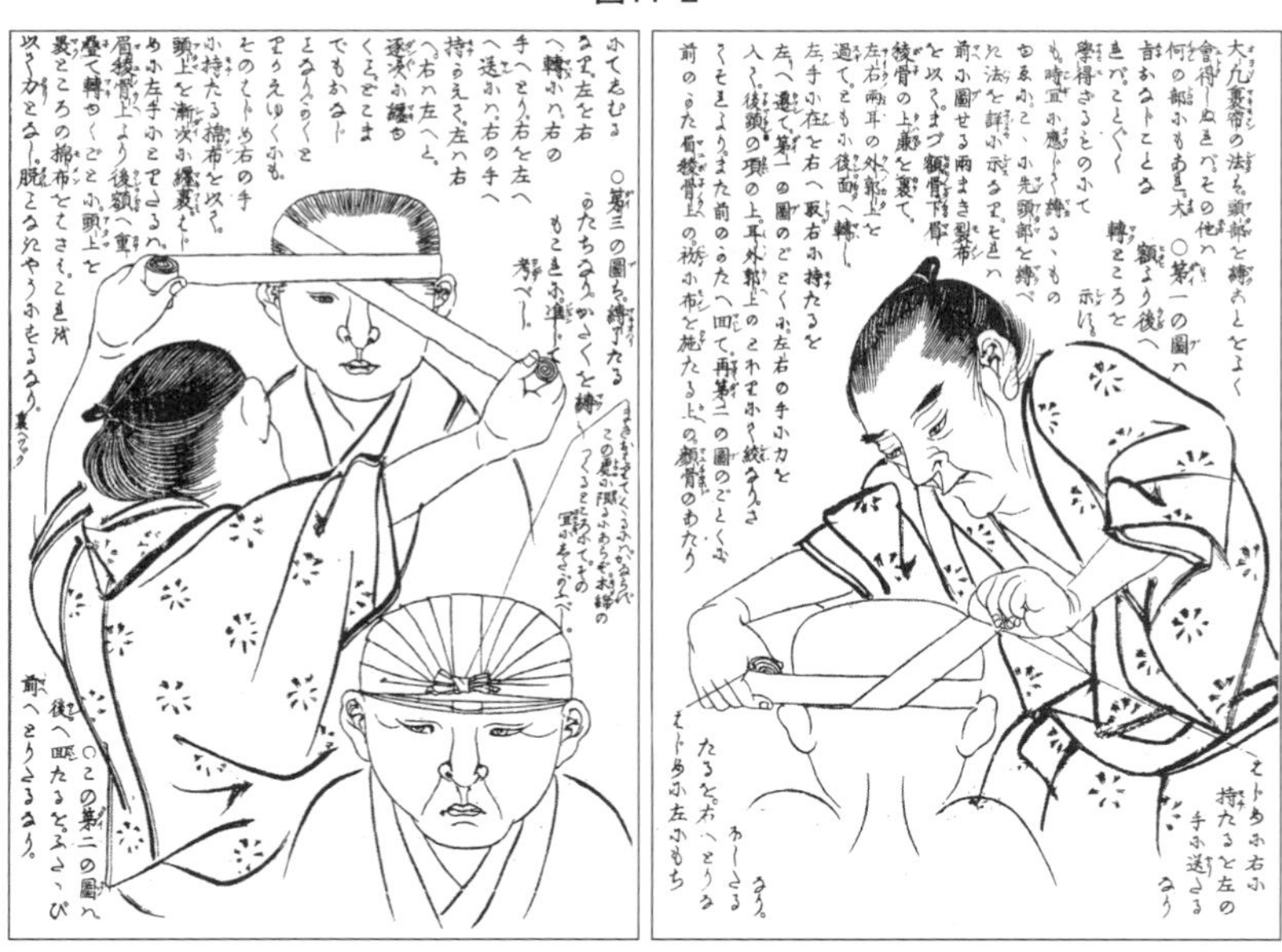

図11-3

注

（1）日本看護歴史学会『日本の看護一二〇年』日本看護協会出版会、二〇〇八年。

（2）『林子平全集』第二巻、生活社、一九四四年。

（3）安西安周「平野革谿の事蹟」（『日本医史学雑誌』復刻、思文閣、一九七九年）。

（4）末廣貴生子「日本の介護福祉の歴史（二）」〈旭川大学短期大学部紀要〉第四三号、二〇一三年三月）。

（5）『病家須知』（翻刻訳注篇下）農山漁村文化協会、二〇〇六年。

（6）安西安周「平野革谿の著作と学術」の記述をもとに、中村節子「平野重誠の人とその業績」（『病家須知』翻刻訳注篇下）で整理したものを採録した。

（7）平野重誠『一夕医話』（田中けい編「杏村叢書」第五輯、吐鳳堂、一九二六年。

（8）富士川游『日本医学史』日新書院、一九四一年。

（9）『病気須知』翻刻訳注篇下、農山漁村文化協会、二〇〇六年。

（10）末廣貴生子「日本の看護福祉の歴史（二）」〈旭川大学短期大学部紀要〉第四三号、二〇一三年三月）。

◉第一二話◉

依存は極楽である

――『浮世風呂』から

式亭三馬戯題とされる『浮世風呂』は、「浮世風呂大意」として大真面目な教訓から始まっている。かつ大胆な発想の教育論でもある。まず一般的な教訓については、いたってわかりやすく以下のように説教を述べていく。賢愚、邪正、貧福、貴賎のいずれの階層の人々も、裸になればすべて平等になることができるし、天地自然の道理を知ることができるのが湯の効能である。釈迦とか孔子とか於三（下女）とか権助（下男）とか、どのような人間であっても、産まれたままの容で身体を清められるのが風呂である。あるいは、仏嫌いな老人でも、風呂に入れば念仏を唱え、壮夫も前をおさえて己の恥を知り、猛武士も人込みの中での堪忍の礼を守り、侠客も石榴口（ざくろ、銭湯の入口）で腰を屈めて、徳を高めることができる。

まだまだ続く。風呂の効能は、儒教の基本理念である「五常」に通ずるものがあるとして、以下のように説くのである。

仁＝湯で身体を温ため、垢を落とし、病を治し、草臥れを休める。

義＝桶はないかと、他人の流しに用いる桶を使用せず、かつ他人が必要な場合に他人に貸し与える。

礼＝〝自分は無作法者です〟〝お容し下さい〟〝お先きに〟〝お寛り（ゆる）〟などとへりくだる。

智＝糖洗粉、軽石、糸瓜皮にも垢を落とし、石子（いしころ、石二つをすり合わせる）で毛を切る。

信＝熱いとき水をうすめ、ぬるければ湯をうめる。お互に背後を流しあう。

さらに『浮世風呂』は、天保年間の「定」(1)に従いながら、風呂場での人の道を説いていく。公儀や触書の遵守をはじめ、喧嘩口論の禁止は当然として、老人や病後の場合は一人では入れない規則になっている。介護者の要請を求めたものであろうか。

定

一　御公儀様御法度の趣は申すに及ばず、時々御触の趣堅く相守り申すべき事

一　火の元要心大切に仕るべく候事

一　男女入込御停止候事

一　喧嘩口論堅く無用

一　風烈の節は何時に限らず相仕舞申すべき事

一　金銀そのほか大切の品御持参の節、御入湯御無用の事

一　御老人御病後の御方様御一人にて御入湯かたく御無用の事

一　悪敷御病躰の御方様御入湯堅く御無用の事

一　ほうかむり裸身にて衣るい御持出し堅く御無用の事

一　失もの存ぜず

一　預り物一切仕らず

右の通御承知の上御入湯下さるべく候、以上

月日　　　　　　　　　　　　行事　㊞

定

一　湯銭御壱人前　　八文
一　子供衆　六文
一　御小児　四文
右の通相違なく御持参下さるべく候、以上

近年まき殊のほか高値に付、二度入の御方様湯せん両度共
きつと御持参下さるべく候やう願上げ奉り候、以上

無銭にては子供衆までも御断り申上げ候

なお享和二年刊の山東京伝『賢愚湊銭湯話』でも、「一切衆生湊集の欲界」のことや、「邪心悪念人心の垢」など、浴室は日頃の人間の垢を洗い流してくれる場として「あらひ玉へきよめ玉へとまうす」(2)と綴っている。ここの「定」

をみると次のようである（文中のルビは省略）。

定

一、神儒仏の教は不申及主人父母の命をかたく相守可申候事
一、身の用心大切に可仕候事
一、極老の御方貪欲の源入被成間敷候
一、浮気と云悪敷病ある御方、色里へ御入込御無用の事
一、心に奢りの風立候節は、何時成共御断なく身上しまはせ申候
一、金銀其外大切の品御持参の御方、旅の夜道御無用の事
一、名聞利欲の喧嘩口論、喜怒哀楽の高声御無用の事
一、魂魄の失せ物不存候
一、地水火風のあづかり物不仕候

月　日

定

一、ひとむかし　拾ねん
一、子供のうち　八ねん
一、わかざかり　廿ねん
一、札銭人間一生ニ付　五十枚

一、陰徳をほどこす時は人間一生二度入の御方となり、百年の寿命も保たれ申候
右之通御承知の上、正直に世渡り可被成候
月　日

もともとわが国では、入浴と仏教との関係は深いものがあった。日本の寺院は、仏教伝来後大寺院には浴堂ないし温室と呼ばれる浴舎が存在した。『仏説浴像功徳経』などには、仏像を洗い清める「浴仏」の由来や、衆僧の「洗浴」の効用や作法が説かれていて、寺院における「浴仏」や「洗浴」は修行の一つと位置づけられていた。(3) なかでも光明皇后の「施浴」は極めて有名であるが、この施浴は施行湯とも功徳湯とも呼ばれていて、仏教信者である施主が寺院の浴堂をかりて仏の功徳として庶民にも開放されたのである。仏の供養である施浴には、敬虔な信仰心こそが必須とされたので、後世に至っても湯屋の入口である柘榴口は荘重な破風造りである。(4)

一方で、布教と入浴について、仏教では入浴には「七徳」があると説明する。(5)

一ニハ、面貌端正ニシテ諸相具足シ
二ニハ、無有疾患得長壽身
三ニハ、生富貴家身心安樂アリ
四ニハ、不遇不善ノ父母兄弟
五ニハ、永離悪友、親善知識
六ニハ、不生邊地、常値佛法
七ニハ、出離穢土、往生淨刹

えらくむずかしい効能書である。第一は身体の端正となる徳を示し、第二では病を除き長寿を得る徳で、あわせ

て礼儀衛生の徳をあらわしている。第三以下は信仰修養にかかわる徳を説いているが、最後の第七で、厭離穢土、欣求浄土を求めているのが特徴である。後に説く『浮世風呂』の極楽思想にも関連して注目したい。

風呂の道徳性はわが国だけでなくヨーロッパにもあった。ジュリア・クセルゴン（Julia Csergo）著『自由・平等・清潔』の第一章は「道徳と礼儀作法」である。(6)「十八世紀まで、皮膚の垢は日常的な風景の一部であり、効用を認められているとはいわぬまでも、少なくとも許容されていた。ところが十九世紀に入ると、この保護的な皮膜、この馨しからざる殻はにわかに耐えがたい物と化し、人々の不安をかきたてるようになった。（中略）十九世紀において身体的な清潔さというものがいかにして学びとられていったか、その歴史をたどりなおすことは、いまなおわれわれの道徳でありつづけている一つの道徳を、すべての虚飾をとり去った姿で直視してみる」と述べている。『浮世風呂』における儒教の道徳と、ヨーロッパにおける自由・平等の道徳のありように興味深い。

すこし話題が脇道にそれてしまったが、『浮世風呂』本題にもどろう。さきの仏教布教における「七徳」に厭離穢土、欣求浄土の思想が刻まれていたが、『浮世風呂』前編巻之下には、極楽図（図12-1）と地獄図（図12-2）が描かれている。

図12-1をみてみよう。右五人、お互に依存しあい、お互いの背中を楽しそうに流しているではないか。さきに示した『浮世風呂』冒頭の五常の教訓の「信」では「お互いに背後を流しあう」徳があったではないか。《お互に依存しあい、背中を洗いあう》――これこそが極楽の図である。

極楽はまたユートピアの世界である。ユートピアとは、空想でえがいた理想的社会を指す。ユートピアの原語はギリシャ語のσu（無）とtopos（所）から成り立っている。英語すればno place、つまり「どこにも存在しない所」の意となる。はたして極楽・ユートピアはどこにも存在しないのであろうか。ユートピア思想家たちが理想の

図12-1

図12-2

楽園として描いた社会は、私有財産を否定し、構成メンバーに縛りを加える規則に守られた社会であり、反面においてまとまった小さな共同体であろう。そこでは個人が前景に出てくることは少ない。むしろ個人の存在が、共同体に多少とも融和しているような社会こそが楽園なのであると、多くのユートピア思想家たちは考えた。一九世紀の産業社会の悪弊を分析することから生まれたマルクス主義も、労働者の生活様式を基準とした一種のユートピア思想であった。だから金森修はいう。「本当にユートピアは想像することすら困難なのだろうか。個人が共同体に溶け込んだような社会は、むしろ弊害や欠点が多いということが分かってきたいま、なにか違うタイプのユートピア、個人の情念や自律性を大切にしてくれるユートピアを構想することはできないものか」(7)と。つまりユートピアは、ただ単に「どこにも存在しない場所」ではなく、存在を求める人間の意識であり、深い想いである。

ほとんどの宗教には、それぞれのユートピアをもっている。高天原とか、天国とか、極楽とかはその代表であろう。仏教においては、とくに浄土教の厭離穢土、欣求浄土から求められる極楽浄土はそのユートピアの想念である。その極楽浄土の形相の思想的構成については「無量寿経」における「四十八願」に具体的に示されている。「想い」としての極楽浄土の形相は、この四八か条でみることができるが、やや長いのでその前半の一五願(一五か条)を以下に掲げておく。

一、国中には地獄、餓鬼、畜生がない、(無三悪趣)
二、国中の人天は、寿終つて後、復た三悪道に更らない。(不更悪趣)
三、国中の人天は、悉く真金色である。(悉皆金色)
四、国中の人天は、形式が同じくして好醜がない。(無有好醜)
五、国中の人天は、宿命を識り、下、百千億那由他の諸劫の事を知る。(宿命通)

六、国中の人天は、天眼を得て、下、百千億那由他の諸仏の国を見る。（天眼通）
七、国中の人天は、天耳を得て、下、百千億那由他の諸仏の諸説を聞いて、悉く受持する。（天耳通）
八、国中の人天は、見他心智を得て、下、百千億那由他の諸仏の国中の衆生の心念を知る。（他心通）
九、国中の人天は、神足を得て、一念の頃に於て、下、百千億那由他の諸仏の国を超過することが出来る。（神足通）
一〇、国中の人天は、想念を起し、身を貪計するやうなことはない。（漏尽通）
一一、国中の人天は、定聚に位し、必ず滅度に至る。（必至滅度）
一二、光明は限量なく、下、百千億那由他の諸仏の国を照してゐる。（光明無量）
一三、寿命は限量なく、下、百千億那由他劫に至る。（寿命無量）
一四、国中の声聞は計量なく、下、三千大千世界の声聞縁覚が、百千劫に於て悉く共に計校しても、その数を知ることが出来ない。（声聞無数）
一五、国中の人天は寿命に限量がない。然しその本願あつて、修短自在でありたいものは此を除く。（眷属長寿）

しばしば触れてきた厭離穢土、欣求浄土の最初の提唱は源信（恵心僧都）である。その源信は『往生要集』を著すが、「欣求浄土とは、極楽の依正の功徳、無量にして、百劫・千劫にも説いて尽すことあたはず。算分・喩分もまた知る所にあらず。しかるに群疑論には三十種の益を明し、安国抄には二十四の楽を標す。既に知んぬ、称揚はただ人の心にあることを」(8)と記す。つまりユートピアは単純にノー・プレイスではなく「人の心にある」のである。ユートピア・極楽は「もの」としての実在ではなくて、「こと」としての関係性の中に認められるのである。再び述べておきたい。《お互に依存しあい、背中を洗いあう》図12-1は極楽を想う図である。他者を否定しあう図12-2は地獄を想う図である。

だから「依存は極楽である。」

注

(1) 喜多川守貞『守貞漫稿』下巻(復刻)、東京堂出版、一九七四年。
(2) 神保五弥『浮世風呂——江戸の銭湯』毎日新聞社、一九七七年。
(3) 印南敏秀『石風呂民俗誌』山口県大島郡、二〇〇二年。
(4) 今野信雄『江戸の風呂』新潮社、一九八九年。
(5) 水野芳艸『風呂の微笑』平野書房、一九三四年。
(6) J・クセルゴン著、鹿島茂訳『自由・平等・清潔』河出書房新社、一九九二年。
(7) 金森修「ひとりぼっちのユートピア」(「朝日新聞」二〇〇五年一月一六日朝刊)。
(8) 源信著、石田瑞麿訳注『往生要集』(上)、岩波書店、一九九二年。

◉第一三話◉

耄耋余聞

一　猿の道、猫の道
二　インノセントに生きる——天音さん
三　患者の「患」考
四　To Cure Sometimes

一　猿の道、猫の道

ひろ・さちやは、インドのヒンドゥ教で、中世における神学論争における〈「猿の道」か「猫の道」か〉について興味ある論を展開している。要約すると、中世のヒンドゥ教では、人間の救済をすべて神の恩寵に委ねていた。この恩寵とは、サンスクリット語（梵語）で〝パクティ〟と称されるが、人間は自らの力によって救いに至ることは不可能で、神から加えられる恩寵によって救われるというのが、中世ヒンドゥ教の神学となる。つまり、自力（人間の力）を否定した他力（神の力）の神学と解釈される。

ところが、この他力には二種類がある、とひろ・さちやはいう（『日本仏教の創始者たち』新潮社、一九九四年）。

一つは、「猿の道」と呼ばれるもので、仔猿は母猿に運んでもらうが、その場合、仔猿はしっかりと母猿の腹にしがみついている。自分で歩くわけでなく、母猿に運んでもらう点では「他力」であるが、しかし母猿にしがみつくという「自力」がある。これが「猿の道」である。

それに対して「猫の道」は、まったくの「他力」である。仔猫は何もしない。母猫が仔猫の首っ玉をくわえて運んで行く。どこにも「自力」のない「他力」である。

「猿の道」か「猫の道」か、猿か？　猫か？　の論争は、われわれが救済されるのは、本質的に神の力＝パクティ＝他力によるのであるが、そこになお自力（しがみつくという力）が必要か否かの問題であった。すなわち、「猿の道」か「猫の道」かは、「自力」か「他力」かの論争であったが、しかしその前提として大きな「他力」（パクティ＝神の恩寵）による救済を無視するわけにはいかない。この点について、ひろ・さちやは別稿で、釈迦仏と阿弥陀仏についての救済手段の差を論じている（『お念仏とは何か』新潮社、二〇〇六年）。ここでは、釈迦仏は自力の救済を説き、阿弥陀仏は他力の救済を説明しながら、前著と同じようにパクティによる救済の二種を論じている。一つは「猿の道」（マルカタ・ニヤーヤ）。敵に襲われたとき、仔猿は母猿にしっかりとしがみついて母猿に連れられて逃げることができる。仔猿を運ぶのは母猿であるが、仔猿は母親にしがみつくという自力をもっている。もう一つは「猫の道」（マールジャーラ・ニヤーヤ）。母猫は仔猫の首っ玉をくわえて遠くに運ぶが、仔猫はなにも力を出さずの完全な他力である。

ここでもう一度、ひろ・さちやは、神の恩寵による救済に触れていく。すなわち「猿の道」は自力、「猫の道」は他力と論じても、神の恩寵による救済の立場に立てば、「猿の道」も「猫の道」も、ともに他力となる。つまり両者とも、母猿・母猫の力によって救われているのである。同じことは、前述の釈迦仏は自力であると論じても、それは完全な自力ではないはずである。何故ならば、蜘蛛の糸をたらしたのは釈迦仏であり、その釈迦仏（他力）がなければ、唯一人地獄から脱出でききからである。日本仏教は大乗仏教であり、「仏の力」による救済を大前提としているので、単純化した自力・他力論は誤解を生む原因となろう。ところで、ひろ・さちやは、既述した『日本仏教の創始者たち』で、大乗仏教の基本的な考えを次のように述べている。

大乗仏教に対するものは小乗仏教である。小乗仏教は、人間の力でもって苦悩から脱出しようとする。そこで釈迦仏は、本質的には指導者（先達と呼ぶべきか）である。釈迦仏が教えた道を自分の力でもって歩む――それが小乗仏教である。だから「魚の道」といえそうである。卵から孵化した稚魚は、親が助けてくれるわけでなく、自分で泳ぐほかない。それに対して大乗仏教は、親（仏）に助けてもらう仏教である。その助けてもらい方に、「猿の道」と「猫の道」がある。そして一般に「猿の道」を自力と呼び、「猫の道」を他力と呼んでいるのだ。

ここからさらに展開し、ひろ・さちやは、「猿の道」は自力の仏教、すなわち禅仏教、「猫の道」は他力の仏教、すなわち念仏仏教の方途を示唆している。

たしかにひろ・さちや論は説得力があり、卓見に相違ない。しかし別な見方もあるのではないか。それは依存の道に、自力も他力もあるのではないか。

仔猿は母猿に、お腹でも背中でもしがみつきながら母猿のいのちに依存しているのである。これが「猿の道」。

仔猫は母猫に首根っこをくわえられながら、母猫のいのちに依存しているのである。これが「猫の道」。

仔魚（魚から孵化した稚魚）は、母魚の援助なしに泳ぐしかないが、それは仔魚が大自然に身を任せながら依存しているのである。これが「魚の道」。昆虫類も同じである。親から産まれてきた昆虫の子どもは、産まれてすぐに自らの小宇宙をつくりあげ大自然に依存するのである。これが「昆虫の道」。

二　インノセントに生きる――天音さん

若くして生涯を閉じた山口天音さんの生き方に触れてみたい。

天音さんは、出産時の医療ミスが原因で重い脳性マヒにかかりました。重度の障がい児になりました。仮死状態で出産した天音さんは、その場に医師の不在という不運も重なり、長時間にわたり息をふきかえすことが不可能となり、やっと呼吸が可能になった時には、酸素欠乏によって脳の機能に重大な損傷が及んでいました。大学病院での検査の結果は、助かったのは脳のほんの一部だけで、数か月後に息を引きとるかもしれないという悲惨なものでした。天音さんは二〇〇〇年に一九歳の命を終えました。一六歳の時の天音さんは、いまだに首は座らず、いわゆる寝たきりの状態でした。一日の生活は、三回の哺乳ビンの食事と水分補給、薬（抗ケイレン剤）の服用、浣腸での排便、入浴、おしめの交換などで、あとは父親と母親の抱っこの連続という重度心身障がい児の生活でした。

しかしながら、しかしながらです。天音さんの身体の総ての器官（臓器）は、脳からの指令が途絶えたとしても、独自の手持ちの力を総動員して働いているのです。天音さんには（あるいは人間には）、脳にだけ身体を動かす力があるのではなく、心臓も肺も、鼻も口も、そして手足の指一本一本にも生きる力が秘められているのです（山口ヒロミ『天音』自然食通信社、二〇〇一年）。

天音さんが七歳のころです。両親以外の人にも抱っこが慣れてもらうために、多くのボランティアの方々に抱っこを依頼しました。けれども天音さんは両親以外の人の抱っこには拒絶反応を起こして呼吸不全の状態に陥ってしまったそうです。それでも次々と両親の友人・知人に抱っこを依頼したそうですが、期待した結果は得られませんでした。ところが、父親が脳梗塞にかかり、母親の負担の比重が天音さんから少し離れざるを得なくった時です。天音さんは、他者の抱っこを受容する転機になりました。

天音さんの母親は、「人が生きるというのは、根底に深い孤独を抱えているものである」ことを思い知らされました。それと同時に、「どんなにたいへんで暮らしでも、人は社会から離れては生きられない」ことを実感します。もう誰かに援助してもらうしかありません。このことは子どもの〈依存〉に通じます。さらに母親にとって、障がいの程度が重ければ重いほど、命をながらえさせるための役割は孤独になります。それにどう耐えたらよいのか。このことは親の〈依存〉に通じます。

天音さんは一九歳で尊い生命を失います。次の作品は、天音さんの母親である山口ヒロミさんが天職とまで思っていた教職の仕事を退職し、天音さんに寄り添う傍らで作成した銅版画の一部です（図13-1）。

天音さんが中央で両親にピッタリ寄り添い、両親が天音さんにピッタリ寄り添います。天音さんが両親に依存し、両親が天音さんに依存しています。まわりの多くの人が天音さんや両親を見守っています。寄り添っています。天音さんは遠くの養護学校へ通うのではなく、校区の小学校への入学をきめます。小学校と中学校の九年間で、天音さんが登校したのはほんの数えるほどしかなかったそうです。それでもしっかりとランドセルを背負った学友が天音さんを見守っています。天音さんは、両親だけでなく、なにか大自然の力に依存しているかのように、天の声を聞いているようであります。

図13-2の銅版画は「家族」と題されています。「山口ヒロミ銅版画展」は二〇一九年一月に那須アートギャラリーで開催されましたが、そのパンフレット「Fushigi no Amane」には、「親子とは、人間とは、生きることは何か」、「障害とは、共生とはどういうことか」を問うています。これは両親に抱っこされている天音さんの吐く息なのでしょうか。〈生きること〉〈共生〉の息の中に〈依存〉の意味が込められているような気がします。

図13–1

図13-2

三　患者の「患」考

インフォームド・コンセントをひくまでもなく、医師と病む人（患者）は対等である、という趣旨は広く知られている。しかしながら、字面でみると、患者はpatienceの訳語として定着し、他の訳語を見出すことができなくて今日に至っているようである。私は長年にわたり、この患者の字意に不満をもち続けてきた。曰く、患者の「患」の字は「串刺」のようである。いや「串刺」そのものである。しかも病む人の「心」を「串刺」にしているのが患者の患の字である。こんな、けしからん話はない。病む人の心を傷つけ痛める漢字であるので即刻に変更すべし、と主張し続けてきた。

私は早稲田大学オープンカレッジで、「Death Education（死と向き合って生きる）」の講座において、余談ではあるが、例のごとく「患」の字に怒りを込めて、「患」字を廃止すべきの話をした。

ところがである。当時受講生として聴講されていた丹澤章八・明治国際医療大学名誉教授から、講座観として書簡ではあるが、次のような考察論を頂戴した。私は一瞬、息が止まった感じを覚えた。感銘を受けた。丹澤塾頭の人間中心医療の真髄を教えていただいた。その丹澤論を紹介する。

話柄は替わりますが、患者さんの患の字について患者側に立った現実的なお話がございました。おっしゃる通り「串刺し」と言われると、なんとなく現身の苦痛と、あわれさをも含意した字感ではあります。

Patientは Patience—我慢する—の名詞形で「我慢する人」であることは御承知の通りでございましょうが、これを日本字に当てた場合、「患者」より仕方がなかったのではないかと思いますうちにも、我流ではありますが、私は、我慢しているという憐憫よりも、「よく我慢してえらい人だなー」と、むしろそのように捉えております。

医療人類学では「疾病」を「病」と「患い」とに分けて考える見方があります。「患い」は「病」を因として派生する身体的・精神的な純人間的な苦しみとします。「病」は可視化・数値化は可能ですが、「患い」は極めて個人的で数値に置き換えられる性質のものではありません。通常、病む人の多くは、この「患い」という念慮の重みに苦しんでいる（自覚している場合もあればしていない場合もある）状態にあると、私は思っております。

そこで、考えたことがございます。患の字を串と心にばらします。そして串を横にして二つの箱をそと方向に引き離しますと、天秤棒の両端に箱（荷）がぶら下がった〔図が入る〕こんな形になります。

この形を実地臨床に繋げます。

「対面する患者さんの姿は、天秤棒で重い荷を担いでいる姿（患の字姿）と思いなさい。箱には患いの種がいっぱい詰まっている。そこで医療者は、患者さんが天秤棒を肩から外し荷を下ろし、箱の蓋を開いて中身が全部見えるようにしてくれるようなコミュニケーションを実践しなさい（傾聴・共感）。そしてまずは天秤棒をこちらに預かる。次に箱の中身を整理して不要なもの（いらぬ心配事）などを取り出し荷を軽くしてあげる（箱を一つに減らすのも良し、皆空っぽにしてあげるのも良し、もしくは天秤棒ごと預かるのも良し）。つまりは、患いという名の重荷をできるだけ軽くしてあげる、もしくは重みを肩代わりして、心にかかる負担を減らしてあげるというほどの利他・布施心に徹した臨床を心がけなさい。」

あるいは、

「患者さんの姿に患の字形を重ね合わせたイメージ像を作りなさい。重い袋を二つも頭の上に乗せて喘いでいる姿を。その袋の中身は患いがぎっしり詰まっていると思いなさい。しかも袋が動かないようにクシ刺しにされ、クシの先端は頭皮にまでおよんで、さぞ痛かろうと。

そうイメージすれば当然のことながら、医療者とすれば先ずはクシを引き抜いてあげようと思うだろう。その思いは積極的なコミュニケーションに現れ、さらに共感を伴った営為を心がければ、患者さんも協働して、クシを引き抜いた穴から患いを追い出すことができるようになるだろう。それがＰＣＭ実践の臨床の姿だ。」

文中、ＰＣＭとは、People Centered Medicineを指す。人間中心医療とは、「医は仁」に通じるものであろう。同じ意味内容を含んで、日本最古の医学書といわれる『医心方』では、「医は意」と表現している。そうだ。「患」の字も、「仁」と「意」を背負っているのかもしれない。

四 To Cure Sometimes

日野原重明は、一九三七年に京都大学医学部を卒業し、同大学真下内科に入局する。そこで最初の看取りの患者は一六歳の女性であった。女性は小学校卒業後に紡績工場で働き、結核性腹膜炎と肺結核を患うことになる。当時の義務教育は小学校までであり、貧困な社会体制下の犠牲者でもあった。父親のないこの女性は、母親と共に紡績工場で働いていたようである。母親は娘の入院費や生活費を稼ぐために、娘の病気の世話に来院し付き添いをする余裕はあまりなかった。そんな中でも女性の病状は悪化し、熱や嘔吐が続き、血圧も下り、腸閉塞の症状を示し、非常に危険な状態に陥った時の女性と日野原医師との会話がある（『死をどう生きたか』中央公論社、一九八三年）。

要点を抄録してみよう。

「先生、どうも長いあいだお世話になりました。日曜日にも先生にきていただいてすみません。でも今日は、すっかりくたびれてしまいました」といったあとで、「私は、もうこれで死んでゆくような気がします。お母さんには会えないと思います」と続けた。

女性は、このように話してから、しばらく眼を閉じていたが、再び眼を開いていった。「先生、お母さんには心配をかけつづけて、申し訳なく思っていますので、先生からお母さんに、よろしく伝えてください。」女性はこのように日野原医師に依頼して合掌した。

日野原は、死を受容した女性の自分への感謝と訣別の言葉に対して、どう答えてよいかわからず、「安心して死んでゆきなさい」ともいえず、「あなたの病気はまたよくなるのですよ。死んでゆくなんてことはないから元気を出しなさい」というのが精一杯であった。

とたんに女性に変化がおきた。茶褐色の胆汁を吐き、そのあと二つ三つ大きく息をしてから無呼吸になった。日野原はお急ぎで女性に聴診器をあてたが、狼狽していてもう心音をとらえることができなかった。日野原医師にとっての死との対決の最初の経験であった。

後になって日野原はこんな反省をしている。なぜ、「安心して成仏しなさい」といえなかったのか？　なぜ、「お母さんには、あなたの気持を充分に伝えてあげますよ」といえなかったのか？　なぜ、女性の脈をみるよりも、どうしてもっと彼女の手を握ってあげなかったのか？

そこで日野原は、癒すことはときどきしかできなくても、和らげることはもっとできるのではないか、と自問自答し、近代外科医の父といわれるフランスのアンブロワズ・パレ（Ambroise Paré, 1517–1590）の説だといわれている次の言葉を掲げている。

To cure sometimes

To relieve often

To comfort always

そこで、パレの人物を紹介しよう。『岩波西洋人名辞典』一九八一年増補版、岩波書店によると、以下のとおりである。

パレParé, Ambroise 一五一〇頃―九〇・一二・二〇。フランスの外科医。当時の習慣として理髪師の許で外科を修め、パリの市立病院（Hôtel-Dieu）で研究（一五二九）、軍医となり（三七）数回イタリアに出征、銃創の治療法を考案、その論文（四五）には自らパリの理髪師頭兼外科医と記した。のち聖ユムス外科学校教師（五四）、宮廷附外科医（五九）となる。軍陣外科の多年の経験による技倆と発明の才とで外科学に貢献し、フランス外科学の父と呼ばれる。創傷の治療には、従来火焔や熱油による焼灼が普通であったのに対し、温和な療法を勧め、血管外科にも焼灼の代りに結紮法を用いた。産科でも足位回転術を考案している。彼の医書その他には、豊富な体験に裏づけられた実証精神と、深い人類愛が、平易的確な文章の中に溢れている。

この中では、パレが「深い人類愛」に溢れていたことがわかる。例えば、「フランス軍の外科医として幾多の人命を救い、その苦悩を和らげた事実のみならず、国内における新教徒と旧教徒との血みどろな衝突の際に、信仰の如何や身分の貴賤を問わず、苦悩する人々をすべて介抱し治療し続け」たり、「パレの姿が陣屋に見えたときには、貴族や武将たちも、また兵士たちも、大きな安心を与えた」記録が残されている（渡辺一夫『フランス・ルネサンスの人々』白水社、一九八六年）。パレの人間愛は、まさに「患者を見捨ててはいけない」信念によるものである（佐野武「戦場で学んだ外科医パレ八〇年の生涯」(森岡恭彦編著『近代外科の父・パレ』日本放送協会、一九九〇年)。

パレの人間性の尊厳を訴えた部分については、「人間は赤裸であり、これという武器も身もそなえていない代りに、(他の動物と比較して)手を持っている。そして、その霊魂(精神)には(他の動物の持っているような)性能はないが、人間は理性と言葉とを持っている」と述べている。とくに〈手〉という特性をパレが指示していることは重要である。〈理性〉と〈言葉〉にのみに頼ると、ややもすれば観念主義に陥りやすいのである。〈手〉は外科医の仕事上で必須であるばかりでなく、〈手〉は人と人とを結ぶ魂だからである。それ故に、パレはルネサンス期のすぐれた人間観念の発見者として位置づけられるのであろう。パレから学ぶもう一つの言葉を引用しておこう。「人間は、自分だけのためにも自分だけの利益だけのためにも、生まれてきたわけではないのであり、(中略)理性のない生物から我々を隔てているこの人間社会は、人間の相互扶助によってしか成り立たないのであるから、自分たちのためだけのことを考えて、他の人々のことを考えずに暮らす人々は、理性的とは申せないし、人間の名にも値しない。」(『フランス・ルネサンスの人々』前掲)。

さて、さきのパレの作といわれる三行の言葉(三行詩)に戻りたい。日野原は、「癒すことはときどきしかできなくても、和らげることはしばしばできる。しかし、病む人の心の支えとなることは、医師にも看護婦にも、いつでもできることではないか」と理解した。さらに加えれば、医師の治療行為は少ししかできない。看護師らの行為も十分にはできない。しかし、まわりの人が、〈さすってあげる〉、〈手を握る〉、〈こえをきく〉、〈心に寄り添う〉ことは唯でもいつでもできる。そんなふうに解釈したい。

◉第一四話◉

無縁死と依存

われわれの身のまわりに、とんでもないことがおきている。

わが国では一九九八年に自死者が三万人を超えてしまった。しかも自死者三万人超の現象は一四、五年も続いた。二〇一三年から、ようやく三万人を下廻ったが、それでもまだ三万人近くの自死者を生んでいる。初めて自死者が三万人を超えたとき、それは社会問題、ひいては政治問題として深刻なかつ緊要な課題を惹起した。しかし年月の経過とともに、そしてなによりも自死者が三万人を下廻る現象とともに、自死の問題は政治課題から薄らいでいく傾向にあるように思われる。自死の問題が、われわれの身のまわりから関心が遠のいていく悲しい現実がおきている。

こんなとき、われわれに衝撃が走った。NHK「無縁社会プロジェクト」取材班による〈〝無縁死〟三万二千人の衝撃〉である。なんたることか。自死者が三万人からやっと減少傾向をみるなか、無縁死が三万人を超えているのである。われわれの身のまわりには自死や無縁死ばかりではない。いわゆる孤独死の現象がある。孤独死は、一九九五年七月、阪神淡路大震災に伴う尼崎市仮設住宅での六三歳男性の死から始まっている。孤独死なるものは、明治期よりすでに報道されている問題ではあるが、(1) いわば固有名詞的な意味で市民権を得た孤独死は阪神淡路大震災がひきおこしたものである。ちなみに、孤独死の定義とその構成要素を表14-1、14-2に引用してみよう。(2)

孤独死の定義は多様化しているが、無縁死の場合はどうであろうか。さきのNHKによれば、血縁、地縁、社縁という人間関係から切り離された、行き倒れ、餓死、凍死、身元不明の自殺——法律上では「行旅死亡人」——そんな人達が無縁死と呼ばれている。つまり無縁死とは、身元不明で引き取り手のない状態で発見される死、と定義されている。(3) しかし、孤独死といい、無縁といい、その定義の問題ではないのだ。

NHKの本は、こんな問題提起をしている。(4)

表14-1　孤独死などの用語一覧

提唱者	名称	定義及び言説
広辞苑第6版	孤独死	看取る人もなく一人きりで死ぬこと。
東京新聞	孤独死	一人暮らしをしていて、誰にも看取られずに自宅で亡くなった場合。
額田勲	孤独死	①ひとり暮らしの被災者が仮設住宅内で誰にも看取られずに死亡、事後に警察の検死の対象となる異常死体。 ②低所得で、慢性疾患に罹病していて、完全に社会的に孤立した人間が、劣悪な住居もしくは周辺領域で、病死および自死に至った場合。
	独居死	一人暮らしであっても肉親や社会との交流のある人が、心臓発作などによって誰にも看取られず突然死すること。
岩田正美	孤独死	すでに社会的関係が絶たれていて、その結果誰も死に気づかず、死後かなりたってから、第三者に発見された場合。
新宿区	孤独死	「2週間に1度以上、見守りがない独居、また高齢者の世帯」と定義し、死後の発見が遅れても「介護保険や行政サービスを利用していた」、「通院していた」、「家族ら他者と一定の接触があった」、「自殺」などのケースは孤独死に含まない。
北九州市	孤独死	家族や友人など誰にもみとられず亡くなり、死の翌日以降に発見されること。
都市再生機構	孤独死	【旧定義】「病死又は変死」事故の一態様で、死亡時に単身居住している賃借人が、誰にも看取られることなく、賃貸住宅内で死亡した事故をいい、自殺及び他殺は除く。
		【新定義】上記の定義に「相当期間（1週間）を超えて発見されなかった事故」を要件に加えた。
厚生労働省	孤独死	社会から「孤立」した結果、死後、長期間放置されるような死。

「そもそも〝つながり〟や〝縁〟というものは、互いに迷惑をかけ合い、それを許し合うものではなかったのだろうか。」

「『迷惑をかけたくない』という言葉に象徴される希薄な〝つながり〟」

ここでの〈つながり〉や〈縁〉は、そのまま〈依存〉の本質につながるものである。だから〈無縁死〉は〈無依存死〉である。

無縁死＝無依存死を

表14-2　孤独死などの定義の構成要素

提唱者	誰にも看取られなかった	単身世帯に限定	生前の社会的孤立	自死（自殺）	死後、発見までの期間
広辞苑	○	○	—	—	—
東京新聞	○	○	—	—	—
額田(孤独死)	○	○	○	○	—
岩田正美	—	—	○	—	○
新宿区	—	×	○	×	—
北九州市	○	—	—	—	○
都市再生機構	○	○	—	×	○
厚生労働省	—	×	○	—	○

注）「○」…含む、「×」…含まない、「—」…未記載

語る例がある。『池袋・母子餓死日記』(5)はこのことを雄弁に語っている。一九九六年四月が死亡月と判定されたのは、母親・七七歳、防寒用ズボンに茶色のジャンパーとカーディガンを重ね着し台所付近で、子である息子・四一歳、寝巻姿のまま居間の布団の中で、それぞれ遺体が発見された。しかも都会のど真中での出来事である。母親は死の直前まで日記を綴っていた。最後の日記の数日前の部分を要点を抄録してみる。

三月八日（金）　雨　ひえる。（6・2度）

私は、まだフトンに、やすんでいた、朝5時すぎ頃、サバイバルと言う文句を感じたが、意味は、ぜん、ぜん、分からない、新聞か何かでよんだ事はある様だけど、自分勝手に、昔に返ることだろうぐらいに、解釈していたが、

英語の書いてある物を、みつけて、私の間違っていた解釈が、わかったけれども、私共の現状の苦しみや、食事をされない、毎日の状態に対して、言われたのだろうか。

サバイバルとの意味（こころ。わけ。意義）は、異常事態のもとで、生き残ること。生き残り術。異常（普通とちがう）事態（ことがらのありさま）術（わざ。はかりごと。てだて。手段。方法。魔法）

私共は、もう長い間、まともな食事を、していない上に、子供も、

私も、一寸丈のお菓子で、一日を、過ごしているが、無理に、日数をのばしているので、いよ、いよ、明日か、明後日が、私共の食事の終りになる。毎日、毎日、子供も、何かほしい、も少しほしいと言うのを、ガマンさせてはいるが、私自身も、子供より、大分少なく食べているので、その苦しさは、たまらない。

きれいに、食べ物が、なくなった後は、お茶丈で、毎日何も食べられないが、そのお茶も、後少し丈になってしまった。(28円)丈、残しているが、これでは、何一つ買えない。子供が、すいじゃくして、死ぬのではないかと、それが心配である。

子供と、私は、後、どんなにして行くのだろうか、いくら考えても、分からない。

区役所等に、たのんでも、私共は、まともには、世話してもらえないし、どんな所に、やられて、共同生活をしなければ、出来ないかを考えると、子供も私も病気で苦しんでも、だれも、分かってもらえそうにないので、今の自由のきく生活のままで、二人共、死なせて頂きたい、

ただ、子供一人丈先に死んだら、どうしようかと、それが、心配である。二人共一緒に死なせて下さい。

区役所に相談することと、〈迷惑をかけたくない〉という希薄な〝つながり〟がみてとれるし、〈互いに迷惑をかけ合い、それを許し合う〉依存関係がもてない現実があるのではないか。

三月九日(土) はれ ひえる。(13・1度)

昨日、サバイバルと言う文句を、教えて頂きましたが、今の私共の異常事態の中で生き残るには、どんな方法を、したらよいのか、ぜん、ぜん、分かりません、明日までで、食べ物は、何一つ無い状態になります、今、毎日、少しずつ、お菓子丈を頂いて、おりましても、お腹が、すき通しで苦しい毎日です、

後は、お茶丈で、毎日すごさねばならぬ状態でそのお茶も、後、何日分と、すべて口に、する物は、きれい

に、無くなります、

昨年八月までで、私共は、生活は、終りと、思っていましたのに、今日まで、続けさせて頂きましたのは、有難うございますが、子供は、生まれた時から邪魔を受け、二〇年以上の病人生活で、私も、四〇年、五〇年と普通でない生活を、させられて、きました上に、ここ一〇年くらいは、病人生活の上に、精神的にも、苦しみ通しの毎日で、特に、一昨年平成六年からの、病気、病気と、続いた上に、一方では、お金の心配を、仕通しで、子供と、私は、何時まで、こんな苦しみを、続けねば、ならぬのでせうか、

私の今までの因縁の結果でしたら、当然の事だと思いますが、邪魔を引受けた結果の苦しみでしたら、人間的には、どうする事も出来ません、

三月一一日（月）　はれ　ひえる

とうとう、今朝までで、私共は、食事が終った。明日からは、何一つ、口にする物がない、少し丈、お茶の残りがあるが、ただ、お茶丈を毎日、のみつづけられるだろうか、

子供も、私も、この頃は、まね方の量のお菓子を、毎日食べている丈で、子供も、私も、身体が、きつくて苦しい、

私は、その上、頭痛、熱で、苦しいのを、ガマンしているが、第一起きる事が出来るだろうか、もう長い間、昨年一月一七日（火）からの病気が、直らない上に、次、次と、病気、病気が、その都度、新しくおこって、私は（ふらつき）が、どうしても、取れない、夜、フトンに、休んでからは、一寸横を向いても、ふらつくので苦しい、

これは、もう一年以上から、取れなくて、困っているが、どうしようもない、私は、今朝、夢の中で（歯が、全部ぬけた夢）を見ているが、これは身内に死人がある知らせと、聞いているので、子供が、先に、死ぬのではないかと、心配である。一緒に、死なせて頂きたい、後に残った者が、不孝だから。

池袋の母子は死を望んでいない。あくまで生きることを選択していたはずである。孤独死か無縁死かの問題ではない。再び引用する。われわれの身のまわりでは、〈〝つながり〟や縁というものは、互いに迷惑をかけ合い、それを許し合う〉同志であったはずである。われわれの身のまわりは、自立を促がすあまり、依存し合う関係性が薄れてきてしまっているのではないか。依存とは、〈互いに迷惑をかけ合い、それを許し合う〉関係なのである。

無縁死を生み出す無縁社会は、地縁、血縁、社縁とかあるいは友縁とかにおいて担保されてきたとされる縁・絆が希薄化した状態、つまり有縁から無縁の状況をさす。吉原直樹は、「過度の競走社会では、社会の効率化と人びとの個人化を極限にまでおしすすめる。そして人間の尊厳に基づくふれあいを基調とするような一切の交わりが排除されるしたがって、こうした競走社会に根をもつところでは、社会の中でもっとも弱い層を包摂することによって維持してきたつながりや絆を根源から断ちきることになるのである」とし、さらに「孤立化と貧困、そして過度の競走社会はこのようにして無縁社会の基底を成しているが、無縁社会をより複雑にしているのは、他者とともにあることを根源から否定する、病的にまで個人化した人びとが無縁社会の背後でうごめいていることである」と論じていることは極めて重要である。すなわち、本稿が目論んでいる他者と依存の関係にもこんな眼を向けている。「無縁社会において透けてみえてくるのは、人は他者なしには生きられない、つまり他者とともにあるという人間関係の一番基本のところが否定されてしまっていることである。したがって、無縁社会といわれるものにおいて他者とともにあるということがどのようにゆがめられ、つながりや絆を失った社会として現象しているのかを明らかにする必要がある」[6]という指摘である。

一方、柳田国男は、「孤立貧と社会病」の中で、昭和初期の話ではあるが、「日本で毎年の自殺者は一万数千、此頃東京だけでも一日に五人づゝ死んで行く。一番多い理由は病苦であるが、他の生活難といふもの、中にも、大抵は健康が勘定の中に入って居る。強ひて妻子の其意思も無いものを同伴として、家を無くしてしまはうといふ考の中には、説くにも忍びざる孤立感が働いて居たのである」と記している。ここでは「孤立貧」の話として登場するが、柳田は別の「災厄の新種類」において、「共同防貧の手段に至っては、却って著しく以前あったものよりも劣って居る」[7]ことを嘆いている。まわりまわって、「共同防貧」の仕組みが崩壊し、困窮は「孤立貧」へと導かれていく。こんにちみられる孤独死や無縁死は、底知れない「孤立貧」からくる「共同防貧」の希薄化である。われわれの身のまわりの自死や孤独死や無縁死は、われわれの身のまわりのものではなくなってきている。他者の死は、一様に無縁化してしまっている。再三にわたって述べるが、〈〝つながり〟や〝縁〟は、互に迷惑をかけ合い、それを許し合うもの〉である。依存は、〈互に迷惑をかけ合い、それを許し合うもの〉である。共同防貧にみられる人間関係の基本としての他者との関係を改めて確認したい。同時に過度の競走社会にみられる依存否定の原理をこえていかねばならない。無縁死は無依存死である。

注

(1) 小辻寿規・小林宗之「孤独死報道の歴史」(立命館大学大学院先端総合学術研究科〈Core Ethics〉第七巻、二〇一一年)。
(2) 新井康友「孤独死の定義に関する一考察」(〈社会福祉科学研究〉第三号、二〇一四年)。
(3) 中森弘樹「『無縁死』概念の社会学的意義」(〈社会システム研究〉第一四号、二〇一一年二月)。

（4）ＮＨＫ「無縁社会プロジェクト」取材班『無縁社会――〝無縁死〟三万二千人の衝撃』文芸春秋社、二〇一〇年。

（5）『池袋・母子　餓死日記――覚え書き（全文）』公人の友社、一九九六年。

（6）吉原直樹「無縁社会の基層」（近畿大学日本文化研究所『日本文化の攻と守』風媒社、二〇一一年）。

（7）柳田国男「明治大正史世相篇」（『定本柳田国男全集』第二四巻、筑摩書房、一九七〇年）。

◉第一五話◉

裁断橋物語

——心象としての依存

もう何十年も前から、自己紹介の折には「端ッコの美学」を訴えてきた。ともかく、ハジッコが妙に大好きなのだ。端ッコ、石焼き芋のあの端ッコの皮のついた煙の匂いのする甘くもあり筋っぽさも残ったあの感触、極端に旨いのだ。端ッコ、カステラのあの端ッコ、ザラメの残った紙にへばりついたカステラのあの感触、極端に旨いのだ。（実は端ッコには思い出の原点がある。私は中学時代（長野県・伊那中）、成績は全校で二番目だった。二番といっても、ケツから二番。端ッコだった。これには若干の言い訳がある。それは中学時代、片道約四里をひたすら歩き続けた。山道を崖道を、往復八里の道程は大変だった。冬も夏も、いや秋も春も大変だった。したがって教科書をひらいて勉強する余裕はなかった。自らの才能のなさを棚上げして言い訳をしてしまったが歩いたという自負はあったし、自慢にはならないが成績もこれ以上落ちたことはなかった自負もある。ハジッコの美学の原点はここにあるのかもしれない。）

　でも端ッコにはとてつもない芯がある。「蒙御免」を正面中央に大きく印写し、右側に東横綱、左側に西横綱を筆頭に以下に力士名などが並ぶ「大相撲番付表」がある。序の口力士は、いわゆる虫眼鏡と称され、拡大鏡で見なければ判別できないほどの小文字で書かれている。その番付表の左下の端ッコに、やはり小文字で「此外中前相撲東西ニ御座候」の一二文字が載っている。この番付表のこの端ッコが大相撲を支えているのだ。横綱はいなくても大相撲は成立するが、前相撲に登場してくれる力士の卵の存在がなければ大相撲そのものは直ちに崩壊するのだ。

　ところで、この「端ッコ」の「端」にはこんな意味がある。母音ａは名詞を作る働きがあり、この母音ａが、一音節動詞「フ（振）」（＝移る、渡る）に対して適用される語が「ハ（端）」となるのである。振れ動いたところがハ（端）、であり、ハツ（果つ）は「端」に至ること、ハジム（始む）は「端緒」となる。さらにハサムは、ハス（渡る）を語源とし、その派生として↓ハシ（箸）、↓ハシ（間）↓ハシ（端）↓ハシ（橋）と転化する。つまり端も橋も、ある媒介を通してＡとＢの両者を渡すものの意味として共通語なのである。[1] 端も橋も、あるＡとＢの両者をつなぐ役割をもっている。端も橋も、依存を手助けする意味をもっている。

ここで改めて、橋の意味をまとめてみよう。重複を避けずに諸説を並べてみると、第一説は、「古代の日本語である大和詞では、はし（橋）の元の意味は「端」であった。つまり「はし」は「ものの周辺部・辺縁部」をさすものであった。この端と端とをつなぐものが「橋」であり、これはまた「階（はし）」「梯（はし）」「椅（はし）」の内容を含むものであった」(2)という説である。このうち、「階」とはもともと庭から屋内に上がる階段（通路）を意味し、「梯」は上下の移動に用いるもので、共に「橋」を指していた。もう一つの「椅」は「徛（き）」から派生した言葉で、渡り瀬や飛石を意味し、そこから横に移動する設備（橋）を示すようになった。

第二説は、「はし」という漢字について、「現在〝橋〟と書くが、古くは、〝間〟と書いていたことが多かった。もともと、ものとものを結ぶ〝あいだ〟の意味から、その両端部の〝はし〟をも意味するようになった」(3)とする説である。つまり橋は、水平に渡すものであるが、垂直に渡す〝はしら〟（柱）も同じ語源をもつ。例えば、母船から陸に荷物を運ぶ〝はしけ〟（艀）も同じ意味で、すなわち艀は〝動く橋〟なのである。

第三説としては、新井白石の日本語研究の本質にせまる語源研究の集大成ともいうべき『東雅』(4)のうちの「橋ハシ」の後半部分を引用してみる。

古語にハシといひしは、ワタシなどいふ語のごとくに、彼と此との絶間（タエマ）をわたすものをいひし也。堂と基との間をわたすものを階（ハシ）といひ、高きと下きとの間をわたすものを梯（ハシ）といひ、箸（ハシ）といふもの、また鳥の觜（ハシ）、獣の喙（ハシ）のごときも、皆これ其の食ふべき物と、口との間をわたすものなれば、橋もまた彼ノ岸此ノ岸の絶間をわたすものなる故に、ハシと名づけいひたりけむ。桟道をカケハシといふも、また此義に異なるべからず。

第四説は、「はしは道の終りでもあった。しかしその終りははるか彼方へつながる意味でもあった。日本の言葉で、はしは端末を意味するか、仲介としての専ら舟を意味するかは、かつて何人かの人々の間で言い争はれてきた主題であった。橋も箸も梯も、すべてはしであるが、二つのものを結びつけるはしを平面の上のゆききとし、又同時に上下のゆききとすることはさして妥協の説ではない」(5)とする。

この第四説は保田與重郎によるものであるが、保田説は、日本語の「橋」の語源は西欧の「橋」の語源と異なるところからみた論説であったが、これに対しては少しく異論もある。すなわち「ラテン系言語のフランス語における Pont（橋）の語源説を考慮さえすれば、保田氏が指摘した日本語の語源説と殆ど同じ語源説が見られる。保田氏は「道の端」を指摘したが、フランス語の語源の Pons には「小道」「丸太道」という意味が見られる。さらに「舟」（ハシケブネ）という語源説に対して、「輸送船、渡し船」を意味する古代ラテン語の Ponto があり、日本語の「梯」に対して「舟梯」、「(建物）の階」を意味する古代ラテン語の Pons を取り上げることができる。実際に西洋の語源説に見出せない日本語源説は一つのみであり、それは最も考えづらい候補である「箸」である」(6)という反論である。

第五説は、「はしというのは、ものの端っこを意味します。橋は道の端であります。そうすると両国橋の袂が武蔵国の端であります。と同時に武蔵国の始まるところであります。二州橋の向こう、墨田、江東の地は、下総の地の端であります。同時にここは下総国の起こるところでもあります。ものの端っこは、同時にものの始まるところ。そして橋というのはよく考えてみますと道の延長です。橋というのは道の姿を取り替えたもの」(7)とする説である。さらに第五説では、「人と人とのふれあうところこれが橋であります」とし、橋には一種の奇異性を含んでいることを主張している。

橋のもつ意味について興味深い研究がある。古来より、日本の文学や伝説において「橋」が数多く登場している。

当然のことながら日本文学研究や民俗学研究等に「橋」のもつ意味の研究が深まっている。既にみてきたように橋そのものの中には、宗教的感覚もとらえられていた。多数の文学・民俗研究で明らかにされてきた橋の隠喩性について一〇項目に分類した研究がある。(8)

1、人生の困難を乗り越えるのは橋を渡ることである
2、人間関係の発展は橋の建築である
3、人間関係の破綻は橋の破壊である
4、運命の逆転に遭遇するのは橋を渡ることである
5、死につつある人は橋を渡る人である
6、分離している二つの状態の接触点は橋である
7、超越的な視点から透視するのは橋から眺めることである
8、人間の文化的な洗練は橋梁技術である
9、武力制圧の準備は橋を架すことである
10、犠牲が払われる場は橋である

本稿のテーマからみると、5の「死につつある人は橋を渡る人である」及び6の「分離している二つの状態の接触は橋である」の二点がきわめて示唆的である。

さきの第五説において、橋は「人と人とのふれあうところ」であり、同時になにか「不思議なもの」、「奇異なもの」を感じさせる論があった。別の角度から、「塔と橋」の研究において、「橋は道にすぎないわけではなく、橋をトポスと呼ぶこともできるだろう。両岸、此岸と彼岸、ふたつの川岸、河岸は、さまざまな橋によって結合されて

いる。分離と結合が、橋においては渦巻いているのである」し、橋を渡ることは、「まちがいなく劇的な行為、特別な行為」(9)と位置づけている。その一つの象徴的なあらわれが、彼岸への橋の考えである。つまり、「橋というものは、道の姿を取り替えたものでありまして、よその人と会う場所、あまりなじみのないものと出逢う場所である。神霊と出逢うことも神霊はよその人でありますからありうることでありましょう。すなわち橋のこちら側は顕、橋の向うは幽ということであります。幽から霊魂が訪ねてくる。つまりこれを橋でお迎えする」(10)という場面が出現するわけである。

最近のスピリチュアルブームについて、エリアーデ(M. Eliade)の「俗」から「聖」に至る「橋」の概念を分析した研究がある。エリアーデは、「俗」を脱して「聖」へと接近するルートを、イランの死者にまつわる神話にもとづいて象徴的に「橋」にたとえているようである。エリアーデによれば、イランの神話では、死者は彼岸の旅の途中で「チンワトの橋」を渡ることになるが、その橋は正しい者と背徳者によって幅を変え、橋の下は地獄になっているという。しかし、この橋を渡りおえてしまえば「すべての神秘家はまた彼らの忘我的な天の旅に上る」ことができる。「橋」はその「移行」を示す最も典型的な象徴ととらえられている。(11)この話は日本式に言えば、三途の川の橋渡しを連想させるものであるし、「未見の地ともいうべき彼岸と、曽遊の地——現実の世界を結ぶ橋は、ときとして浄土への架け橋」でもあったし、「橋に投影された現象は、精神世界をまで写しだしている」(12)のである。

こんなことを背景に、一般に橋供養とは、「橋の架設終りたる後、其橋の上に法会をまうけて行はるる供養にして、往時宇治橋を始め勢多・山崎橋等、多く僧家の架する処なりし故に、此風習を生じ後に至る迄永く続」(13)けられてきたものであると解釈されてきた。

しかしである。橋供養は、単なる橋工事完了に伴う供養だけではないのである。例えば、中世の橋供養をみると、

「架橋の主体であった僧は民衆に資金源・労働力を求め、その際、彼岸と此岸を結ぶという橋の持つ宗教性から、架橋という社会事業の中に、宗教的な作善が含まれていた」が、時代が下り近世になると、「民衆が主体となる架橋の事例が多く見られるようになる。一方で、近世の宗教者たちも、中世同様に架橋による作善を説いていた。そのため民衆は自らが作善を行い、功徳を積んだことを顕彰するため橋供養塔を立て」(14)るように変化してきている。要するに橋供養は、人と人との関係性を濃蜜にもちながら、宗教性と社会性を併わせもつ特質が認められる。

さて、いよいよここに宗教性と社会性をもつ待望の〝裁断橋〟が登場する。

裁断橋物語りは、一五九〇(天正十八)年二月一八日、豊臣秀吉の小田原攻の軍に従い、尾張の御供所より小田原に出立した堀尾金助にまつわる悲しい物語りから始まる。当年一八歳の金助は、小田原に到着した後に四月二八日の山中城攻めに加わり、初陣の功名に勇み立っていた。しかし金助は戦場での負傷に原因するか、または他の特発による病気かは不明ながら、六月一八日についに不帰の人となってしまった。一八歳の若武者の母は、最愛のわが子の凱旋を迎えることができず、永遠の袂別となってしまったのである。母は、わが子が武運拙なく傷病にたおれていった不倖と愛惜の念を、せめて世人に記憶してもらおうと、熱田の精進川にかかる老朽化している裁断橋の修築により、わが子の菩提の弔いに適うであろうと信じて架けかえを果たした。

この橋供養は、世人への奉仕と社会への貢献によって、愛するわが子の供養に十分応えたはずであった。しかし母親は、この供養が形としてより成仏への証しとして残るよう再度の改修を試みた。堀尾金助の名によって改修し、欄干の擬宝珠に銘を刻み、新しい裁断橋の再興であった。時に金助の三三回忌を迎える前年の一六二二(元和八)年であった。(15)しかしこれも運命のいたずらか。母の銘が刻まれ、その悲願の果たせた新しい裁断橋の姿を見届けることができずに母は不帰の人となってしまった。残された母の銘こそが、本邦金石文中の第一位の名声を得たことよりも、人と人とのいのちのつながりを永遠に伝えている〝いのちの宝〟として記憶されているのである。

母が綴った銘である。

てんしやう十八ねん二月
十八日にをたはらへの
御ちんほりをきん助と
申十八になりたる子を
たゝせてより又ふため
とも見さるかなしさの
あまりにいまこのはし
をかける成はゝの
身にはらくるいと
もなりそくしんしやう
ふつし給へ
いつかんせいしゆんと後
のよの又のちまて此
かきつけを見る人は
念仏申給へや卅三
年のくやう也

これは北東隅（もとは南西隅）の擬宝珠に刻まれているものである。他の三方は漢文体で刻まれている。左に掲げた漢文体の銘は、おそらく檀那寺の僧侶の手によるものと推定されている。なお、現今においては、この裁断橋の紹介に英文の指標が建てられているので掲載しておく。

熱田宮裁断橋
右檀那意趣者
堀尾金助公去天正
十八年六月十八日於
相州小田原陣中逝
去其法名号
逸岩世俊禅定門也
慈母哀憐余修造
此橋以充卅三年忌
普同供養之儀矣

Saidan-bashi Bridge Site

The bridge was built in 1622 by Horio Kinsuke's mother for the repose of her son, who died in the battle of Odawara（1590）. The letters engraved in "Giboshi" ornaments of the bridge railing reveal the deep love of a mother for her son.

裁断橋の由来・名称については諸説がある。裁断橋自身は、すでに室町時代にみることができ、本地垂迹説による熱田神宮の本地をエンマ大王とみなし、川を三途川に擬し姥堂に脱衣婆像をもつ傍に「讃歎橋」として知られていた。この橋は、古来より、裁讃橋、讃談橋、讃嘆橋、三談橋、斎談橋、讃壇橋、サンダ橋、サンダガ橋などの文字があてられてきた。中でも「裁断」は、神官関係の訴訟を裁断したところから由来するともいわれている。あるいは金助の死を讃談するため、などの説もある。さらには、「川の名は精進川といって、これは生死川・三途川とも呼んだということである。精進川は熱田神宮の御祓所があったから祓川ともいい、精進川ともいうが、三途川というのが一番古く、それより葬頭川・生死川・精進川となったのであろうか。そして三途橋といったのをサンダ橋或はサンダン橋と囀訛したので、それが更に裁断橋となった」(16)という説もある。またさらに、「橋供養ノ日、群集ノ人々ニ対シテ仏法ヲ讃嘆シテ、菩提ノ橋ノ由来ヲ説シ故ニ、此裁断橋ヲ呼デ時ノ人又ハ讃嘆橋ト呼」(17)んだというような異説もある。

ちなみにここで、裁断橋の位置(18)、並びに往時の裁断橋の様子を掲げておこう(19)(図15-1、15-2)。

母が綴った裁断橋の銘を、「本邦金石文中でも名文の第一と語りたいほどに日頃愛誦に耐へない」(20)と絶賛したのは、『日本の橋』を著した保田與重郎であった。保田は重ねて評価する。例えば、「教育や教養をことさら人の手からうけた女性でもあるまいが、世の教養とはかゝる他を慮らない美しい女性の純粋の声を私らの蕪れた精神に移し、あるひは魂の一つの窓ひらくためにする営みに他ならぬ。三十三年を経てもなほも切々尽きない思ひを淡くかたつてなほさらきびしい。」とたたえ、さらには、封建社会の中での「それは反抗でも抗議でも、さらに果無い反逆でも、まして又大仰に語られるべき個性解放の叫びの萌しでもない。(中略)一つの無情の悲願として、生命の太古より生きてゐたのであらう。」と慨嘆し、「名もない町の小川に架けられた橋は、おそらく代々の風流の士に限りなく有難い涙をもよほさせ」る心情を語っている。保田の言辞は、母の思いをそのまま適確に代弁していると思われる。

図15-1　裁断橋の位置

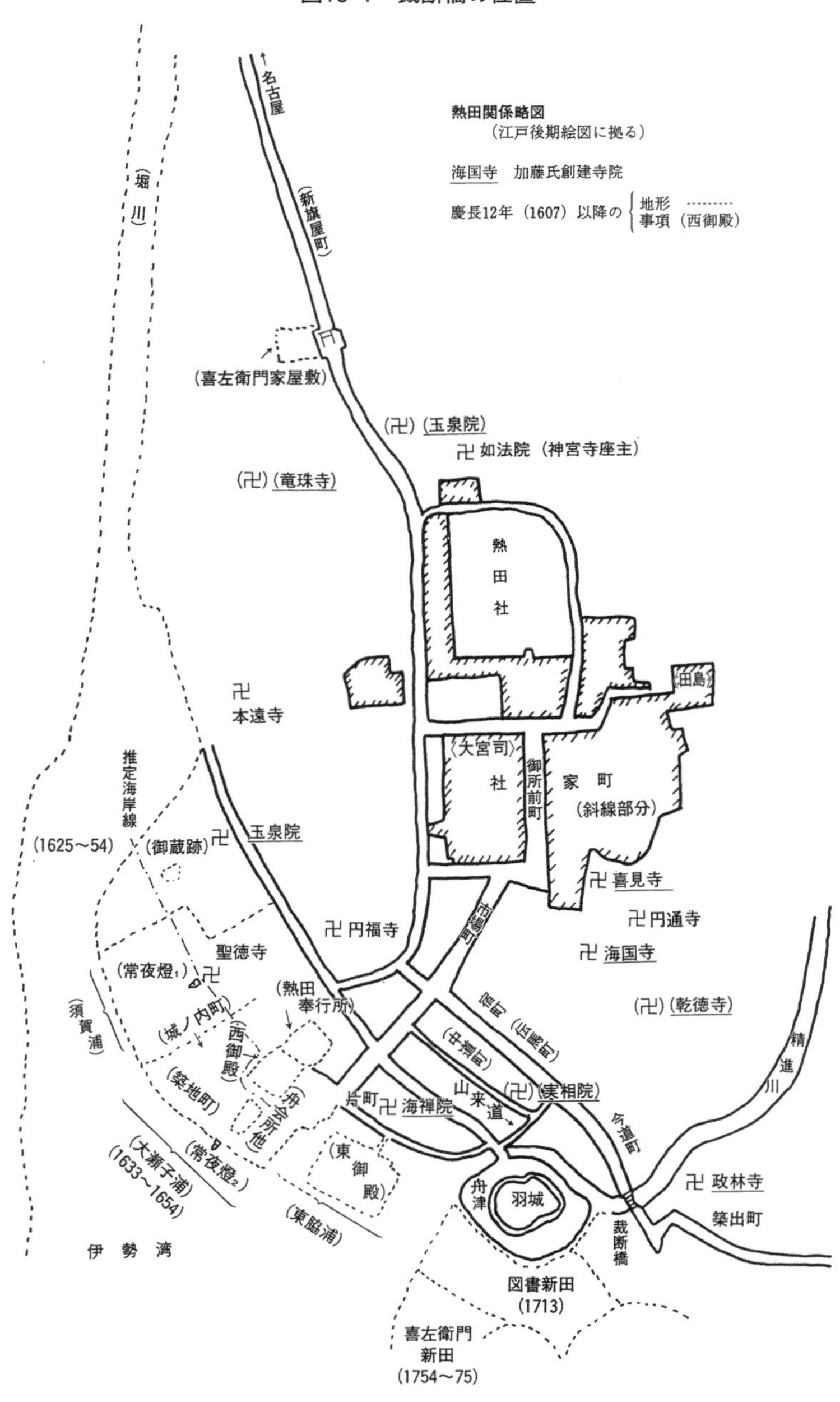
熱田関係略図
（江戸後期絵図に拠る）
海国寺　加藤氏創建寺院
慶長12年（1607）以降の { 地形 / 事項（西御殿）
名古屋
（新旗屋町）
（堀川）
（喜左衛門家屋敷）
（卍）（玉泉院）
卍 如法院（神宮寺座主）
（卍）（竜珠寺）
熱田社
卍 本遠寺
〈田島〉
〈大宮司〉社
御所前町
家町（斜線部分）
推定海岸線
（1625～54）
（御蔵跡）
卍 玉泉院
卍 喜見寺
卍 円通寺
卍 円福寺
市場町
卍 海国寺
聖徳寺
（常夜燈1）
（熱田奉行所）
（卍）（乾徳寺）
（須賀浦）
（城ノ内町）
（西御殿）
（中瀬町）
（伝馬町）
精進川
（築地町）
（舟会所他）
片町 卍 海禅院
山来道
（卍）（実相院）
今道町
（常夜燈2）
（大瀬子浦）
（1633～1654）
（東御殿）
舟津
羽城
卍 政林寺
築出町
（東脇浦）
裁断橋
伊勢湾
図書新田
（1713）
喜左衛門新田
（1754～75）

図15–2　往時の裁断橋の様子

テーマに沿って要約すれば、第一に、銘文は此岸より彼岸を越えていく橋の本質をあらわしている。第二は、「此かきつけを見る」往来の人に呼びかけている、知識ではなく心の幅を広げていく教育の本質をあらわしている。第三は、あわれにも美しく「念仏申し給へや」と記したように、永劫に美しいいのちの本質をあらわしている。

筆を少しく加えてみよう。住井すゑは、『橋のない川』の「第二部〜第六部に代えて」において、〝橋のない川に橋を架けよう〟を書き足している。[21] それは被差別者の苦しみ――とくに、部落外の異性を愛するようになった男女の言語を絶する苦しみ――その異性との間に〝渡る橋もない大きな川〟に、〈差別のない平等な橋〉、〈他者を尊重する橋〉、〈お互いがお互に依存しあえる橋〉が必須なのだ。人間が人間らしく差別のない自由で平等で博愛に満ちた世間であるために橋はあるのだ。それは〈心象としての依存〉にほかならない。

注

(1) 渡辺正理「ハシ（橋・箸・端・箸墓のハシ）の原義」〈語源研究〉第四二号、二〇〇四年三月号）。
(2) 小山田了三『「橋」ものと人間の文化史』六六、法政大学出版局、一九九一年。
(3) 三浦基弘外『橋の文化誌』雄山閣、一九九八年。
(4) 杉本つとむ編『東雅――影印・翻刻』早稲田大学出版部、一九九四年。
(5) 保田與重郎『日本の橋』東京堂、一九三九年。
(6) ダニエル・ストラック「『日本の橋』と世界の橋」〈九州大学文学部紀要〉第六一号、二〇〇一年三月）。
(7) 森田康之助「顕と幽との相関相即」〈神道古典研究所紀要〉第五号、一九九九年三月）。
(8) 同前。
(9) 山岸健ほか「塔と橋と風景」〈人間関係学研究〉八、二〇〇七年二月）。
(10) 「顕と幽との相関相即」前掲。
(11) 橋迫瑞穂「『聖』なるものへの『橋』」〈ソシオロゴス〉第三一号、二〇〇七年九月）。
(12) 『橋の文化誌』前掲。
(13) 畑中健三『名橋巡ぐり』一九二九年、太陽堂。
(14) 上相英之「中世橋供養と近世橋供養塔」〈人間文化〉第二三号、二〇〇八年四月）。
(15) 山田秋衛「堀尾金助と裁断橋」（辻本鋭郎編『裁断橋物語』泰文堂、一九四〇年）。
(16) 『裁断橋物語』前掲。
(17) 浜田耕作『橋と塔』岩波書店、一九二六年。
(18) 名古屋市博物館編『熱田と名古屋』一九九七年。
(19) 『尾張名所図会』大日本図書刊行会、一九一九年。
(20) 保田與重郎『日本の橋』東京堂、一九三九年。
(21) 住井すゑ『橋のない川（第一部・夜あけ朝あけ）』新潮社、一九七九年。

◉第一六話◉

ふりかえりましょう

——永観堂みかえり阿弥陀さま

禅林寺永観堂に安置されている〈みかえり阿弥陀立像〉（図16−1）は、われわれに生きるための大切なある秘めたナニモノカを示唆してくれている。このお寺は、親しみをこめて通称「永観堂」と呼ばれているが、正式には浄土宗西山禅林寺派の総本山である。永観堂と親しまれているのは、永観律師（図16−2。ようかんと読むのが正しいらしいが、一般にはえいかん）にまつわる美しい機縁によっているからであろう。

図16−1　木造阿弥陀如来立像（みかえり阿弥陀）

さて永観は、「但馬守国高の孫文章生国経の息男也、其母年来十一面観音を信して朝夕香花をそなへ、昼夜に信心をはこふ、しかるに 後一条院御宇長元六年ある夜の夢に、例のことく十一面の御前に念誦して居たるに、観音いつよりも光をかゝやかして、御声を貴して十一面の咒を唱ましく〳〵て、御手に持たる玉を投てたまハりけるを取て呑と思て夢さめぬ、其後幾程ならすして懐妊、十月をへて十八日の午剋に誕生」(1)としている。

時に一〇三三（長元六）年であった。永観は生を儒学鴻業の家に生を享けて、身を法相・唯識の門に入り、固く戒律を守り広く顕密両義を学び、博覧にして三論を兼学したと伝えられている。事実永観は、一〇四四（寛徳元）年の一二歳をむかえた時、師の深観が別当をつとめる東大寺の戒壇院において、具足戒を受けて本格的な出家をとげ、三論宗に所属する学侶として修学を励むことになった。(2)永観はかつて「不動明王呪」をたちまちに暗誦して開成寺上人を驚かしたように、七、八歳のころにはすでにその聡明な才能を発揮しており、やがてその異才ぶりはしばしば師友を驚嘆させていた。さらに一〇四六（永承元）年、一四歳にして東大寺内の講堂で行われた方広会に参仕し堅義をつとめている。この堅義とは、法会などの論義で探題の提出する論題に対して義（真理・証明）を立てて、問者の難

図16–2　永観律師像

（反論）に答えるもので学侶としての登龍門でもあった。

ところで永観一八歳をむかえて、学侶としての身に大きな転機が訪れた。「十八より以後、研精の隙に毎日一万遍を唱え」とあるように、念仏者永観の姿がみられるようになった。永観をして念仏に帰入させた契機にはさまざまなものがあげられる。例えば末法年をひかえて疫病の流行、興福寺・長谷寺の焼失という事実、加えて師深観の死は永観が念仏をはじめた年の入寂であり、養父元命はその翌年に不帰の人となっている。とにもかくにも永観は、各種法会の参仕を辞退する反面において、阿弥陀信仰にたつ慈善行動に専心していくことになる。つまりエリート学僧だった永観は、それとは対極的な庶民の念仏者に大きく転身したのであった。永観の心にあふれた慈悲心は、貧民の支援や病者にも手をさしのばしていった。永観は禅林寺の寺庭にあった梅の木が結実すると、それを私にせず薬王寺近辺の病人に施与しつづけたことから、村里の人はこの梅の木を「悲田梅」と呼んだという。さらには病人用の浴室となる「温室うんしつ」という施設をつくるなど、福祉慈善活動につながっていった。

ここで永観の念仏思想に入る前に、改めて永観の説話目録からかれの生涯を確認しておく(3)。

国挙の孫国経の子で石清水別当元命の子となる。

八歳で開成寺上人につき不動明王咒を受け上人を感歎せしむ。

十二歳で出家す。

倶舎頌を日に七十行暗記して七十行公と号せらる。

廿五歳で平等院番論義に召さる。

光明山に蟄居、卅二歳。

禅林寺に帰居、四十歳。

唯摩会講師を弟子慶信法印の勧めにより勤仕、五十四歳。
東大寺別当に補され東大寺を修造し、畢りて辞任す。
法勝寺供僧に補さる。
供僧米出挙の事により供僧を辞す。
白河院、法勝寺造立の功徳を問ふ。
阿弥陀経要記・往生十因・往生講式等を著述す。
十斎日毎に往生講を修す。
永観の初めし往生講、後世まで退転せず。
丈六弥陀仏を造立し薬王寺に安置す。
七宝塔を造立し、舎利二粒を籠めるも後四粒に増加す。
禅林寺の梅の実を病人に施す。人々悲田梅と称す。
弥陀の名号を唱へる事幾許なるかを知らず。
夢中に極楽を見る。
東山吉田寺に迎講を始む。
臨終の時紫雲垂れ、具香蕉ず。
臨終にあたり往生講を修す。
鼻を置きて生涯の念仏の数をかぞふ。
浄土八祖のうちの一人に入る。

弟子覚叡、夢中に永観を拝す。

法勝寺承仕法師、夢中に永観の釈迦を拝するを見る。

定因、夢中に永観の諸僧に囲繞せらるを見る。

東大寺拝堂の路次でとぼける。

法勝寺供僧に望んでなるも勤仕せず。

臨終に臨んで観経の句を唱へて往生す。

永観の念仏思想を、主にかれの「往生拾因」(4)からひもといてみよう。まず称名念仏の功徳については「十因」が説かれている。すなわち、一、広大善根故、二、衆罪消滅故、三、宿縁深厚故、四、光明摂取故、五、聖衆護持故、六、極楽化主故、七、三業相応故、八、三昧発得故、九、法身同体故、十、随順本願故と念仏往生の基本を説いている。ここでは称名念仏にふさわしく、口唱に与える比重の大きさを立論していく。こんな調子である。「又何時早抛万事速求一心依道綽之遺誡火急称名順懐感旧儀励声念仏有時五体投地称念有時合掌当額専念凡厥一切時処一心称念」(レ点など省略、以下同)。このような口称念仏の果てには、人々は弥陀による来迎引接があざやかに展開されるのである。「臨終永息衆事唯一心作往生之想然間楽音髣聞異香且芬大喜自生此時遙見四方紫雲空靉聖衆来迎弥陀如来紫金尊容相好端厳白毫赫奕光明照室先観音持台安祥徐来次勢至合掌同以讃嘆始見此事歓喜是幾況乗蓮台往生極楽」とあり、おそらく永観自身の信仰体験から具現化した来迎引接の光景を美しく感動的に表現している。このように一心専心の称名念仏を励むことによって、人々は極楽浄土に往生しうることが「往生拾因」の後序に綴られている。

さて、以上を前提に本稿の本題である冒頭に掲げた〈みかえり阿弥陀立像〉にもどりたい。永観堂の本堂が阿弥陀堂である。この阿弥陀堂に安置されているのが阿弥陀如来像・みかえり阿弥陀である。〈みかえり〉の意味としては、「かの永観律師、行道念仏し給いし時、後門を廻り給うを、遅しとや思し食けん、中尊の弥陀、左の方へ振り向いて、其方（永観）を見給えば、師、早々に（仏と）対面す、禅林寺の『見返り仏』と申され、今に立ち給えり」(5)と語り伝えられている。同じように、「永保二年二月十五日の晨朝に律師、道場に入りて念仏行道し給えば本尊はいつとなく、壇上より降り、律師に先立ちてめぐらせ給う。律師感涙に堪えず。乾角にて暫く躊躇し給えば、本尊左に顧りて『永観遅し』と告げさせ給う。律師、手を合わせ、言いけるは、願わくば、その姿を永代に留めさせ給い、末世の衆生を済度し給え、との心中の祈願に応じ給えば、顧り本尊と号し奉るものなり」(6)とも伝承されている。いずれも一三世紀における浄土信仰の高まりのなかで、この永観律師の追慕とかれの念持仏である阿弥陀如来との不可思議かつ荘厳な出会いから〈みかえり阿弥陀〉が生まれている。

この〈みかえり〉をもう一度ふりかえってみると、既述したように永観は一日に一万遍もの念仏を唱えていたが、この永保二年二月十五日はあたかも釈迦涅槃の日に当たるが、いつものように真剣に念仏を称えつづけ、阿弥陀如来像のまわりをめぐり歩いていた。すると突然に須弥壇に安置されていた阿弥陀如来が壇から降りてこられ、永観を導くかのように一緒に歩みだしたという。永観は感涙して思わず立ちすくんでいるとき、阿弥陀如来が永観にふり返って、「永観遅し」と声をかけた。永観は感激のあまり合掌して祈ると、なんとなんと阿弥陀如来は左にふり返った姿そのままになったのである。この姿こそ永観堂の本尊〈みかえり阿弥陀〉である。阿弥陀如来は須弥壇から自ら降りてこられた。「阿弥陀如来という仏は、高いところにいて衆生を見下ろしているのではない」「みずから低いところまでおりてきて、衆生のあいだにまじって導いてくださる」「ときにはふり返って、さあこっちにおいで、と声をかけてくださる慈悲深い仏」(7)として人々に親しまれている。この〈みかえり阿弥陀〉から、こんなことを思い浮かべよう。

われわれは、時として後ろをふりかえり、周りをふりかえりましょう。

なやんでいる人がいれば言葉をかけましょう。

病んでいる人がいれば寄り添いましょう。

りきんでいる人がいれば、なんとかみんなで支え合いましょう。

つまづいている人がいれば手をさしのべましょう。

困っている人がいれば目をそそぎ聞き合いましょう。

これこそが本当の《依存》であります。

ここに、どうしても一つつけ加えておきたい論がある。さきの永観の「往生拾因」の後序の部分に、「前に生きる者は後を導き、後にゆかん者は前を助け、連続無窮にして、休息あることなからん」の核心部分を原文で示してこの稿を終わりたい。

栖思浄土到群生於彼岸設雖自後勧他為前前生者導後後去者助前連続無窮無有休息

注

(1) 宇高良哲ほか編『京都永観堂禅林寺古文書』文化書院、一九九二年。
(2) 大谷旭雄ほか著『永観　珍海　覚鑁』(浄土仏教の思想・第七巻)講談社、一九九三年。
(3) 北海道説話文学研究会『私聚百因縁集の研究』和泉書院、一九九〇年。
(4) 浄土宗典刊行会『浄土宗全書』第一五巻、浄土宗典刊行会、一九三〇年。
(5)『永観　珍海　覚鑁』前掲。

(6)『京都・永観堂禅林寺の名宝』同展図録作成委員会、一九九六年。

(7) 五木寛之『百寺巡礼』講談社、二〇〇五年。

◉第一七話◉

太田典礼
——優生思想への道と現代

一　太田典礼の業績と反人間観
二　優生思想の深化

一　太田典礼の業績と反人間観

本稿で論じたい太田典礼（一九〇〇―一九八五）[1]は輝かしい経歴の持主である。太田典礼論を展開する前に、彼の主要な年譜と論文を除く著作物を一覧してみよう。

一九〇〇年　京都府にて出生。
一九二一年　九州帝国大学医学部入学。
一九二二年　父の死により医師として立つことを決意。サンガー夫人の来日で産児制限に興味をもち、マルサス『人口論』に触発されてマルクス主義の著作を読む。
一九二五年　九州帝国大学医学部卒業。京都帝国大学産婦人科入局（副手）。医師免許受領。
一九二八年　太田病院開院。
一九三二年　子宮内避妊器具太田リング発明。
一九三四年　東京信濃町に産婦人科医院開院。
一九三九年　治安維持法により検挙される。
一九四二年　治安維持法により逮捕。
一九四五年　医学博士。
一九四六年　衆議院議員選挙次点落選。
一九四七年　公選知事選挙次点落選。衆議院議員選挙当選。社会党入党。

一九四八年　優生保護法公布。社会党除名、労農党結成に参画。
一九七六年　安楽死協会設立し理事長。
一九八三年　安楽死協会を日本尊厳死協会と改称。
一九八五年　死去。

主な著作としては、一九三五年、『産児調節の新知識』（艸元社）。一九三七年、『性科学＝唯物論全書』（三笠書房）。一九四八年、『性科学』（三笠書房）。一九六七年、『堕胎禁止と優生保護法』（経営者科学協会）。一九六九年、『日本産児調節史』（日本家族計画協会）。一九七三年、『安楽死のすすめ』（三一書房）。一九七六年、『死を選ぶ権利』（金沢文庫）。『無宗教生きがい論』（みずうみ書房）。『日本産児調節百年史』（人間の科学社）。一九八〇年、『反骨医師の人生』（現代評論社）。一九八二年、『安楽死』（三一書房）。『死はタブーか』（人間の科学社）。一九八三年、『中絶は殺人ではない』（人間の科学社）。一九八四年、『ガンと安楽死』（人間の科学社）など列挙される。

以上からみて、確かに太田典礼の輝かしい実績をみてとれる。とくに注目すべき点としては、日本の死ぬ権利推進団体である安楽死協会（現在、日本尊厳死協会と改称）の創立者として、多くの賛同者を得ていること。さらには、太田リングの開発者と知られ、戦前から産児制限運動に奔走し、戦後は社会党衆議院議員として優生保護法制定提案者、無産者診療運動などに輝かしい足跡を残したことは事実である。この点に関して、大谷いづみはこんな評価をしている。(2) すなわち、「典礼の先見性は、明らかである。同性愛や老人の性、葬式改革など、筆致には人々を睥睨する傲慢さが否めぬにせよ、その着眼点には、典礼が自認する科学的合理主義だけではなく、『自分らしい生と性と死』を求める現在の指向の先駆を見ることができる。先駆という点でいえば、ホスピスの、日本最初の紹介者としての典礼を見落とすことはできない。」と。大谷は、太田典礼をこのような評価として「先駆者」の位置づけをしつつも、太田がもつ安楽死思想に内包されている人間観、つまり差別的言辞に満ちた「社会の負担となる人間」あるいは「半人間」観については、反射的に嫌悪感を感じると断じている。

然りだ。まさに然りである。太田典礼の人間観には、温かみある人間性は全く感じられない。あれだけの経歴をもちながら、「先駆者」の冠をもちながら、太田には人間の価値について語る質を有していたのか疑われる論点が多過ぎる。以下、人間の価値との関係で、太田典礼の老人観、遷延性意識障害（植物状態）、および優生思想の三つの視点に照準を当てて考察していく。

ここでは先ず太田典礼の「老人」観を、太田の著作の引用からみていくことにする。太田の代表作の一つである『安楽死のすすめ』(3)では「老人病」の項がある。太田は老人社会の到来によって、いつまでも生きていなければならないのか、生かされねばならないのかの新しい問題が浮上するのを予測する。そして、「回復の見込みあるものは医学的治療をもうける権利があるわけだが、見込みのない場合は単なる延命である。見込みのあるなし、治療と延命の区別はつけにくいにしても、老人病の多くは老衰を含めて回復の見込みうすい不治の病気であり、何のために延命するのか、させられるのか。（中略）本人としては生かされる義務が果してあるのか」疑念を提出している。『見込みのない場合は単なる延命である』とする発言は、もはや人間性をもった人間の思考とは考えにくいものがある。太田はさらに続けて、「むずかしいのは治療中止の年齢を何歳からとするかである。八〇歳、八五歳、九〇歳などいろいろあるが、おおまかな基準をつくっておいてもよかろう」と主張する。同書の「人口問題」の項では、常識では考えられない、読むに耐えられない論旨が展開されている。

老人医療の無料化など老人尊重論の高まりの裏には、すでに老人公害というようなことがいわれており、無益な老人は社会的に大きな負担である。トインビーは「知能なき老人は罪悪である」とまでいっている。

無益な老人は社会的な大きな負担とだけ考えてよいのか。知能なき老人は罪悪なのだろうか。太田の老人論には、同様な趣旨の論がまだある。「老人の孤独」(4)の論文の要点は次のとおりである。きわめて明瞭な結論部分に当たるので、そのまま引用してみよう。

何の役にも立たなくなって生きているのは、社会的罪悪であり、その報いが、孤独である、と私は思う。

（中略）

最後に、少し飛躍しすぎると批判されると思うが、老人孤独の最高の解決策として自殺をすすめたい。数年前、本誌で、安楽死論をのせたが、更に一歩進めて、自殺を肯定しよう。

こんな乱暴な論が、〈思想の科学〉という雑誌に載せられていること自体も不可解な感を否めない。太田はこの後で、キリスト教国、ヴェトナム、チェコ、インドなどでの自殺や老人問題に触れている。その中で、自殺の方法として、「いちばんよいのは、国外へ出ること、そして未開民族の仲間に入れてもらうことである。世界中には、いたるところにまだ未開民族がいる。パスポートをすてて、いくらかの土産と金をもって行けばかんげいしてくれる。そこで行きだおれになれば適当に始末してもらえる。私はこれを望んでいる」と述べている。

要約する必要は全くないが、社会的活動が不可能で何の役にも立たない老人が生きているのは社会的罪悪でしかない。そのような老人は、自殺をするか、どこかに失踪しろ、という論理である。引用しながらも嫌悪感が漂う言辞が並べられている。しかし太田の自殺推奨と失踪につながる論が存在する。それは劇映画と称する太田典礼原作の『おいでおいでよ老人島』(5)である。

「おいとじま」と振り仮名のあるこの「老人島」の主役は太田典礼こと多田典英である。老人島での多田典英の肩書きは、医師（開業医）、老人医学研究所主宰、老人島共同組合長、セックスカウンセラーである。島の拠り所は、無為自然による老子の思想に、老後をいかに生るかのユートピア創りを骨格としている。したがって自由・平等・平和を三原則としているため、男女関係も自由なものとして認め合うことを原則としている。このユートピア実現のための老後の自由境を完成させる腹案の八項目が「老人花咲く会」の総会で賛同を得ている。八項目とは次のごとくである。

一、目的は老子の教えにそって、その精神をくみとり、老人だけで自由な自然に近い生活をする。
二、年齢は六〇歳以上、子供づれはいけない。
三、月々収入のあること。恩給が年金その他、少くとも一人月一〇万円以上、あるいは少なくとも一〇年間の生活費をもっていること。
四、入島金として、新しく参加する人も応分の金を出資すること。
五、生活計画。任意組合として、自由な共同生活の生活費は一人毎月七万円拠出すること。労働は義務づけないで共同生活に必要程度に働く。原則として午後二時まで。六〇代は一日四時間、七〇代は二時間、八〇代は自由。
六、たがいに信義を守ること。
七、生死にこだわらない。
八、男女関係。男女は平等でなるべく夫婦が望ましく、内縁、同棲でもよい。独身の自由も認める。合意の上での離婚、同棲解消は自由。この任意組合の共同生活から脱会を認めるかどうかは、死ぬまで島を去らない覚悟の人だけという原則での入会に絞る。

こんな内容で「おいでおいでよ老人島」の劇映画なるものは、人間の老後のいかに死ぬべきかの問題を、老子の無為自然のテーマを基本としながら、セックスやユーモアを配して展開されていく。この物語は、果たして老子の思想といえるか否かは別にして、ある種の問題点にぶつかる。それは、この島には数えきれないほどの洞穴が存在し、死場所をそこと決めて洞穴に入れば完全に行方不明になるという。なお、この洞穴は聖域として、洞穴に行く道に老子門をつくり老子像を設置することが諒解されている。さらに、「老人丸」と名付けられた丸薬（秘薬）が一人当り五錠ずつ配布されている。この「老人丸」は自殺用の秘薬である。

さきに述べたように、太田は老人孤独の解決策として自殺や失踪を推奨した。太田はその一つとして国外の未開民族をあげたことは既述したとおりである。太田には追加の話があって、同じ「老人の孤独」の論述で、国外だけでなく、内地でも小さな孤島があって、「身もとを明かさずに、そこまでたどりついて、しばらく生活できるだけの金をもって行き、金がなくなれば乞食しているうちに死んでしまうことができる」ともいっている。太田の描く「おいでおいでよ老人島」は、孤独老人の自殺と失踪の受け血劇ともみてとれる。

続いて太田典礼の植物状態（遷延性意識障害）への視点を考察してみよう。なお、太田の論中にはしばしば「植物人間」と表記されていて、本書もこの表現に従っている。これは、論文引用の場合は原文にもとづくというルールがあるためで、ご了解いただきたい。

太田によれば、安楽死は近代思想中から芽生えてきたヒューマニズム精神のあらわれであると考える。したがって安楽死問題は、今日において多くの人々から共感を得ている。しかし現実問題としては、安楽死を求めようとしてもさまざまな困難点が待ち受けている。その原因として太田は、それは皮肉にも医学の進歩のおかげが災いとなっていると判断する。だから太田は前述のように、「昔ならとっくに死んだものが、生きながらえて苦しんでいる。半身不随や病弱者、障害者が生かされており」という社会が生まれ、「意識なき植物人間の生存権と人為的方法によって生かされ期間が課題になってきた」[3]と提案する。たしかに生と死とのはざまに苦しむ人々にとって、安楽死の問題は避けて通れない緊要課題であることは誰しもが首肯することではある。しかしながら、太田の指摘する「意識なき植物人間の生存権」とはなにを意味するのであろうか。

太田は同じ『安楽死のすすめ』の中で、「生かされる人間——植物人間」の項がある。『生かされる人間』イコール『植物人間』の理解である。おそろしい理解である。太田によれば、医学の進歩の裏にマイナスの面がつきまとうものであり、「半分不具状態になったり、ねたきりで活動ができないという人間ができる。そこで回復の見込みのない生命を無意味に生かしつづける技術をどこまで利用すべきか、植物人間ないしそれに近い人間に対する治療、延命をどこで中止するかという消極的安楽死について新しい課題を投げかけている」とまで述べている。その結果、「植物人間、意識なき生命」の項では、「意識回復の見込みもないのにいつまでも治療をつづけることに対して批判が出てきているのである」といいながら、太田自身が植物状態への長期治療に批判しているのだ。

太田は別に植物状態について、「植物人間は除脳動物と同じですが、この概念はあいまいで『植物人間が回復した』という例もあるので、植物状態人間といういっそう漠然とした用語も用いられていますが、実はこれは検査不充分で、新皮質の一部が残っていた」ものと解釈している。[6]同時に「植物人間のように人格を喪失しているのもあります」のように、まるで植物状態の人は、あたかも人格を喪失しているかのように判じるのは、医師太田の心を疑うものである。

さきほど、「生かされる人間——植物人間」と、植物状態への長期治療批判を問題にとりあげたが、それらをまとめた太田の文章がある。[7]

ナチスではないが、どうも「価値なき命」というのはあるような気がする（中略）私としてははっきり意識があって人権を主張しうるか否か、という点が一応の境界線だ（中略）自分が生きていることが社会の負担になるようになったら、もはや遠慮すべきではないだろうか。自分で食事もとれず、人工栄養に頼り「生きている」のではなく「生かされている」状態の患者に対しては、もう治療を中止すべきだと思う。

もう一つ。太田の論。決定的文言がある。「命（植物状態の人間の）を人間とみるかどうか……弱者で社会が成り立つか。家族の反社会的な心ですよ。人間としての自覚が不足している」[8]。

植物状態の人は人間ではないのか。
植物状態（弱者）がいると社会は成立しないのか。
植物状態の人は反社会的存在として自覚せよというのか。
植物状態の人は人権を主張してはいけないのか。
植物状態の人は価値なき命なのだろうか。

二　優生思想の深化

これらの問題を優生思想との関連で改めて分析を試みる。太田典礼は、日本の戦後の「優生保護法」の産みの親として知られ、この方面の先駆者として広く知られている。太田自身も優生保護法に関し、「堕胎罪を骨抜きにし、かつ避妊を促進するために優生保護法の立案にとりかかり、法律の名称もいろいろ考えて私がつけた」[9]と述懐している。それはたしかに悪質遺伝の防止と母性の健康保持を目的としているが、結果的には優良な子供の増進であり、太田自身、「これは世界的にも実に画期的な新しい」法案と自負していた。

はたして、戦後の一九四八年に公布された「優生保護法」は、世界的にも画期的な法案なのであろうか。同法の第一条は、「この法律は、優生上の見地から不良な子孫の出生を防止するとともに、母性の生命健康を保護することを目的とする」と明記されている。法律名でも第一条でも、戦後であるにもかかわらず、優生思想が隠されずに全面に押し出されている。しかも第二条では、「この法律で優生手術とは、生殖腺を除去することにし、生殖を不能にする手術で命令をもって定めるものをいう」となっている。第三条の「医師の認定による優生手術」の対象とは、「本人若しくは配偶者が遺伝性精神病質、遺伝性身体疾患若しくは遺伝性奇型を有し、……遺伝性精神薄弱……癩疾患……」と記されている。「優生保護法」は優生思想の実施にむけての「優生手術」とは『断種』そのものである。これが画期的なのであろうか。「優生保護法」はむしろ戦後史における憂慮すべき汚点として記憶しなければならない。

実は戦前、一九四〇年に「国民優生法」が公布されている。「国民優生法」の目的は「悪質ナル遺伝性疾患ノ素質ヲ有スル者ノ増加ヲ防遏スルト共ニ健全ナル素質ヲ有スル者ノ増加ヲ図リ以テ国民素質ノ向上ヲ期スル事ヲ目的トス」とし、精神病や精神薄弱、病的性格、癩病など遺伝するという医学的根拠のない疾患も不健全素因として優生手術の対象とされたことから「断種法」とも呼ばれていた。このような「国民優生法」は、戦前において戦争遂行のために障害者を切り捨てることに抵抗することは困難であったのかもしれない。けれども内実をみると、戦前の断種法とも呼ばれた「国民優生法」と、戦後民主主義の時代における「優生保護法」の精神構造はあまりにも類似していることに驚かされる。両法を要約した論に次のようなものがある。(10)

優生保護法の母体は、国民優生法です。「不良な子孫の出生防止」の目的に「母性保護」を継ぎ足し、遺伝素因を持つものに対して優生手術を強制できる条項はそのまま残し、人工妊娠中絶を許可できる条項を接ぎ木したのが優生保護法です。基本的人権を尊重する新憲法の法体系の中に、国民優生法に盛られた優生思想はそっくり継承されてゆきました。そればかりでなく、優生保護法は対象を拡大し、中絶を優生学的手段として取り入れるなど、優生思想はかえって強化されているのです。戦後の民主主義国家においてもなお、障害者を減らそうという政策は国の再建のために必要なものとして位置づけられていったのです。

以上の考察からすると、太田は安楽死について、「障害者の発生を防ぎたいと考えているので、強者の論理に立つものと非難され、障害者団体から大悪人と見られているらしい」[11]と述べているが、みられても当然かもしれない。また太田は別の観点、すなわち産児制限を必要とする理由について、①社会的理由、②個人的理由、③優生学的理由の三つをあげている。このうち、「優生学的理由」については、「優生学的に悪い遺伝を避け、優れた子孫を残すためであって、社会的ならびに個人的理由からの産児制限とは少し意味が違い、ただ妊娠をさけようというのではなく、悪い子供の生れるのをさけようというだけである」とし、「広く優れた子孫を残し、劣悪な子孫をつくるまいとすれば、ただ遺伝関係だけでなく環境をも重視しなければならないから、当然経済的理由とからんでくるし、個人としても馬鹿な子供はもちたくないから個人的な意味も含まれる」と説明する。「馬鹿な子供」とは一体なにをさすのか問いたいところだが、太田は優生保護法の核心の一つに触れていく。すなわち、遺伝性精神病、精神薄弱、悪質遺伝疾患、畸形、癩病患者（癩病は伝染病であって遺伝ではないが伝染しやすい体質遺伝のため）及び表面健康であっても、悪質遺伝的素質をもっているものは、「本人の希望により配偶者の承諾を得て、医師に、たのめば自由に断種手術を受けることができる」ことを自負しているのだ。あるいは、「本人の希望がなくても甚だしく悪質な遺伝があり、断種するのが適当と思われる場合は、これを府県の地方優生委員会に申請して、適当と認められれば断種を強制することが出来る」[12]というのである。強制断種までをあえて正当性な論理として考えていくところに、どこに戦後の、しかも世界的に画期的な法案の意味があるのだろうか。むしろ戦時中の「国民優生法」の意思構造は類似しているのではないだろうか。

そういえば、太田は福沢諭吉を優生思想の先駆者として尊敬している。太田は福沢の『学問のすすめ』は人権宣言で、人間に本質的差別を課すことの非を評価しつつ、間もなく福沢の思想的変化として、「教育上にも人間に天賦の差のあることを認め、優生学的な見解と発表」したことに福沢の偉大さを感じている。その象徴として福沢の「人種改良」説にいたく同調している。(13)

福沢の「人種改良」の一部を引用する(14)(文中、ルビは割愛)。

近年家畜類の養法次第に進歩して就中その体格性質を改良すること甚だ難からず要は唯血統を選ぶにあるのみ(中略)扨人間の体格性質も之を他の動物に比して素より上下尊卑完全不完全の別こそあれ其世々遺伝の約束に於ては些少の相違ある可らず人畜正に同一様にして薄弱の父母に薄弱の子あり強壮の子に強壮の父母より其病質を遺伝し其能力を遺伝し身体の強弱精神の智愚都と父母祖先以来の遺物(中略)爰に人間の婚姻法を家畜改良法に則とり良父母を選択して良児を産ましむるの新工夫あるべし

さらに福沢はこんなことまで主張している。すなわち、「第一に強弱智愚雑婚の道を絶ち其体質の弱くして愚なる者には結婚を禁ずるか又は避孕せしめ」とし、良質の子孫を残すためには「一男にして数女に接するは無論、配偶の都合により一女にして数男を試みるも可なり」とまで堂々といい切っている。恐ろしいかぎりである。

福沢の『福翁百話』の中では、この「人種改良」のみならず、「配偶の選択」でも第一位に血統をあげ、「人生の遺伝を視察すべし」や「教育の力は唯人の天賦を発達せしむるのみ」などで、教育環境力よりも遺伝力に傾斜した論に満ちている。福沢は天賦人権説を唱えつつも、教育の有無という後天的な要素に不平等の根拠を認めている。

ニュートンはアフリカに誕生することはないとか、蝦夷地ではアダムスミスを生むことはできないとか、列挙に事欠かない。[15] ただ引用した「人種改良論」は、人間形成の方法において〈家畜改良法〉に範を求める異様な教育論である。この異様な教育論に対し、太田は先駆的主張と評価し、「彼（福沢）の教育論ほど一般に認識されなかったのは残念である」[13] と主張するところに、太田の優生傾斜の特殊性があるのではないかと思われる。

ここで少し日本尊厳死協会について触れておきたい。現在、日本尊厳死協会に寄せられる期待はきわめて大きいものがある。実際に同協会への賛同者は多く、年々増加している。安楽死も尊厳死も、より広く社会における議論を必要としている国民的課題である。人々が誰しも、健かに生き、安らかに死を迎えるためのリビング・ウイルを求めているうえで、日本尊厳死協会の存在意味は重いものがある。

日本尊厳死協会の趣意書の上段部分は次のとおりである。

趣意書

日本尊厳死協会は、一九七六年の創設以来、安らかに、人間らしく死ぬ権利を求める「尊厳死の宣言書」（リビング・ウィル）の登録・保管をすすめることによって、自己決定権を確立し、その社会的合意の形成をめざす団体です。

わたしたちはいつの日か、不治かつ末期の症状におちいり、意思を表明できなくなります。そのことを予想して、末期医療についての要望を書面にしたためておいて、近親者が代わって、いつでも医師にそれを示せるようにしたのが「宣言書」です。

この趣意書に示されている「宣言書」は次の「尊厳死の宣言書」を指す。

尊厳死の宣言書（リビング・ウイル　Living Will）

私は、私の傷病が不治であり、且つ死が迫っている場合に備えて、私の家族、縁者ならびに私の医療に携わっている方々に次の要望を宣言いたします。

この宣言書は、私の精神が健全な状態にある時に書いたものであります。

従って私の精神が健全な状態にある時に私自身が破棄するか、又は撤回する旨の文書を作成しない限り有効であります。

① 私の傷病が、現在の医学では不治の状態であり、既に死期が迫っていると診断された場合には徒に死期を引き延ばすための延命措置は一切おことわりいたします。

② 但しこの場合、私の苦痛を和らげる処置は最大限に実施して下さい。そのため、たとえば麻薬などの副作用で死ぬ死期が早まったとしても、一向にかまいません。

③ 私が数ヵ月以上に渉って、いわゆる植物状態に陥った時は、一切の生命維持措置をとりやめて下さい。

以上、私の宣言による要望を忠実に果たしてくださった方々に深く感謝申し上げるとともに、その方々が私の要望に従って下さった行為一切の責任は私自身にあることを附記いたします。

それぞれ格調高い趣意書であり宣言書である。ところで、協会発行の「入会のご案内」の中の「入会の手続き」の冒頭部分で、「日本尊厳死協会は一九七六年故太田典礼さんが創設して以来、一貫してリビング・ウイルの普及に努めている団体」であると説明している。同じく「尊厳死の宣言書登録のおすすめ」中の「日本尊厳死協会とは」の冒頭説明で、「日本尊厳死協会は一九七六年、医師で国会議員であった太田典礼（一九〇〇―一九八五）を中心に、医師、法律家、学者、政治家などの同志が集まって設立されて以来、一貫してリビング・ウイルの普及に努めている団体です」と記されている。

今まで縷々論じてきたように、どうも太田典礼の老人や植物状態など社会的弱者への眼差しは、悪しき優生思想のそれであった。現代の民主主義社会では、とてもとても受け入れ難い思想と思われる。理解に苦しむのは、それでもなおかつ協会が太田に依拠していることを明記していることである。日本尊厳死協会は、太田の安楽死の考え、社会的弱者の考えをそのまま踏襲しているか否か、明確にすべき問題である。踏襲しているとすれば、その根拠は何か。あるいは太田は創設者として認めつつも、現在は違う立場にあるのか、協会の立場を鮮明にしてほしいものである。もし現在も太田の思想に依拠しているとすれば、宣言書第三条の植物状態への件は甚だ微妙な問題を内包しているからである。例えば、さきの「入会の案内」に寄せられている次の「安らかに人間らしく尊厳ある生と死と」の一文である。

「ひねもす走りおおせたる者、夜のやすきにつくこそよけれ」賢者セネカの言葉と教えられた。一生懸命生きて、そして安らかに死んでゆく事を、誰もが願っている。

しかし、そのように希望通りにはならない世の中である。医術が進むにつれて、寿命が延びた事は有り難いが、その半面、末期の患者も無理やり生かされてしまうという状況も多いからである。

植物状態や脳死状態になっても生存するのは「生きている」事とは違う。

一生懸命生きて、最後までプライドを失う事なく、大切な人生のフィナーレを迎えられるよう私は尊厳死協会に入会した。

昔から日本人は「縁起でもない」といって、死の話題にふれる事を嫌った。

今、私達は「死」という誰にも必ず訪れる現実を、もっと身近に真剣に考えなくてはいけないと思う。

文中にある「植物状態や脳死状態になっても生存するのは『生きている』事とは違う」とはなんだろうか。ここの部分は読み方によって、太田の植物状態への眼差しと同一の思考回路と思えてならない。日本尊厳死協会の誠実な対応に期待するものである。

ファシズムは笑顔でやってくる。

優生思想は親切心でやってくる。

ファシズムも優生思想も、姿を変えて再来するかもしれない。

福沢諭吉や太田典礼がいかに優生思想を美化しようとも、その思想は、社会的弱者を疎外し、ものいわぬ貧しい階層の人々を除外しかねない歴史を重ねてきた。そんな歴史を繰り返してはならない。優生学史の比較を試みてきた佐藤雅彦はこんな結論を下している。すなわち、優生思想を阻止するためには、「人類の〝英知〟が過去に犯した〝人類改造学〟という間抜けな失敗を――人と人との関係性のなかで成立している〝人間〟を、ヒト固体という物体だと錯覚して品種改良を企てたのだから文字通り『間抜け』である」と論破している。(16) 人間は固体では成立せず、人と人との関係性のなかで成立している――つまり、〈依存〉の関係を忘れてはならないのである。

太田典礼が「苦しむ患者には死ぬ権利」論を発表したことは、前述したとおりである。ちょうど同じ〈科学朝日〉の太田論文の直前に清水昭美の注目すべき二つの論が並んで掲載されている。一つは、「いつの世にも、どの国にも」で、その最終部分は、「太田氏は『安楽死のすすめ』という本の中で、『生命、人命とは、意識あることが基本条件であるはずであり、そうでなければならない。一切の権利は意識なくしては主張することができないからである』とし、意識の『回復の見込みのない場合はもはや権利を失っているものとせざるをえない』と、任意安楽死の立法化を唱えている。立法化の意見に対して、脳性マヒ者協会員などから強い反対が出ている」と結んでいる。これは婉曲に太田の任意安楽死の思想に社会的な立場からの疑問を投げかけたものである。もう一つは、同じ清水の「『死にたい』は本心ではない」のタイトルで、「生きる権利とは、植物人間やどのような重症の先天異常児、恍惚の老人をも選別しない、すべての人間の生存権である。尊厳を失いたくないと欲するものによって、『尊厳をもって死ぬ権利』を主張するために、たとえ一部であっても、すべての人間の生存権が侵されることは防ぐべきではないだろうか」と論じたうえで次のように締めくくる。すなわち、「老人や病人にとって安らかな死とは、生命を短縮して置き換えることではなく、近づく死の不安、孤独、苦悩、肉体的痛みをともに分かち合い、苦しでくれ、最後まで励ましてくれる家族や医療関係者がいることである」[17]と。この論は、並記されている太田典礼論を、優しく包み込むように諭しているかのようである。佐藤論であれ、清水論であれ、人が人として生きていくうえで、〈依存〉の大切さをていねいに教えてくれている。

注

(1) 太田典礼を偲ぶ会『生き生きて八十余年』太田リング研究所、一九八六年。
(2) 大谷いづみ「太田典礼小論」(死生学研究編集委員会『死生学研究』二〇〇五年春号、東京大学大学院人文科学系研究科)。
(3) 太田典礼『安楽死のすすめ』三一書房、一九七三年。
(4) 太田典礼「老人の孤独」(〈思想の科学〉一九六九年八五号)。
(5) 太田典礼原作、柴田輝二潤色『劇映画おいでおいでよ老人島』活人堂シネマ。
(6) 太田典礼『死はタブーか』人間の科学社、一九八二年。
(7) 立石真也『良い死』筑摩書房、二〇〇八年より引用。
(8) 立石真也『唯の生』筑摩書房、二〇〇九年より引用。
(9) 太田典礼『反骨医師の人生』現代評論社、一九八〇年。
(10) 丸本百合子・山本勝美『産む／産まないを悩むとき』岩波ブックレット四二六号。しかもハンセン病療養所における優生手術（不妊手術や中絶手術）が行われたのは「優生保護法」が制定された一九四八年以降の一九五〇年代が最も多いという。それは「優生保護法」という無下駄乾燥な文言にもよる説がある（荒井裕樹「文学が描いた優生手術」、〈死生学研究〉第一三号、二〇一〇年三月）。

(11) 太田典礼「苦しむ患者には死ぬ権利を」（〈科学朝日〉三五巻二号、一九七五年二月）。

(12) 社会主義協会編『社会主義講座』第二〇巻『婦人問題』三元社、一九四九年。

(13) 太田典礼『日本産児調整百年史』出版科学総合研究所、一九七六年。

(14) 福沢諭吉『福翁百話』時事新報社、一八九七年。

(15) 藤野豊『日本ファシズムと優生思想』かもがわ出版、一九九八年。

(16) 佐藤雅彦「訳者あとがき」（マーク・B・アダムズ編著、佐藤雅彦訳『比較「優生学」史』現代書館、一九九八年。

(17) 二つの論文とも〈科学朝日〉一九七五年二月号。

◉第一八話◉

教養とは——「他者共信」の思想

一　修養への道程
二　教養への道程
三　「他者共信」への道程

一　修養への道程

小泉八雲は、日露戦争後の日本の進路をいたく案じていた。かれの『日本——一つの試論』[1]は、自身の校正を終わってから間もなく、出来あがった自分の出版物を見ることなしに、一九〇四（明治三十七）年九月に、東京大久保の自宅で心臓発作により他界してしまった。『日本——一つの試論』はそんな意味で、日露戦争の結末を迎える前の八雲の遺作ともいえる作品である。

おそらく、日本の古代の祭や、宗教、文化について誰よりも日本通であり日本の理解者であった Hearn, Laqcadio は、日露戦争後の日本について忠告もしている。こんな具合である。「独立のための戦争——争いのために国民に一切を賭けさせるような戦争は、当然古い社会的きずなを緊迫させ、忠義や本分に対する古来からある感情を強く刺激し、保守的な気持を強めるはずである。（中略）ロシアの威嚇を前にして、やまと心がふたたびよみかえってきたのである。日本がもし勝てば、おそらく日本は前よりもさらに道徳的に強く」なることを憂いている。日本は前よりも道徳的に強くなることは、天皇制下の教育勅語体制の強化を意味していよう。小泉八雲は、日本が日露戦争に勝利すれば、「そこに自己過信の危険があることも争えない」とし、「うぬぼれ・慢心こそは日本の運命を右か左に決するだろう」とも断言している。八雲の憂いの圧巻は、「もし日本が今後破滅を招くような道を選ぶとしたら、それは忠告が足りなかったせいではあるまい。——その忠告をした人は、今世界で最も賢い人なのだから」とし、ハーバード・スペンサーの名をあげている。

残念ながら日露戦争後の日本の進路は、小泉八雲の予言のように大きな津波が押し寄せてきていた。そんな情況下の前後、日露戦争勃発の前年、藤村操は華厳の滝に投身自死を遂げた。藤村操の自死は、その動機、家庭暦、学歴、容姿など、さまざまの面から世人の注目を浴びた。今ここに、藤村操の父の実弟である那珂通世、藤村操の妹と結婚した安倍能成、万朝報を拠点とする当代随一の評論家・黒岩涙香の三人の追悼文を載録してみよう。

〈那珂通世〉

嗚呼哀いかな、痛しいかな、余が兄の子藤村操、幼にして大志あり、哲學を講究して、宇宙の眞理を發明し、衆生の迷夢を醒まさんと欲し、昨年より第一高等學校に入り、哲學の豫備の學を修め居たれども、學校の科目は、力を用ふるほどの事にも非ずとて、專ら哲學宗教文學美術等の書を研究して居たりしが、（中略）華嚴の瀑の上下を隈なく探したれば、瀑の落口の上なる巨嚴の上に蝙蝠傘の地に植てるあり、近寄りて見れば、大樹を削りて、左の文を記せり（省略）樹の傍らには、傘の外に、大なる硯と墨と太き唐筆と大なるナイフとあり、此等の器具は、家を出づる時豫め用意したりと見ゆ、その運筆の遒美なるを見れば、嚴頭に立てる時心中の從容として安泰なることは察するに餘りあり、嗚呼、余が如き樂天主義の俗人の甥に、いかなればかゝる極端の厭世家を生じたるか、思へば思へば、不可思議なり、嚴角に攀ぢて瞰下せば、六十丈の懸泉は、嚴石を砕いて雷の如くに轟き、瀧壺は、暴風雨の如き飛沫に蔽はれて見えず、かくて身の丈五尺五寸餘、眉目清秀にして、頬に微紅を帶び、平生孝友にして一家の幸福の中心と思はれし未來多望の好少年は去つて返らず、消えて痕なし、嗚呼哀いかな(2)

〈安倍能成〉

私は遺骸に遇ふべく瀧壺の方へ下りて行く途中、眼前に展開された瀧の美しさに打たれた肝銘を永く忘れ得ぬであらう。水が巖頭から吐き出されて、何ものをも押しのけ打ち砕く力をこめて落下する。谷間の空氣がその勢に抵抗してそれと相鬪ふためか、風が起つてあたりの青葉はゆるぎ、見る見る雲烟が沸き立つて谷に擴がる。而もその雲烟が幾百千條と知れず、巻いたり、舒びたり、散つたり、集まつたりしつつ、結局は眞下の瀧壺をさしてゆく。それと反對にぐるりの岩、木、山は皆一せいにずんずんと空高く舞ひ上つてゆく。私はこの瀧を見つつ、Fはいい死場所を見つけたものだと思つたが、やがて腐爛した彼の臭骸に接した時には、永久に彼を瀧壺の底に藏して置きたいといふ感のみがした。（後略）(3)。

〈黒岩涙香〉

過日華嚴の瀧に投じたる藤村操少年の死ハ、萬有の眞理を疑ふより出たる者なりと云へバ、今までに類の無き自殺なり、痴情の自殺や發狂の自殺などハ世に多けれど、單に『思想の爲の自殺』ハ、空前の椿事と云ひて不可無し、世人が今に至るも之を是非して止まざるハ尤もなり

世人の言ハ一概に此死を非難するに在る者の如し、勿論『死』と云ふ事ハ何の場合に於ても悪事なれバ余とても之を非難せざることハ能はず、縦しや此死が自殺に非ずして、止むを得ぬ病死なりしとするも余ハ賛成せず、或ハ此の少年が、少年ならずして百歳まで活延びたる人なりとも余ハ賛成せず、『死する』と『死せざる』とを比ぶれバ場合の如何に拘らず『死する』ハ悪なり、病死と自殺とを比ぶれバ總て自殺の方が『より悪し』く。老死と早死とを比ぶれバ早死が『より悪し』きハ誰とても認むるなり、併し余ハ世の多くの人と、同じ理由を理由として藤村少年の此の死を非難するにハ非ず（中略）

今の世の自殺者ハ多く、人に語る可からざるが如き私曲の心の爲に死す、又た此世の艱難に耐ふるが如き強固の意志なきが爲に死す、是れ擯斥す可きなり、藤村操ハ眞理を求めんと欲する外に存念無かりき、即ち心に私曲を存せざりし者なり、又彼れハ世渡りの艱難を恐るゝ年頃に非ず、然らバ意志の弱きが爲に止むを得ず死

境に推し附けられたる者と同一視す可からず、活きんと欲すれバ活くることを得る自由の境涯に於て、自由の意志を以て死したる者なり（中略）

直ちに聞く人の肺腑を衝く如き力あるに非ずや、諸君ハ藤村操の『巖頭感』の文字を見よ。一讀して深き感慨に襲はるゝを禁じ得ざるにハ非ずや（中略）

藤村操の死に対して余の観る所ハ斯の如し、然れども總体の上より猶ほ一言す可き者あり、彼れの死ハ恨事なりと雖も、實ハ時代思想の反應なり、今の世ハ二元的の暗き信仰破れ、思辨的の舊き哲學滅び、而して未だ一元的の光明ある信仰の大いに與らざる中間なり、之れを信仰上の過渡の時代と稱す可し（中略）藤村操なる者、天下に最著名なる絶景の地に立ち、高く懷疑の標を掲げて、人間空前の異擧を敢てせり、是れ豈に世人に對して、眞理を求むる上に、性命よりも重ず可き由々しき大事あることを告げて人心を警破するに足る者に非ずや、若し世に藤村操の如きもの相尋で現はるゝこと有りとするも、其れハ時代の罪なり、時人が萬有の眞相に想到する根本問題の如何に重大なるやを捨てゝ顧みざるの罪なり、操の死ハ心界の暗に對する曉鐘なり（4）

藤村操のあまりにも有名な「巖頭之感」は、「悠々たる哉天壌、遼々たる哉古今、五尺の小躯を以て此大をはからむとす、ホレーショの哲学竟に何等のオーソリチーを価するもので、万有の真相は唯一言にして悉す、曰く「不可解」、我この恨を懐て煩悶終に死を決す、既に巖頭に立つに及んで、胸中何等の不安あるなし、始めて知る大なる悲願に一致するを」であった。ここで問題になるのは『曰く、「不可解」』である。さきに小泉八雲の不吉な予感が漂いはじめている。「曰く不可解」は、やがて時代の津波を予感させるものであった。例えば、藤村の親友である藤原正は、藤村操の自死を回想して、あたかも新時代の到来を告ぐる鐘のように日本中に響きわたったとみ、その意味するところは、「明治以来三十有余年、人々はやうやく皮相なる外側の文明に倦みて、不識のうちに更に深

き生活を求めつつあった」ことを指摘している。(5)

さきにみた安倍能成も、藤村の死について別の角度から、「藤村操の死はたしかに時代的意義を持って居た。日本は明治以来欧米列強の圧迫に囲まれて、富国強兵の一途に進んで来た。一高の籠城主義だとか勤倹尚武だとかいふものも、結局は日本のその趨勢の一波に過ぎなかった。ところが朝鮮問題を中心として日清戦争があっけなく勝利に終り、更に十年を経て日露戦争が起る前後から、国家問題とそれを中心とする立身出世に余念のなかった青年に、国家でなく自己を問題による傾向が起って来た」(6)ことを説いている。つまり、藤村の自死は、日露戦争前後の資本主義が確立していくなかでの、社会制度そのものに向けられた「不可解」になろうか。(7)

三たび小泉八雲をとりあげると、かれが皮肉にも日本の進路の忠告者としてあげたスペンサーの哲学は、明治日本人の人間観を色濃く限定して、現世的な功利主義や、家と国家への忠誠を主とする全体主義へと向かわせてしまった。それは明治政府の富国強兵策への強固な理論的支柱となったし、教育勅語体制維持の礎となっていたのである。そして、「このような家や国家への忠誠を前提として眺められた世界像は、二つの戦争を経て産業資本主義が発達し、自由主義がそれに伴って進展しながらも、強固に編成された絶対主義的国家制度と独占資本主義的社会制度の前で知識人たちがどこにも自我の実現を図るべき現実的な場を見出せぬままに」(8)姿を変貌させる以外なかったのである。ここに藤村操自死の社会的意義が厳然として存在する。

すなわち、明治政府にとって、その基盤である富国強兵や教育勅語体制に少なからず影響をもたらすもの――自然主義、個人主義、自由主義、資本主義、社会主義などなど――は外円に置かねばならないはずである。ところが藤村操の「不可解」の自死は、教育勅語体制への挑戦である。明治日本人、明治青年は疑問なく全体主義体制に安住してもらわなければならないのである。

〝修養〟こそ、〝明治修養〟こそ、藤村操自死の問題、「人生不可解」ではなく、確たる忠誠日本明治人存立のための思想として産出されたのである。

二　教養への道程

もともと修養概念と教養概念に大きな差異は認められなかった。むしろ修養も教養も同義のように考えられていた。例えば田中耕太郎は、明治期の学生気質を論じて、「耽溺以外に興味ない連中は度外視して、学生の或る者には点数の虫であることから超然たること自体が何か非常に価値あるやうに考へられた。彼等は将来の方針とは無関係に個人的修養乃至教養の為めに、或ひは宗教に、或ひは文芸に、或ひは哲学に馳った」と感じている。ここでは修養も教養も同義なのであろう。もっと古くに溯れば、「修養」や「教養」の原典とも思われるジョン・スチュアート・ミルの著書で中村敬宇が翻訳した『自由之理』がある。このJohn Stuart Millの〝On Liberty〟は一八七〇年のロンドン版（初版は一八五九年）を一八七一（明治四）年に翻訳したものである。本書において中村敬宇は、Educationをその場その場の情況を考え合わせながら、「修養」「教養」「教育」と三様に訳している。「修養」と訳した部分を数ヶ所摘出してみよう。(9)「人ノ気性アリテ感動シ易ク、活発ニシテ勢力アルモノハ、修養ノ功ヲ加フルバ、善徳ヲ奮熱ニ愛好シ、己私ヲ厳粛ニ克治スル人トナルナリ。」「蓋シコノ性気アリテ又能ク修養スル人々、寄リ合ヒテソサイテイ中間会社トナレバ、ソノ職分ヲ為シ、邦国ヲ保護スル事ヲ得ルナリ。」「凡ソ人、ソノ願欲、ソノ気勢、自己ヨリ発出スルモノハ、自己ノ本性ヲ具ヘタルモノニシテ、モシ自己ノ修養ニ由リテ、コレヲ拡充」云々。「人ノ万物ノ霊タルユエンノモノハ、外貌ノ美ナルニアラズシテ、実ニ思察想観ノ尊貴華麗ナルモノ二由レリ。コレ各箇人民ノ独自一己ナルモノヲ修養シ各自殊異ナルモノヲ発達スルニ由リテ得ヲルベシ。」以上の四か所の「修養」をみたが、訳者の細心の注意が伺える。同時に中村敬宇は、「教育」と「教養」を色分けしている部分が多々あるが、ここでは詳論は割愛する。

いわゆる明治新時代における教育上の大転換は、廟堂中心の学校から皇祖天神社中心の学校への変化であろう。古代から約千年にわたって孔子中心の教育像から天皇中心のものに転換したのである。わが国が、学校教育に先んじて一般社会人を対象に展開された大教宣布運動はこの潮流にほかならない。当時、これもいわゆる皇漢洋三学派の抗争なるものが渦巻いていたとすれば、社会人教育はまさに皇学派の意図のままに実施されていくことになったのである。時の経過とともに明治政府は、帝国憲法にのっとり「神聖不可侵」の天皇を戴く国家体制を築きあげ、加えて五常五倫の庶民道徳を下敷きにした教育勅語によって、万世一系の皇室崇拝と忠孝を国民教化の心柱にすえていった。右に記述してきた修養・教養・教育の意味の混在は単なるここまでの一つの現象にすぎないのであって、〝修養〟こそが、教育勅語体制を維持発展させるための装置なのである。

こんなことを背景に、明治中期から後期にかけて、修養論が続出する。その一つの象徴が新渡戸稲造の修養論であろう。新渡戸は、「修養とは読んで字の如く、修め養ふと書いてあるから、これだけにて、既に意味が解って居ると、思ふ人もあらうが、然らば修めるとは何を修め、養ふとは何を養ふのかと、目的を質したならば、折角解った思ふことも、案外面倒な問題」だとし、「修身とは克己なることが本となって、肉体情欲の為に心を乱さぬ様、心が主となって身体の動作又は志の向く所を定め、整然として、順序正しく、方角を誤らぬ様、挙動の紊れぬ様、進み行く意」であると説いている。つまり修養とは修身養心と説明するまでは常識的な判断と解することができる。

しかし新渡戸は、修養の体現者として「日露戦争に斃れた両志士」(10)をあげている。日露戦争後のわが国の思想状況をみると、非戦論、反戦論、社会主義、自由主義、個人主義等々の動きが活発化していく中での新渡戸の修養論の意義はどう考えたらよいか。新渡戸の日露戦争における志士像は、新渡戸の『武士道』[11]と連結していくのではないか。かれの武士道の中核は、義・勇・仁・礼・誠・名誉・忠義・克己である。この武士道の中核はそのままかれの修養論に結びつくものである。

修養の名そのものを冠した団体に修養団がある。修養団は一九〇三（明治三十九）年に発会式をあげるが、その目的は「流汗鍛錬、同胞相愛の二大主義に基き同志提携して各自の修養を図り社会の風教を矯め以て定刻の皇国の進運に貢献する」[12]ことにあった。さらに満州修養団においては「修養の願ひは、独り国内のみならず、国外にも亦た道を広め、以て八紘一宇の天業を翼賛し奉らんとするに在る」とし、「さらば選ばれたる日本よ！（中略）弱国の苦難を除く為めに、神意を奉じて降魔の剣を執れ！」とまで主張している。修養団創立者である蓮沼門三は後に『救国運動と教化総動員』を述作しているが、修養概念はやがて教化概念へと重ね合わさっていくことになる。

やや粗略な表現を用いれば、修養は〝強要〟である。修養は思想善導、国体護持、忠魂観念等の徳目の強要である。修養は明治政府あるいは近代日本国家の体制維持にとって不可欠の実践道徳である。

三　「他者共信」への道程

修養と教養とは全く異なる概念である。いま、修養は強要主義あるいは徳目実践主義と判断したが、教養は選択主義といえる。ベルナルドゥス（Bernardus）というと陳腐な感をもつかもしれない。しかしかれは、人間は生涯を通して「人間であること」を学び、それを実現すべきであるが、それこそは教養の中心課題だとする。しかしともすれば教養自体が、空虚な権威あるいは無力な旗印にすぎないものに感じられてきた事実に対し、「選択の自由」、「自律の自由」、「キリストと自由の道」という三つの自由を対抗軸にかかげているのは興味深い。[13]

選択主義としての教養は、俗にいえば、「あれもこれも」学ぶ姿勢となる。「自由学芸」を訳して「教養」という言葉に置き換えた場合もこれに該当することが多い。さまざまな学科教科目を並列することで、しばしばこの種の教養を教養主義と呼ばれる場合がある。教養を教養主義であると批判する理由としては、(イ)役に立たない、(ロ)創造性をもたない、(ハ)思想追求の無原則性、(ニ)大衆蔑視の貴族趣味性、(ホ)特別な階層だけがもつ音楽、美術、哲学などを語る特権性などが指摘されてきた。しかし、これらの指摘は、教養を仮に、「装飾的教養」と「養分的教養」[14]とに仕分けが可能なときの装飾的教養への指摘であって、本来の教養とは異なるのである。

それでは、本来の教養の一場面を紹介しておこう。明治・大正・昭和・平成などの政治区分は実のところ何の意味をもたないし、好きな表現ではないが、通例に従うとすれば、修養は明治政府の要請に応じたものであるとすれば、教養は大正デモクラシーの要請に応えたものと仮に表現しておく。教育上における大正リベラリズムの典型といえば自由大学運動があげられよう。自由大学運動は、一九二〇年代はじめから三〇年代はじめにかけて、長野県の養蚕地帯を中心に、各地方で展開された地域民衆が主体となってつくりあげた文化運動であり、自己教育運動であった。一九二一年、長野県上田地方で最初の自由大学である信濃自由大学（のちの上田自由大学）が発足するが、その成立における「信濃自由大学趣意書」には、「学問の中央集権的傾向を打破し、地方一般の民衆が、其の産業に従事しつつ、自由に大学教育を受くる機会を得んが為めに、総合長期の講座を開き、主として文化学的研究を為し、何人にも公開することを目的と致しますが、従来の夏期講習等に於ける如く断片短期的の研究となる事無く続一連続的の研究に努め、且つ開講時以外に於ける会員の自学自習の指導にも関与する事を努めます。」と発表された。

この種子に合わせて、信濃（上田）自由大学第一学期の講座一覧をみると、次のようなプログラムが組まれていた。

一九二一年一一月一日より七日間　恒藤恭　法律哲学
一九二一年一二月一日より六日間　タカクラ・テル　文学論
一九二二年一月二二日より七日間　出隆　哲学史
一九二二年二月一四日より四日間　土田杏村　哲学概論
一九二二年三月二六日より二日間　世良寿男　倫理学
一九二二年四月二日より五日間　大脇義一　心理学

なお、信濃（上田）自由大学の第二学期以降の講座名のみをあげてみると、第二期は、哲学概論、法律哲学、文学論、哲学史、経済学、宗教学。第三期は、哲学概論、経済思想史、文学論、哲学史、倫理学、宗教哲学。第四期は、社会学（概論）、政治学（国家論）、仏教概論、文学論、社会思想史、哲学概論。第五期は、社会学、文学論（フランス文学）、哲学史、哲学（西田哲学）、仏教概論、社会政策となっている。これらの講座は、一見すると戦後の大学における一般教育の人文科学系列と社会科学系列科目と類似している。これらの講座の羅列は、ややもすると教養主義批判の対象とみなされがちであるが、けっして教養主義ではないのだ。

さきほど訳した、本来の教養の一場面はこれからである。長野県下伊那郡の佐々木忠綱は若きころ自由大学に学んだ。佐々木はのちに村長に選出される。かれは村長時代の二つの大きな思い出としてこんなことを話し、記述している。一つは満蒙開拓団に「村」として認めなかったこと。もう一つは、戦争中、村長として書記官から、「村長としてそれは失言ではないか、そういうことは云うべきではないじゃないか」と叱責されながらも、出征兵士の送別会で「おまえ絶対死ぬなよ。どんなことがあっても、絶対生きて帰ってこいよ。」と励ましたことを述懐し、記録にとどめている。佐々木のこの反戦思想はどこから生まれてきたのか。佐々木の若き日に学んだ出隆の「哲学」は、教養としての西洋哲学であり、直接に平和問題や戦争問題に触れた内容ではなかった。しかし佐々木は、出隆の哲学を真摯に学んだ結果として村長の発言に連結しているのである。教養のあるべき姿とはそんなものである。(15)

まわりまわってしまったが、数ある教養論の中で、阿部謹也は教養を次のように定義している。「『教養とは自分が社会の中でどのような位置にあり、社会のために何ができるかを知っている状態、あるいはそれを知ろうと努力している状態である』と。このように教養のある人を定義すると、これまでの教養概念のように知識人だけでなく、農民や漁民、手工業者たちも含まれることになる。」これである。要言すれば、教養とは、社会の中での自己認識とでもなろうか。阿部はさらに、「それは直接に付き合える限りの人と人とのつながりを平和に維持することである。争いを避け、一人一人がおのれの寿命を全うし得るような一生を送れるように配慮することである。現在よりも将来の方が少なくともより平和に暮らせるような希望を与え続けることができる人を、そこでは教養ある人と呼ぶであろう」と考える。もう一度、「〈生活社会〉における教養とは、周囲の事物と親しく接し、自然と一体となって生きる人間の姿勢から生まれるもの」と定義している。(16)

このことと関連して興味深い研究がある。大沢真理は、二〇〇〇年代半ばの相対的貧困率を紹介している。図18-1を参考にみてみると、OECD参加三〇か国の比較である。日本についてみると二本の棒グラフが示されており、一つは日本の国民生活基礎調査に基づいてOECDが分析した数値で、日本は一四・九パーセントで、メキシコの一八・四パーセント、トルコの一七・五パーセント、アメリカの一七・一パーセントについで四番目に高い数値である。

つまり、日本は世界でも有数の格差社会国家に仲間入りしていることになる。興味深いと述べたのは、この相対的貧困率は、「社会的信頼指標」と密接な相関関係をもつことである（図18-2参照）。すなわち、「人と接する時、相手を信頼できるか、用心する方がいいか」の設問に対し、「いつも信頼できる」及び「たいてい信頼できる」の回答比率は、日本では主要国の中で最も低く、逆に「人への信頼」は最低の三二・三パーセントでしかないのが現状である。[17] こんな情況を憂えて、浅倉むつ子は教養概念についてこんな提言をしている。教養教育とは、「異なった背景をもつ人々が共生できる社会、豊かで人権が保障された社会を創るために必要な、多元的な思考力をもつこと、そのための知識・認識・思考の技法を身につける教育」とし、約言すれば「共生社会を創造する技法を身につける教育」[18] こそが教養であると結んでいる。それは「社会的信頼指標」における「他者不信の社会」に対するアンチテーゼになっていよう。つまり教養とは、自らが社会の中でどのような位置にあるかを問い、社会のために何ができるかを知ろうと努力する状態であり、周囲の人々や事物と接し、自然と一体となって生きる姿であり、共生社会を創造するために努力する姿である。

教養は「他者共信」の姿である。

図18-1　相対的貧困率の比較（2000年代半ば）

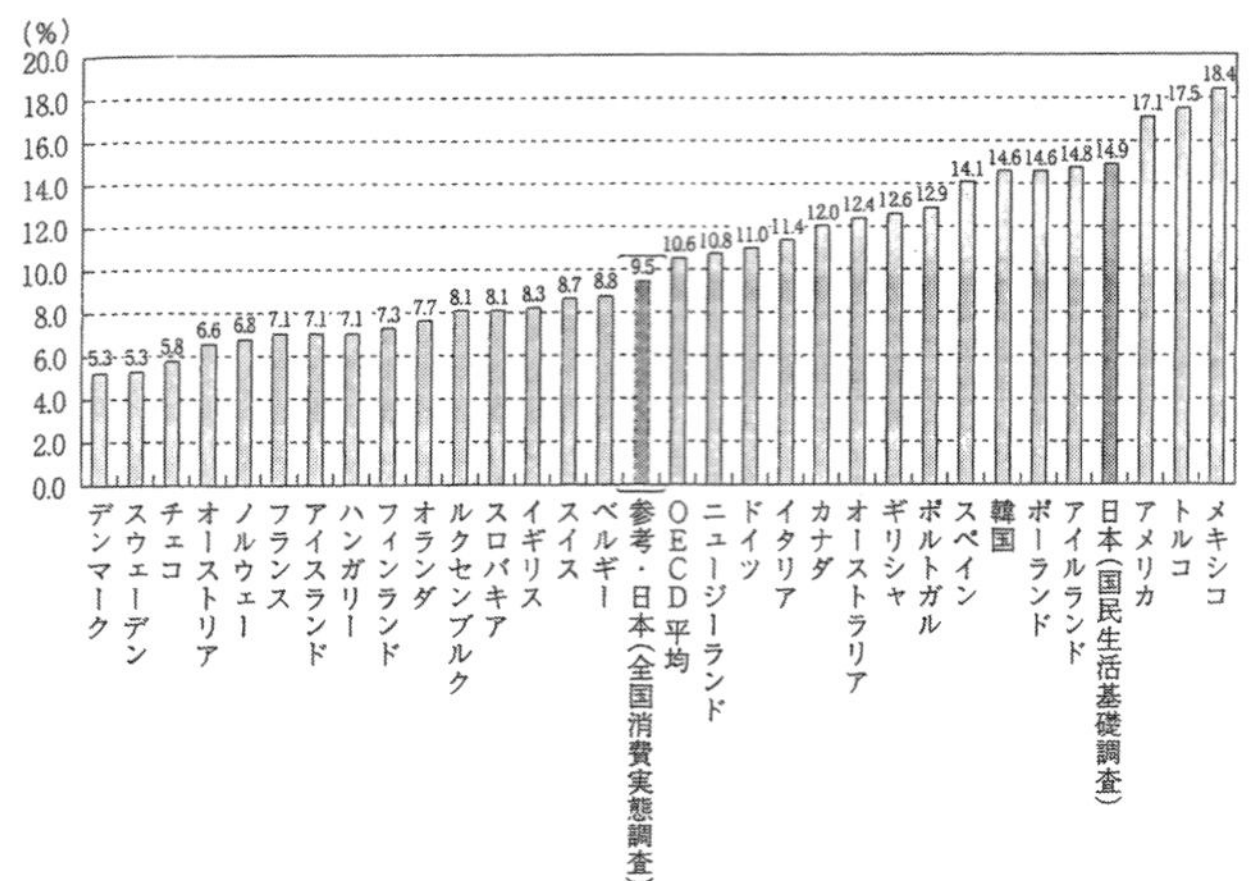

注１）　OECD FACTBOOK 2009により作成。
　２）　相対的貧困率：所得の分布における中央値の50％に満たない所得の人々の割合を示す。
出所）　図18-1、18-2ともに後掲注（17）より引用。

図18-2　相対的貧困率と社会的信頼

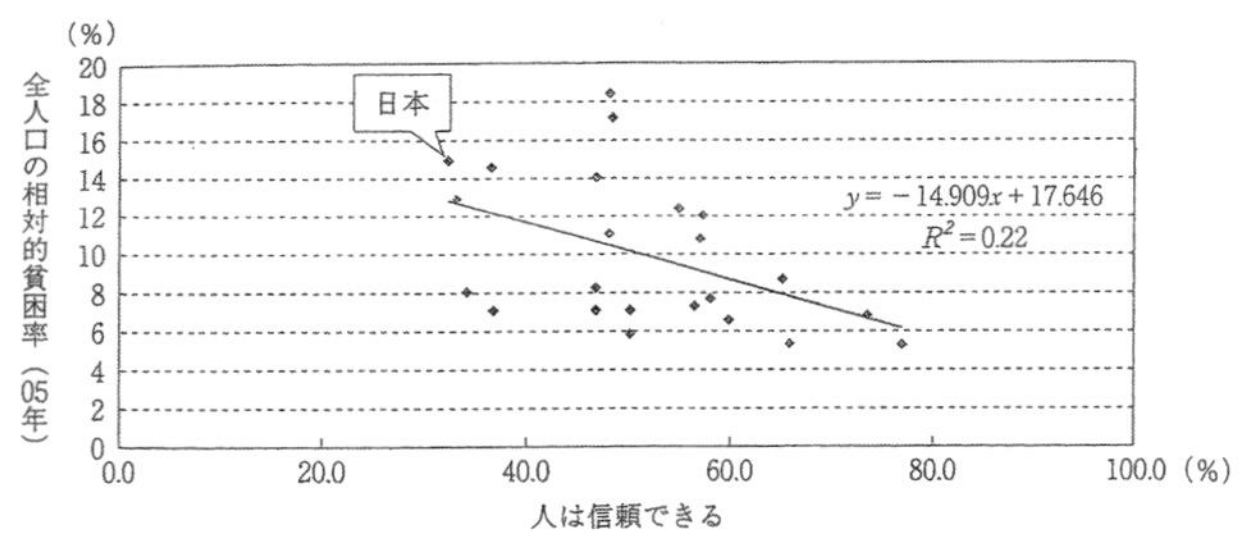

注）　横軸は、「他人と接する時、相手を信頼できるか、用心する方がいいか」という質問にたいして、「いつも信頼できる」と「たいてい信頼できる」と回答した者の比率の合計。

注

(1) 『全訳小泉八雲作品集』第十一巻、恒文社、一九六四年。
(2) 麹亭主人『巌頭感』万巻堂、一九〇三年。
(3) 『安倍能成選集』第二巻、小山書店、一九四八年。
(4) 『黒岩涙香集』明治文学全集四七、筑摩書房、一九七一年。
(5) 小林敏男『明治という時代』雄山閣、二〇一四年。
(6) 安倍能成『我が生ひ立ち』岩波書店、一九六六年。
(7) 東京百年史編集委員会『東京百年史』第三巻、帝国地方行政学会、一九七二年。
(8) 助川徳是『野上弥生子と大正期教養派』桜楓社、一九八四年。
(9) 『明治文化全集』第二巻、日本評論社、一九五五年。
(10) 『新渡戸稲造全集』第七巻、教文館、一九七〇年。
(11) 『新渡戸稲造全集』第一巻、教文館、一九六九年。
(12) 修養団編輯部『修養団三十年史』修養団、一九三六年。
(13) 稲垣良典編『教養の源泉をたずねて』創文社、二〇〇〇年。
(14) 沼田裕之ほか『教養の復権』東信堂、一九九六年。
(15) 大槻宏樹「自由大学運動」(〈歴史公論〉第八巻第一〇号)。
(16) 阿部謹也『学問と「世間」』岩波書店、二〇〇一年。
(17) 大沢真理『生活保障のガバナンス』有斐閣、二〇一三年。
(18) 浅倉むつ子「共生社会の創造」(日本学術会議〈学術の動向〉第一九巻第五号、二〇一四年四月)。

◉第一九話◉

人間を討ねる

一　「人間」の定義から
二　ホモ論について
三　間人と間柄
四　相互依存
五　人間宣言――人間を討う意味

一　「人間」の定義から

人という文字は、／aという人間を、／bという人間が支えている容（かたち）だと思っていた。それは大間違いであった。でも、人の文字は、人が人を「支え合っている」形をなんとなく信じたい。——そう思うのが人間だからである——。こんな説もある。「人間という文字には人びとの姿が、浮かび漂っているように思われる。複数の人間、個人がさまざまな状態で触れ合ったり、向き合ったりする光景が、この人間という言葉には見え隠れしているのではないかと思う。」（山岸健『人間世界の探究』慶應義塾大学出版会、二〇〇一年）。

さて、人、ひと、人間について、①白川静・小林博編著『漢字類編』木耳社、一九八二年、②白川静『字統』平凡社、一九八四年、③加藤常賢・山田勝美・進藤英幸『字源辞典』角川書店、一九八三年、④日本大辞典刊行会編『日本国語大辞典』第十七巻、小学館、一九七五年、⑤白川静『字訓』平凡社、一九八七年、⑥『日本国語大辞典』第十五巻、⑦同前・第十一巻の順に載録しておく。

①『漢字類編』

【人】ジン・ニン　ひと　名と・んど

象形　立っている人を、横から見た形。字の偏（へん）になるときは、イと書く。尸（し）や夷（い）（第五類）と、もとの字形はよく似ているが、微妙なちがいで区別される。坐っている形は卩（せつ）、立っている人の正面の形は大である。

②『字統』

人　ジン・ニン　ひと

象形　人の側身の形。〔説文〕八上に「天地の性、最も貴きものなり」とし、字形について「これ籀文、臂脛の形に象る」という。（後略）

③『字源辞典』

【人】教　ジン漢　ニン呉　ひと

意味〔人がからだを曲げて立っているのを横から見たさま〕①ひと。にんげん（人為・老人）②他人。自分以外の人（人様・人任せ）③たみ。国民（人民）④りっぱな人（人材・人物）⑤ひとびと。ひとりひとり（人並）⑥ひとがら。ひととなり（人格）⑦人の職業や属する社会を表わす（文化人・現代人）⑧人数を数える助数詞（五人）。（後略）

④『日本国語大辞典』第十七巻

ひと【人】［名］

一　①生物中の一類としての人間。（中略）

二　社会的に生存する人間。（中略）

三　ある人物、またはある種の人間を、一般化、または客観化することによって、漠然と表現する。（後略）

⑤『字訓』

ひと〔人〕

人間。もと一人の人をいう。特定の人をいう語から、のち人間一般をいう語となった。ヒは甲類、トは乙類。数の「ひとつ」の「ひと」とその甲乙が同じであるから、両者は同源の語であろう。（中略）人は象形。人の側身形である。（後略）

⑥『日本国語大辞典』第十五巻

にん-げん【人間】一［名］①人の住む世界。世の中。世間。人間界。じんかん。②人界に住むもの。ひと。人類。③人倫の道を堅持する生真面目な人。堅物。④見どころのある人。人物。人柄。

⑦同前・第十一巻

じん-かん（人間）

人の住む世界。現世。世間。

近世に眼を転じると、新井白石は辞典的名著『東雅』を編んでいる。白石は、「儒者として、かつはそのまれにみる国際的感覚を摂取した海外知識、その認識によって、いわば日本の言語文化を壮大なスケールによって描かんとした碩学」であり、「言語即文化という言語観に立つ言語学者」でもあった（杉本つとむ編『新井白石　東雅―解題・索引、早稲田大学出版部、一九九四年）。享保四（一七一九）年、白石六三歳で完成したといわれる『東雅』巻之五のうち「人倫第五」に、

人　ヒト

義不詳。上古之語に、ひといひしは霊也、亦善也。ととといひしは止也、所也。ヒトとは霊（ヒ）の止（トドマ）る所といふがごとし。

と記されている（同前、東雅―影印・翻刻）。

つまり、人とは霊が宿されている。霊が宿されているから人なのである。したがって人から霊が離れれば人ではなくなるのである。日本でも馴染み深い通称ブラック法律辞典（H. C. Black, *A Dictionary of Law*, 1891）のDEATHの定義を三つあげているが、その二つめは、the departure of the soul from the body と説明している。東雅の説

と同じように、〈身体から霊が離脱すると死〉なのである。ヒトには霊が止まっていなければならないのである。人間の定義として、後に詳述するが、プラトンの「不死」の定義は、「魂をもって存在すること、永遠の持続」となっている（向坂寛ほか訳『プラトン全集一五』岩波書店、一九七五年）。やはり人間は魂（霊）を保持していることが条件なのである。

多くの人にとって記憶されている人間の定義の中で、パスカルの『パンセ』における定義であろう。三木清は『パスカルに於ける人間の研究』（『三木清全集　第一巻』岩波書店、一九六六年）で、「パスカルの思想に於て中心的意義を有するものは「人間」の概念である。人間に関する独自な方法にもとづく特殊な見方が彼の思想に鮮かな個性と光彩を与へた。彼は激しさと優しさ、恐れと憐みとをもって、人間とは何であるか、と云ふ問を追ってゐる」と解説している。そこで『パンセ』（由木康訳、白水社、一九七八年）から人間の定義を抽出してみよう。その第六編「思考の尊厳」のうち、

三三九

わたしは、手も足も頭もない人間を想像することは、十分できる。（なぜなら、頭が足より必要だということを知らせてくれるのは、経験だけだから）だが、わたしは、考えない人間を想像することはできない。そんなものは石か獣（けもの）であろう。

三四七

人間は一茎の葦（あし）にすぎない。自然のうちでもっとも弱いものである。だが、それは考える葦である。（後略）

三四八
　考える葦。――わたしが自分の尊厳を求めるべきは、空間からではない。自分の思考を規制することからである。わたしはいくつの領土を所有しても、自分以上のものにはなりえないであろう。空間によって宇宙はわたしをつつみ、一点のようにわたしをのみこむ。思考によってわたしは宇宙をつつむ。

　三木はパスカルの人間観を次のように続けている。すなわち「彼が問題とした人間は心理学者の意識や精神でなかった。心理学、その他すべて、自然科学乃至文化科学の研究するあらゆる名における人間は、すでに対象化された人間である。然るにパスカルが取扱ふ人間は対象ではなくて存在である」と意味づけている。「存在」とみるところにパスカルの独自性が認められる。つまりパスカルの「討ねる人間は絶対に具体的なる現実」として受けとめられるのである。もう少し敷衍すれば、「人間の存在は自然に於ける存在として規定されるが、さて我々は如何にしてこの最も形式的な規定を充実させてゆくか。存在としての人間を研究することに始った観察は人間の存在性の研究に向ってゆく。人間の存在は現実的存在である」と理解する。しかも、人間の具体的存在性の概念は「生」(vie)なのである。ここに、パスカルの「人間は考える葦である」の意味が込められていよう。

　プラトンの人間の定義も独特である。まずプラトンの「定義集」(向坂寛ほか訳『プラトン全集』一五巻、岩波書店、一九七五年)からみてみよう。

103　定義。種差と類からなる説明。
121　人間。羽のない、二本足の、平たい爪をもった動物。存在するもののうち、ただこのものだけが、推理に基いた知識を得ることができるもの。

となっている。訳者の一人、向坂寛の『定義集』解説によれば、そもそも「定義集」（中略）の字義は「境界」とか「限界」を意味する（ラテン語のdefinitioも同じである）。それはある概念をより広い、もしくはより狭い境界の中に閉じこめることなのである。「より広い境界」を類概念、「より狭い境界」を種差と言ってもよいかもしれない。つまり類概念に種差を加えることによって定義が完全になると言えよう。たとえば「人間」を定義する場合、プラトンの分割法を借用すると、まず、「人間」だけでなく、「牛」や「馬」などの多くの種的形相が相互に異っているものでありながら「動物」という一つの類的形相の中に含まれていることを見てとり、今度はその「動物」という類を「二本足のもの」、「四本足のもの」とに分け、次に「二本足のもの」を「理性をもつもの」と「理性をもたないもの」とに分け、最後に「二本足の、理性をもつ、動物」という定義が得られるわけである。（中略）しかしディオゲネス・ラエルティオスによると、プラトンが、「人間とは二本足の、羽のない動物である」と定義して好評を博していると、キュニコス学派のディオゲネスが、雄鶏の羽をむしって、それを手にプラトンの教室に入った。そして「これがプラトンの言う人間だ」と言った。そこで、この定義にさらに「平たい爪をもつ」というのが付加されたという。

さきのブラック法律辞典の続きにプラトンの「不死」の定義を示しておいた。それと同じく、プラトンの人間観は、共通の、普遍的言葉の中で人間を掴えている。

『韓非子』の「外儲説左上」（本田済訳、筑摩書房、一九六九年）に示唆に富む例話がある。「客に斉王の為めに画く者有り。斉王問ひて曰く、画くには孰れか最も難き者ぞと。曰く、犬馬難し。孰れか易き者ぞと。曰く、鬼魅最も易し。夫れ犬馬は人の知る所なり。旦暮前に罄る。之れに類す可からず。故に難し。鬼神は形無き者にして前に罄らず。故に之れを易しとするなり。」訳すまでもないが、画の場合、抽象的なものを画くのは易しいが、具体的なものを画くのは難度が高くなる。人間という身近かで具体的存在を極める作業は注釈が多くならざるを得ないのである。

観点を変えて、「人間」が「ひと」の意味に用いられた時期の考察に移ってみる。土淵知之は、「漢語・仏教語「人間（じんかん・にんげん）」が、「ひと」の意に用いられるようになった時期についての再考」〈國學院雑誌〉第一〇〇巻第三号）を論じている。そこで土淵は、「「人間（にんげん）という語は、漢音で「じんかん」とも読み、人間界・世の中・この世」の意味で、中古のころからわが国の典籍にあらわれてくる。やがて中世の末期から近世に至るころから「ひと」の意味に用いられるようになり、さらに近現代に至ってもっぱら「ひと」の意味になったというのが、恐らく学界のこの語に対する認識であり、私の認識であった」と述べている。土淵はその後、「人間」と「ひと」について、①漢籍・仏典における一般的な用例、②「今昔物語集」全三一用例中の三〇例と、問題の一例、③辞典類の用例の再検討、④中世の用例の再検討――『太平記』まで、⑤中世末期――『室町物語』『御伽草子』『謡曲』の用例を分析した結果として、次のような結論を導いている。

> 以上見てきたように、中世も『太平記』までは、すでに『今昔』にさえ、「人間」を「ひと」の意に用いた例がある、といった先入観に捕らわれずに読めば、「人間」の語は、仏教語として、あるいは漢語として、「人間（世）界・この世」の意味で通り、ほとんど迷うことはないといってよいであろう。
>
> ところが、中世末期に到ると、「人間」という語の使い方に、
>
> ① 人間界・世の中・この世。
>
> ② 人間界の人・人間界の者。の、「の人」「の者」の略。

という二つの方向が現れ、取り上げた例に限れば、②は四割弱に当たる。この解釈は、当時の人びとは、「人間」

という語に対して、まだ仏教語として、漢語として、「ひと」とは異なった語感を維持していたに違いない、という観点に依っている。

この②の用法は、「人間」が「ひと」の意味に変遷する契機を孕んでいることはいうまでもないが、しかし、確実に「人間」が「ひと」の意味に使われているといえるものは、最後に取り上げた（車は三寸の楔をもって、千里を走ると申し、人間は三寸の舌をもつて五尺の身を失うと申すが、（『円後』））の用例だけであり、また、「人間五十年……」に「人間僅か五十年……」と、「僅か」を入れた「人間」の例が、それである。しかし、後者はいうまでもなく、近世に入ってからの例であるし、前者も、あるいは近世の伝本の可能性がある。

かくて結論は、「人間」の語に、確実な「ひと」の意味としての通行が見られるのは、「中世末から近世」という従来の説を遡ることなく、むしろ近世に入ってからであろう、ということになる。

加えて、楊琴は『性霊集』から『今昔物語集』までを対象とし、「日本における漢語「人間」の意味について」（〈和漢比較文学〉第五〇号、二〇一三年二月）を発表している。楊は、「「人間（ニンゲン・ジンカン）」は、「人の世・俗世間・世の中」といった意味の仏教語で、中国から古代日本へ伝来し、その後、時代が下るにつれ、日中両国において、意味のずれが徐々に生じた」ことを再論している。楊はそのうえで、①中国の文献における「人間」、②日本の文献における「人間」、③『性霊集』における「絶人間之腸」、④『今昔物語集』までの「人間」の研究を踏まえて、以下のような結論付けをしている。すなわち、

（一）「人間」の「ヒト」を意味する用例は、中国では、唐代の不空が訳した仏典にあるのに対して、日本では、空海の『性霊集』『大日本国法華経験記』に見られる。ただし、「ヒト」の意味で使用される例が空海の著書『性霊集』や『大日本国法華験記』にある。『性霊集』の用例「絶人間之腸」は、『日本国語大辞

典』（第二版）に「ヒト」の意味で初例としてあげられている『今昔物語集』より三百年ほど早い。

（二）不空による例「人間之骸」における「人間」は、「骸」という身体語彙と組み合わせられることで、その内包する「ヒト」の意味が浮き彫りにされた。『性霊集』から『今昔』までの「人間」は、皆同様の意味で用いられているように見えるが、身体語彙との関わり（『性霊集』「人間之腸」）、鬼神や天人と対比する（『大日本国法華験記』「非人間　亦非鬼神」『今昔』「天人ハ目瞬カズ　人間ハ目瞬ク」）、というそれぞれの表現条件によって、「ヒト」という意味が確定されている。

（三）このように、「人間」の「ヒト」を意味する用例は平安時代にも見られるが、散発的でいくつかの文献に現れているものである。その傾向は純粋な漢詩文を除き、仏教と深く関わる書物に偏ることを示している。したがって、「人間」は平安時代にすでに「ヒト」の意味で一般的に用いられていたと結論付けるには、なお慎重でなければならない。

なお今後の課題として、「人間」の語が、中古以後から現代に至るまでの具体例使用例の詳察であり、日中両国での「人間」観の意味の差異が生じる要因や変遷の究明であり、さらには、「人間」が「ヒト」「ひと」の意味に固定されていく文化的・社会的背景の分析が切望されるところである。

なお、ここで、和辻哲郎の人間観について要約しておきたい。まず『人間の学としての倫理学』（岩波書店、一九三四年）からその論旨を要約するにとどめておきたい。和辻は、「人間」という言葉の意味から、次のような自問を発している（一〇―一一頁）。

『人間』といふ言葉は今漫然とヨーロッパ語の anthrōpos, homo, man, Mensch などに当てて用いられてゐる。しかしまた同時に『人』といふ言葉も同様の用法に於て用いられる。では『人』といふ言葉に『間』といふ言葉を結びつけたのは何を意味するのであらうか。或は何の意味もないのであらうか。ドイツの社会学者は『人』と『間』との二語を結合することによつて、即ち Zwischen den Menschen 或は das Zwischenmenschliche といふ言葉によつて、人的関係を社会とする一つの立場を云ひ現はしてゐる。然るに日本語に於ては『人』も『人間』も何らの異る意味を現はし得ないのであらうか。

この自問に答えるように和辻は、さまざまな検討の結果、「我々は『よのなか』を意味する人間といふ言葉が人の意に転化するといふ歴史全体に於て、人間が社会であると共にまた個人であるといふことの直接の理解を見出し得ると思ふ」（一二頁）と解釈する。その一方で「『ひと』といふ言葉は自、他、世人等の意味を含蓄しつつ、すでに世間といふ意味をさへも示唆してゐる」（一四頁）とみ、同時に、「『人』といふ語のこの特殊な含蓄は、この語に『間』といふ語を添加して『人間』といふ語を作っても、決して消えて行くものではない。人間は単に『人の間』であるのみならず、自、他、世人であるところの人の間なのである」（一五頁）と説明していく。

一方で和辻は、次のような見解も示している。

> 古い印度の神話的想像によれば、衆生は輪廻によつて五つの世界（loka）に轉生する。地獄中に、餓鬼中に、畜生中に、人間に、天上に。この『中』『間』『上』等が loka の訳なのである。従つて天上とは天（deva）の世界、人間とは人の世界を意味する。人の世界とは人間社会であつて人を取り巻く自然界のことではない。況んやこの世界の住者たる人を意味するのではない。（一六頁）

前にあげた仏教の輪廻観は、衆生の経めぐる世界を地獄中、餓鬼中、畜生中、人間、天上の五界、或は阿修羅を加へて六界とした。衆生は『人間に』生じた場合に『人』であり、『畜生中に』生じた場合に『畜生』である。（中略）かくして我々は『人間』といふ言葉が『人』の意に転用せられる最初の契機を、輪廻的人間観に関連せる訳語の用法の内に見出すことが出来る。（一八頁）

つまり、冒頭での自問に示された和辻論の中で、「人間」が「人」の意味に転用された一つの大きな要因は、仏教の輪廻思想に基づいた人間観が存在するからである。日本人が「人間」を考える場合には、どのような方法をとっても、仏教の輪廻の過程を示した「人間」という言葉を使わなければならないのである。「人間」という言葉を使用する際には、常に無意識に仏教の輪廻思想が基底にあるからである。「言葉はその国民のものの考え方を如実に反映しているからである。したがって、日本人が「人間とは何か」と問う時には、西洋哲学で展開してきた人間考察と同時に、「人間」の語源にもなっている仏教の輪廻思想にも言及しなければならない。さらに仏教そのものも考えなければならない。その両側面の作業により、はじめて日本人的な意味での「人間とは何か」と問うことが可能になるのである」という説は妥当であろう（藤近恵市「輪廻思想の研究目的」大正大学総合仏教研究所輪廻思想研究会『輪廻の世界』青史出版、二〇〇七年、四頁）。

ところで和辻は、次に『世の中』であるとともに『人』であると規定せられる場合の『世の中』とはなにか、を問うていく。人の『間』がいかにして『世の中』であるのか、『人間』が単なる『人』と区別されるのは、この『間』の意味が問題となる。その解明の糸口の一つが別稿で扱う「間柄」の問題である（『人間の学として倫理学』二二一―二三頁）。その間柄について、和辻はその著『倫理学』（三）、岩波書店、二〇〇七年において、「倫理問題の場所は孤立的個人の意識にではなくしてまさに人と人との間柄にある（一九頁）と間柄に言及している。それは、人と人との間柄の問題としてではなくては、行為の善悪等を解くことができないからである。そこに人間の学としての倫理学が成立するのである。しかも、人間は世の中であるかぎり、あくまでも人と人との共同態であり社会であって、孤立的な人ではないのである。それは「孤立的な人でないからこそ人間」なのである（和辻哲郎『倫理学』（一）、岩波書店、二〇〇七年、二八頁）。和辻は『倫理学』（二）（岩波書店、二〇〇七年）においても、「人と人との間には架ける橋がないと云われ、あるいは人の個性点には他の何人も触れることができぬと云われるにもかかわらず、絶対的に他者の参与し得ないような特異な存在はどこにも存せぬ」（九〇頁）とまで断言している。ここに和辻の人間の奥の深さを感じとることができよう。

二　ホモ論について

人間の定義、あるいは人間理念の基本類型をあげてみよう。松下三省は『人間学』（同文館、一九五〇年）で、「西洋文化の圏内に於て今日尚支配している人間思想は様々にあり得るが、それを最も明確な且つ最も捉え易き理想類型に還元すれば、そこに五つの根本思想が見出される」としている。以下、五つの類型の要点を原文のまま列挙する。

一、猶太的——基督教的人間

これは古來極めて廣く支配している人間理念で勿論哲学や科学の所産ではなく宗教的信仰の理念である。即ち宗教的なユダヤ民族及びその諸記録特に旧約聖書、古代の宗教史や福音書等に由來し、人格神による（肉体及び霊魂上）人間の創造、一組の夫婦よりの人間の系統、樂園状態、悪魔によつて誘惑された者の堕罪、神人によつての救済及びそれにより恢復された神子關係、さまざまの終末観、霊魂の自由性、人格性、精神性及び不滅性、肉体の復活、最後の審判その他に関する周知の神話がそれである。（後略）

二、理性的人間（ホモ・サピエンス）

この現今なお極めて廣く支配している第二の人間理念は、謂わばギリシャ人、特にギリシャの都市市民階級の発見であり、人間の自己評価の歴史における最も力強く最も影響多き発見の一である。（後略）

三、労作的人間（ホモ・ファベル）

このホモ・ファベル説は先ず第一に、人間だけ他の動物から離れて理性なる特殊能力の存することを否定する。それに於ては人間と動物との本質的区別というものはなく只程度上の差異あるに過ぎない。人間は只特殊な動物の一種に過ぎないのである。人間の内には又他のすべての生物にある同一の要素、力及び法則が唯一層複雑に存在し且つ活動しているに過ぎない。このことは身体的にも、心理的にも、また謂う所の「ノエシス的」にも当嵌まる。（後略）

四、生否定的人間（ディオニュソス的人間）

この新しき人間学及び歴史観の根本的なる点は、如上の進歩的なホモ・サピエンスやホモ・ファベル或いは堕落しても再び向上し救済されるキリスト教的人間、又は種々の「精神的存在」に醇化される衝動的存在等のあらゆる在來の西洋的人間学及び歴史観に全く反対して、人間のいわゆる「一万年の歴史に於ける必然的没落」の命題を掲げ、この没落を既に人間自身の本質及び起源のうちに措定する点にある。（後略）

五、超人的（要請的無神論的）人間

人間の自己意識を、同じく他の如何なる理説も曽てなしたことのない程、峻しき、傲慢な、眩暈（めまい）を惹き起さしめる程の高所に跳ね上げしめるのである。ニーチェが『ツァラツストラ』の中で人間を称んでいる「嫌悪と心の痛む慚愧」が此説の情緒的出発点である。（中略）

シェーラーはこれを真摯と責任との要請的無神論とよぶのである。（中略）ニーチェは「もし神々が存在するならば、如何して私は神でないことに我慢したろう。夫故神々は存在しない」と言った、（併し此言は余り良く理解されていない）。ここにカントの要請的有神論に対する最も鋭き要請的無神論が極めて明らかに表現されている。

吉田光は、シェーラーの哲学的人間学において、ヨーロッパ文化圏での今日なお支配的な人間の自己把握＝人間観を五つの類型にまとめている（『ヨーロッパにおける人間観の研究』未来社、一九八二年）。前著と全く共通しているが、これも原文のまま再録しておく。

（1）宗教人（homo religiosus）的人間観。ユダヤ教・キリスト教の信仰にもとづく人間観。

（2）知性人（homo sapiens）的人間観。ギリシア人（古代ギリシアの市民階級）の発見した人間観。

（3）工作人（homo faber）的人間観。近代の啓蒙期以来有力になってきた、自然主義的・実証主義的・実用主義的な人間観。

以上あげた三つの類型は、それぞれユダヤ的・宗教的、ギリシア的・哲学的、近代的・実証科学的な性格をもつものとして、先にシェーラーが人間観・人間学における「三つの伝統的な理念圏」とよんだものに対応するものといえよう。ここで注目されるのは、最近現われてきた、これらとは異質的な人間観として、さらに二つの類型があげられていることである。

（4）ディオニュソス的人間（homo dionysiacus）観。（2）や（3）への反動として現われてきた、生命主義的・汎ロマン主義的な人間観。これまでのすべての人間観とはちがって、人間は他の動物より劣った動物であり、人間の歴史は〈頽落〉（Dekadanz）への必然的な歩みであるとみる。（中略）

（5）創造者（homo creator）的人間観。ニーチェが提起した〈超人〉（Übermensch）という理念に由来する新しい無神論的な人間観。

一方で、宇都宮芳明は、〈「人間とはなにか」という問い〉において、①人間への問い、②人間の識別、③人間の本質、④人間の人間性の展開を通して人間の定義に迫っている（『人間の哲学の再生にむけて』世界思想社、二〇〇七年）。宇都宮は、人間の識別について、普通の一般人は人間を識別する能力をもっていると判断する。われわれはなにが人間であって、なにが人間でないかについて遅滞なく分明に分別することができる。それは人間の外形に伴うものであり、いま一つは人間の抽象化の問題である。かれは、人間の識別の問題と人間の定義の問題とは区別する必要を説きながら、人間を他の動物から区別する試みをしている。こんな比喩を試みている。

人間は動物である。しかし第二に、人間は人間以外のすべての動物とは異なって、理性をもつ。人間は理性をもつことによって一種独特の動物である。だがこのことは、同時に、人間は実はたんなる動物ではないということを意味している。つまり人間は動物であるとともに、動物ではない。もっとも、辞書によると、「動物」は二義的であって、「人や鳥獣虫魚などの総称」であるとともに、他方、「人間以外の動物、とくに獣や鳥など」を意味する（『岩波国語辞典』）。動物園には人類舎は設けられていないし、「動物愛護」と言えば、人間ではなく、犬や海豚を愛護することである。この辞書的定義によれば、人間は前者の意味においては動物であるが、後者の意味においては動物ではない。

さらに人間を人間以外の動物から区別できる特徴として、「笑うことを心得ている動物」、「笑わせる動物」、「道具を使って工作する動物」、「労働する動物」、文化現象としての「遊びをする動物」、「文化を創る動物」、「芸術や宗教をもつ動物」、「象徴を操る動物（animal symbolicum）」、「他人の役割を取得する動物（role-taking animal）」の定義を行っている。なお同書では、倫理の問題との関係で、「人間と人間との関わり」つまり「人と人との間柄」として間柄論を展開している。間柄論は後節に譲るとして、人「間」性を構成する主要な契機の一つとして人間愛を指摘している。現に humanity とか humanité とか Menschlickeit の語はいずれも他者に対する〈慈愛〉の意味を含んでいる。人間的人間（homo humanus）にいたるには人間愛に富んだ人間であるべきが説かれている。

この間柄論と呼応するように、大庭健はまず「人間は、そもそもいかなる〈人の間〉として、人ならざるモノたちといかなる関係において人間たりえているのであろうか」という問いから論を展開していく（新・岩波講座哲学六『物質　生命　人間』岩波書店、一九八六年）。さらに大庭は〈言〉の歴史性に言及し、中世にさしかかると、人間的呼応は、ポリスの崩壊とともに、一方では自民族中心主義から離れて普遍化されていくホモ・ロマニタスからホモ・フマニタスへと同時に、他方では活物的コスモスの離脱を開始する論を広めていく。そして人間を「ロゴスをもつ中間者」、それは神と自然の間に位する中間者、と規定していく。つまり人間は「死の影の下で、他者との間で（中略）相互に呼びかけ―応ずるという〈呼―応〉の累積としてある。ホモ・ロクウェンスたる限りそうである他はないのである」とし、人間は「人―間的・社会的存在」と認定している。

同じ中間者論でも、九鬼周造の中間者はまた独特である。九鬼は、神と自然との中間者論ではなく、「人間は動物と神との中間者であると屢々言はれることであるが、それは、人間は動物でもなく神でもなくて人間であるといふ意味ではない。動物でもあり、神でもあるところに人間の人間性が成立してゐる」（九鬼周造「人間学とは何か」理想社出版部編『人間の哲学的考察』一九三八年）と論じている。九鬼はもともと同論文で、「人間学とは、人間の本質を明かにすることを課題とする学である。古事記に伊邪那岐命が伊邪那美命に向つて「汝が身は如何に成れる」と問ふたとあるが、この問ひを徹底的に問ひ、この問ひに徹底的に答へるのが人間学である。（中略）人間学は学の本来的意味に於て「話」であり「問答」であるが、その主体も客体も共に「人間」である。人間が人間に就て問ひ、答へるところに人間学が成立する」と考えるところから出発している。

九鬼は人間学に共通の課題に、人間の本質を闡明（せんめい）することとし、カントやメーヌ・ド・ビラン、デカルトらの人間観を紹介し、かつ既述したシェーラーの宗教的人間、叡知人（homo sapiens）、技術人（homo faber）、生命的人間、人格的人間をあげている。加えて九鬼は、人間を九種の異なった角度から、①技術人（homo faber）、②技術人に対して存在する宗教人（homo religiosus）、③技術人と宗教人と歩調を同じくする魔術人（homo magicus）、④言語人（homo loquenus）、⑤政治的動物、⑥芸術人（homo artifex）、⑦叡知人（homo sapiens）、⑧道徳的行為者（l'agent moral）、⑨真理と愛の精神的存在（l'Etre spirituel）などの役割を例示している。以上を背景に九鬼は、人間学が人間をどのような視点からしても、人間の相に関して三つの相の存在を肯定している。すなわち、「人間は第一に自然的人間（homo naturalis）として肉体と心の合一である。第二に歴史的人間（homo historicus）として歴史を創造する。第三に形而上的人間（homo metaphysicus）として絶対者に接触する」として、この三者の相はいかなる人間においても必ず見出される本質的規定と特定する。しかもこの三つの相は、メーヌ・ド・ビランの人間における「動物的生活」「人間的生活」「精神的生活」に該当し、またパスカルの「身体」「精神」「愛」の三秩序にも符合し、さらにアウグスチヌスにおける人間の心の分析における「肉体に於て」「それ自身に於て」「神の許に於て」にも相当することを詳説している。あわせて、この人間の三つの相は単に便宜上だけでなく、三つの相の統一的融合を求めているところに九鬼論の特徴点がある。

教育学の観点からの人間論は少ない。その中でブルデューは、教育とは階級的再生産の手段と理解する。つまり支配階級の子どもの所有する資本（社会的資本や文化的資本など）を、学業成績を通じて公的に承認し、それを学校称号（学歴資格）に変換する装置にほかならないと断じる。当該の子どもは、この学校称号（学歴資格）によって権力的地位につながりながら権力的地位に到達し、支配階級の家族における「遺産相続」は完遂される構図を明らかにしていく。ブルデューはこれに敢然と挑んだ。それが、かれの主張する Homo Academicus である（石崎晴己訳『ホモ・アカデミクス』藤原書店、一九九七年）。

和辻哲郎と並んで、「人間」探求の深さはカッシーラーであろうか。カッシーラーは、『人間』そのものの題名で出版している（宮城音弥訳、岩波書店、一九九七年）。ただし副題は「シンボルを操るもの」であるが、一九五三年版岩波現代叢書では「この象徴を操るもの」となっている。

同書第一章は「人間の、自己自身の認識における危機」となっていて、まず最初に「自己を知ることが哲学的探究の最高の目的であることは、一般に認められているようである。異なった哲学の学派間のあらゆる論争を通じて、この目的はつねに変らないものであり、ゆるがないものであった」ことを前提としている。この把え方は、カッシーラーの全思想の支点でもあり中心点であると位置づけされよう。しかしかれは、ヨーロッパの哲学の変遷を辿りながら、「人間に関する近代の説は知的中心を失った。我々はこれに代って、完全な思想的無政府状態を与えられたのである」と認識する。そこでカッシーラーは、形而上学、自然哲学、倫理的および科学的思想の歴史が詳細に研究されてきたのに対して、人間哲学は端緒についたばかりの状態を示唆している。

この論の背景には、既に度々紹介してきたように、ニーチェの「超人」、フロイトの「性的人間」、マルクスの「経済的人間」などの学説は、人間存在の解明ではあったが、人間の全体像をみるには不十分な「中心喪失」につながっていることに由来する。そこでいよいよカッシーラーは第二章で、「理性的動物」という人間の伝統的定義から本書の主題である「シンボルの動物」の定義に到達する。Animal Symbolicum の登場である。

カッシーラーは、第十二章「要約と結論」において、「文化の哲学は、人間文化の世界が、離れ離れの孤立した事実のたんなる集合ではないという前提をもって始まる。それは、これらの諸事実を、一のシステムとして、有機的全体として了解しようとする」趣旨を説明する。ここでシステム論が語られるが、従来の人間を「社会的動物」の定義は、すべてを包括するものではないと観察し、以下のように主張する。すなわち、「人間の場合には、動物の間におけるように、行動の社会のみでなく、思考と感情の社会が認められるのである。言語、神話、芸術、宗教、科学（注―シンボル形式）は、社会のこの高級な形態の要素であり、これを構成する条件である。それらは、我々が有機的自然の中に見出す社会生活の形式を、新たな状態すなわち社会意識の状態に発展させる手段である。（中略）人間は、社会生活を媒介としない限り、自らを見出すことはできず、自己の個性を知り得ない。しかし、人間にとって、この社会生活という媒介は、外部から個人を限定する力以上のものを意味する。」と弁じている。

さきに示したカッシーラーの定義、「理性的動物」から「シンボルの動物」の根拠の一つは、「人間はただ物理的宇宙ではなく、シンボルの宇宙に住んでいる。言語、神話、芸術および宗教は、この宇宙の部分をなすものである」ことによる。シンボル形式とは、神話、言語、芸術、宗教、歴史、科学を指す。野家啓一は、カッシーラーの同書の「解説」で次のように評価している。

人間にのみ特有な「シンボル」という概念を明らかにするためには、それを他の動物も用いる「サイン」または「シグナル」と対比してみるのがよい。カッシーラーによれば、シグナルとシンボルは二つの異なった世界に属している。すなわち「シグナルは物理的な『存在』の世界の一部であり、シンボルは人間的な『意味』の世界の一部」（七六頁）なのである。あるいはそれを、シグナルは「個別的」かつ「実体的」であるのに対し、シンボルは「普遍的」かつ「機能的」であると言うこともできる。

カッシーラー理解にとって不可欠の要説であろう。

現代において注目すべき人間観の一つに、野家啓一が提唱する「ホモ・ナランス（homo narrans）」がある。野家は「ホモ・ナランス（homo narrans）の可能性」として、『ヒトと人のあいだ』（野家啓一編、岩波書店、二〇〇七年）に詳述している。野家のホモ・ナランス論は、いわば科学史（思想史）の壮大な府瞰図の中に映し出された学説である。

まず同書の「はじめに」において、「人間とは何か？　ヒトとは何か？　おのれ自身を知ることにこそ、学問的探究の最終的な目的があるのだとすれば、この問いこそ、人間の思考にとっての究極の問いである。学問上のすべての疑問、すべての課題が目指すところは、結局は、この問いへと収斂するのである」と断じている。しかし、一方では「人間」は、「（自己）意識」や「自由意志」などの精神的な態度によって定義付けられてきた。他方では、「ヒト」は、自然科学の発展により、その仕組みやメカニズムの細部までも解明されつつある。つまり、前者が主として文科系の学問の「人間」観であり、後者が主として理科系の学問の「ヒト」観と対応するものである。文科系である人間中心からみると、「人間」と他の動物や事物に質的断絶の存在を主張し、理科系であるヒト中心からみると、「ヒト」と他の動物・生物あるいは機械などとの連続性を主張している。この状態の中で、〈「人間」＝「ヒト」〉についての統一的な描像を獲得する作業を野家はすすめていく。

さらに同書の「まえがき」で野家は、各種辞典の「ひと（人）」の項目における定義を披瀝しながら、「ヒト」の表記は生物学的存在としての「人間」をさし、「人」の表記は社会的存在を意味し、民法に規定されているように、一定の権利能力を有する法的主体をさしている。しかし今日では、「ヒト」と「人」との間は限りなく狭まり、かつ融合しつつある。いまや人間は「動物と機械のあいだ」に翻弄されかねている。現在では生命科学、情報科学、脳科学、認知科学など人間に関わる諸学問の飛躍的発展と深化に伴い、伝統的人間観は動物と機械の両面から狭撃され、人間という概念そのものがアイデンティティ・クライシスに陥っている状況のようである。そこで野家は、人間の自己認識の変遷を、ラスコーの壁画や古来の人間の定義を手がかりにしてたどり直し、

ヒトと人の差異を自己の行為について「理由」と「責任」を物語りうる能力に求めることによって、「ホモ・ナランス（homo narrans）」すなわち「物語るヒト」という新たな人間像

を提示している。ホモ・ナランスはかつてない野家独自の理論である。

野家はその本題の「ホモ・ナランス（homo narrans）の可能性」の冒頭で、人間とは「人間とは何か？」と問わずにはいられない動物である。あるいは、人間とは自己認識、すなわち自己イメージを象る動物である、と述べている。この論点を野家は鋭い新たな視点からホモ・ナランス像に迫っていく。

まずかれは、約一万五千年前のラスコー洞窟壁画に注目する。ラスコー壁画の内容は同書に譲るとして、「ラスコーの壁画こそは人間による最初の自己認識の記録」であることを論証する。ついで野家は約一万年前から前三千年のレバント岩壁画に注目する。そこで野家は、木村重信の〈レバント絵画は一種の物語的性格を帯びる〉の説を敷衍して、この物語の獲得こそが、人間の自己認識における一大転換点と判断する。ラスコー壁画やレバント岩壁画は、「人間が自らの姿を描き、自らが演者となって舞台に登ったということは、人びとの思考の対象が動物から人間に移ったことを意味し、それは人間意識の発展にとってきわめて重要な意味」をになうのである。それゆえ、野家は「絵による物語」の出現こそは、人間の自己意識における重大な転換点と認識する。

ここからさらに野家啓一の人間観に関する壮大な理論が同書に展開されるが、その要旨を以下に綴ってみたい。

人間の定義の歴史を繙いてみると、漢字の象形文字やプラトン、アリストテレスの定義以降、例えばホモ・サピエ

ンス（知恵をもつヒト）、ホモ・ロクエンス（言葉を話すヒト）、ベルグソンのホモ・ファーベル（製作するヒト）、ホイジンガのホモ・ルーデンス（遊戯するヒト）、モランのホモ・デメンス（錯乱するヒト）などの定義は、人間の自己認識としてはむしろ「ロゴスの外部」へと向ってきたと解釈する。そこで野家は、人間と他の存在との区別の特徴点として「ロゴス」の有無においたデカルトに眼を転じる。デカルトにおける人間と他の存在としての機械とを区分する規準は、言語の使用とどんな状況にも対応しうる理性的振舞である。この規準は、そのまま人間と動物との区分にも適用可能である。そこに「理性の時代」という近代の扉があった。それは人間中心主義を背景にもつ人間像でもあった。先に触れたカッシーラーの「シンボルを操る動物（animal symbolicum）」の定義もこの範疇であった。

ところがである。デカルトの時代の機械を代表するものが「時計」であったとすれば、現代の機械の代表はコンピューターである。コンピューターの能力は、さまざまな場面で人間の能力をはるかに凌駕していることは否定できない。デカルトによる人間中心主義思想の崩壊とでもいえようか。こうして二〇世紀後半に飛躍的に発展した生命科学、情報科学、認知科学、脳科学などの知見を背景にして、今日の人間観が「自然化（naturalization）」している。この自然化とは、人間的事象は自然現象にほかならず、したがってすべてのものが自然科学的説明が可能とするものにほかならない。自然主義は、やがては「理性」や「自我」の問題も、脳の高次機能として物質的に解明可能とする立場である。こうした自然主義の台頭によって、「人間とは何か」の問いが輻輳してきている。

これより先、野家啓一は、少くとも一九六〇年代までは実存主義、マルクス主義、分析哲学という三派鼎立の明確な図式から、新たな哲学上の対立軸――自然主義と反自然主義――の台頭を指摘している。そして自然主義は、生命科学、情報科学、脳科学などによってもたらされた知見によって、従来、哲学の聖域であった「心」や「意識」の領域まで、すべて説明可能な立場として位置づける。しかし、極端な自然主義と頑迷な反自然主義という対抗軸ではなく、第三の選択肢を模索する立場であった（野家啓一「思想の言葉（現代哲学の対立軸）」〈思想〉九四八号、二〇〇三年四月）。この第三の選択肢に若干通じる形で、「人間とは何か」の問いに答え、「ヒトと人のあいだ」に楔を打ち込むのが哲学の職分だとすれば、哲学は自然主義からの挑戦を受けなければならないとする。もう一度、野家の「ホモ・ナランス（homo narrans）の可能性」の論文に戻ると、哲学が自然主義の挑戦を受けるのは、「自由と責任」という古くて新しい問題に関わることになるはずであるとして論をすすめていく。この「自由と責任」論の中で、擬制的制度のことを「物語り（narrative）」と呼ぶこともできるとし、この擬制としての制度（物語り）は自然的性質に人間的意味を与える装置であると認めていく。野家は例えばとして、「手を上げる」という物理的行為は、一定の制度のもとでは「議案に賛成する」という社会的行為を意味するが、ただし筋肉の痙攣で手が上がった場合は、その責任は免除されると考える。つまり「ヒト」の動作ではあっても、帰責の対象となる「人」の行為ではないのである。したがって、責任とは「ヒトと人のあいだ」に位置する枢要な概念である。ここにホモ・ナランの本質がある。野家論の要点を原文にやや忠実に引用すると、次のようになる。物語りは行為の意味を理解し、その責任を判断するための不可欠な概念装置である。「物語り」とは応答を可能にするコミュニケーションの場でもある。人間が行為の「自由」をもち、行為の結果について「責任」を負う存在であるとすれば、その存立基盤は、行為の理由によって「物語る」という能力にこそ存するのである。それゆえに、動物と機械に挟撃されて宙吊りになっている人間のアイデンティティの在処を見出すとすれば、それは「物語るヒト」、すなわち「ホモ・ナランス」にこそ求められねばならない。

ホモ・ナランス論で扱った壁画と問題およびロゴスに関する問題の二点について補足しておきたいことがある。

第一は絵画について。

二〇〇二年一月一二日、「毎日新聞」（朝刊）の「余録」にこんな記事があった。抄録する。

（前略）▲南アフリカのインド洋沿いにあるブロンボス洞窟で発見された、約7万7000年前の土片の写真。フランスのラスコー洞窟をはじめとする人類最古の壁画よりも4万年以上古いという。正直なところ、最古競争は興味がないが、土片に刻まれた幾何学模様は謎めいていて、興味津々▲模様は縦線と横線、斜線で構成されている。ラスコーの洞窟壁画が馬や牛、バイソンなど動物を描いた具象絵画とすると、南アの幾何学模様は見事な抽象絵画といってもいい。7万年以上も前に人類の祖先は抽象絵画を創作し、抽象的思考をしていた！（中略）▲最初から抽象絵画ではなく、具象から抽象に移ったと考えるのが自然だろう。「人間が絵を描きだした初期の段階では精確さが必要だったが、時がたつにれ、精確さは大事なものではなくなり、単純で象徴的なものに代わった」（ホグベン「洞窟絵画から連載漫画へ」岩波文庫）▲「人間は唯一の話をする動物である。同じように、人間はこの惑星上にかつて生存した唯一の絵を描く動物であり、おそらくこの宇宙で唯一の絵を描く生物であろう」と英国の生物学者ホグベンは書いている。唯一地球で7万7000年間も絵を描き続けたのだから、素晴らしい作品ができなければ嘘だ。

ラスコー壁画よりも四万年も前の約七万七千年前の洞窟画の発見である。人間は唯一の「絵を描く動物」に注目される。もう一例は二〇一八年二月二四日、「毎日新聞」（朝刊）「余録」である。同じく抄録してみる。

イラクの洞窟で見つかった旧人のネアンデルタール人の骨は右腕が萎縮し、生まれつきの障害とみられた。左目も見えなかったらしいが、推定年齢は40歳。彼らはちゃんと体の不自由な仲間を世話していたのだ▲この洞窟は別の人骨から大量の花粉粒が見つかったことでも知られる。遺体を花とともに埋葬していたともみられ、野蛮視されていたネアンデルタール人のイメージを変える発見となった。ただこの花粉の由来には異論もあるようだ▲これまで発掘された化石人類で最大の脳容量があったのはネアンデルタール人で、今の人類の平均を1割以上上回っていた。だがそんなネアンデルタール人も、絵を描いていた痕跡(こんせき)は一例もなかった▲ところがスペインのラパシエガ洞窟の壁画が6万4800年以上前に描かれたらしいという研究が発表された。とすれば世界最古の壁画になるばかりでない。現生人類が同地に到達する前にネアンデルタール人が描いた可能性が高い▲壁画には動物のような線画やはしごのような図形がある。年代が正確なら、ネアンデルタール人にも抽象的な象徴表現ができたことになる。いわば現生人類と同じ進化の跳躍台に立っていたのだが、運命は彼らを絶滅させてしまった▲近年の研究によれば、過去の混血によって現生人類にもネアンデルタール人の遺伝子が数%残っている可能性があるという。両者の交雑は約6万年前という説もある。あらためて壁画の写真を見れば、心優しい薄幸の親戚の面影がよぎる。

旧人に属するネアンデルタール人は、「ファースト・フラワー・ピープル」として、死者を花束で葬った最初の人類として知られてきた。そのネアンデルタール人が壁画に抽象的な象徴表現がみられるようである。絵を描くなどの創造精神や記号を扱う思考は人類進化の根本とされ、それはホモ・サピエンスとしての新人の特徴と考えられてきたが、すでに旧人に高い知性が認められる記事であろう。

第二はロゴスに関する問題である。

今まで語られなかった人間の定義に、ホモ・ペイシェンス(homo patience)がある。ホモ・ペイシェンスをあえて訳せば、悩める人、苦悩人、受動人、まとめれば苦しみや悩みを耐え忍ぶ人間であろうか。従来のホモ論は、多くは抽象論的傾向が強いが、ホモ・ペイシェンスは現実の生身の人間を指しているところに特徴点がある。病気や悩みは万人に共通に抱えている問題だからである。

ホモ・ペイシェンスのペイシェンスはパトス（pathos）に由来する。ロゴスの意味とは相反する。その意味の一つは、受け入れる、耐え忍ぶ、受難――それは身体の能動に対する精神の受動である。その意味の二つは、ロゴスの対立語のパトスからくるもので、ロゴスの理性に対して感情・感性を指す。パトスの知とは、能動の知、アクションの知である近代科学の知とは全く逆の意味をもつ。見方を変えると、人間の強さを前提とする近代科学の知が蔑視し排除しようとしてきたのがパトスの知ともいえる。身体の能動に対する精神の受動＝人間は身体的苦痛が精神的苦悩を呼び起こし、逆に精神的苦悩が身体的苦痛を呼び起こす場合もある。すなわち、すべての生命体の中で、人間が最も受動的な存在である。そんなわけで、人間すべての人はペイシェンスであり、人間は苦しみや悩みを耐え忍ぶ homo patiens である。

三　間人と間柄

「間柄」について、比較的先駆的な著書に『文明としてのイエ社会』（村上泰亮・公文俊平・佐藤誠三郎著、中央公論社、一九七九年）がある。その第七章「イエ集団の特性」の第二節「間柄主義と惣」の中で、人間や社会にかかわる事象の概念化・対象化の方向として二つの側面をあげている。第一は、「社会的な事象を要素的な個人に分解した後に、個人間の関係として社会を表象していくという、欧米流の行き方である。この場合には、対象の〝実在性〟の程度は、個人が最も強く、集団はさまざまな程度において擬制的な存在だとみなされがち」であること。第二は、「要素的な個人ではなしに、社会的な諸関係の「場」としての「間柄」に注目しその対象化を試みる型」で生きながらえているとの主張である。

さらに同書は、イエ社会において発展した日本における間柄主義は、次の四つの特性を備えているとしている。長文ではあるが、一部を割愛して載録しておく。

第一に、さまざまな間柄はそれぞれがある境界を持っている。二つの個体が出会ったときまず意識される差異性は、それらの個体が属している間柄の違いに基くものであり（他社の人間、他課の人間、他家の人間、ヨソ者、等々）、同質性は、それらの個体が属している間柄の共通性に基くものである（ウチの者、仲間、等々）。各個体が抱く一体感（sense of identity）とは、間柄主義の前提の下では、自分がどのような間柄に属しているかの自覚にほかならない。

第二に、一個の個体は、同時にさまざまの異なる間柄に属しうる。しかし、個体の抱く一体感は、それらの異なる間柄の上に、概してかなり不均等に分散している。いいかえれば、各個体にとっては、その一体感の核心をなすような特別な間柄が、一つもしくは少数個存在する。たとえば、戦前期の日本の官僚や会社員たちにとっては、国家、職場、および各人の「家」という三種の間柄が、そのような特別な間柄であったと思われる。

（中略）

第三に、間柄は、それ自体として固有の心、つまり意志や情感のごときもの——間柄に属する成員の眼から見た場合に、「気」あるいは「空気」と呼ばれているような——をもつ。「気」は、その間柄に属する個体の心理や行為を拘束する（〝気がする〟〝気が重い〟〝気おくれ〟等々）。このような「気」は、欧米流にいえば、一種の「世論」にも似ている。間柄はまた、それ自身に属する固有の手段を所有し使用しているとみなせる場合がある。それ自身の心と手段とをもつような間柄は、すでに一個の「主体」である。第四に、間柄はさまざまな「分」をもつ。（中略）各個体は、なんらかの間柄の成員となって、気分をもち、職分や身分を割りふられることによって、初めて「自分」となる。それを第三者的にいえば、個体はこの時初めて「人間」となる。「人間」という言葉は――「仲間」という言葉も同様だが――間柄の成員となっている個体を指して使うこともできれば、個体によってそのさまざまな「分」を充たされている間柄の方を指して使うこともできる。

人間観の視点から、欧米と日本の比較から個人主義と間柄主義、間柄主義から間人主義への業績として浜口恵俊の著作がある。一は浜口恵俊『間人主義の社会　日本』東洋経済新報社、一九八二年（以下「A書」）。二は浜口恵俊『「日本らしさ」の再発見』講談社、一九八八年（以下「B書」）。三は浜口恵俊「間柄としての〈にんげん〉〈仏教〉第九号、一九八九年一〇月）（以下「C書」）。

「A書」において浜口は、個人主義型の欧米モデルからの転換を試みる。日本型の特徴としては、「既知の人との有機的な連関をつねに保とうとする関与的主体性の持ち主、すなわち〝間人（かんじん）〟」という特有の論を展開する。それは、人間関係の中で初めて自分というものを意識し、間柄を自己の一部と考えるような存在である。浜口のいう「人間（じんかん）における人間（にんげん）」のことである。既述してきたように、欧米における個人主義の対比においての間人主義の主張でもあった。もう少し付け加えていえば、「組織とその成員とが共利共生（symbiosis）」を求めるものである。間人主義の属性の特質点を要約してみると、一は欧米の自己主義に対する相互依存主義、二は欧米の自己依拠主義に対する相互信頼主義、三は欧米の対人関係の手段視に対する対人関係の本質視となる。この点で「B書」においては、西洋の個人主義―自我中心主義―他者不信に対して、日本の間人主義―対人関係中心主義―他者信頼として纏めている。なお「B書」での対比論では、「西洋人のにんげん観は、たとえば英語で一個のひと（個人）を表わす“the individual”といった言葉から推測されよう。語源的に眺めると、それはラテン語のindividuus（分割されない・分割不可能）に由来する」とみる。つまり西洋の個人は、これ以上分割不可能な実体で、社会を構成する究極単位としての〝ひと〟とみなされるからである。東洋では、このような個人とは対蹠的に「間人（かんじん）（the contextual）」と呼称されるべき人間像である。この間人について浜口は「C書」で、木村敏の〈人と人との間〉の用語を引いて、間人とは「間柄」と不可分な存在としての〈にんげん〉と説明している。つまり間人とは、相互の間柄を自己の生活空間の必須領域として取り込み、対人脈絡の中に自己のアイデンティティを見出す〈にんげん〉を意味する。この間人を「関与的主体（referential subject）」として把えるのが浜口論である。

ここで、やや視点を換えて「間」について若干言及しておきたい。南博は、「間は、日本人、日本文化の一つの特徴をさすことば、概念であり、また実態である」（『間の研究』講談社、一九八三年）と述べている。間、そのものが日本文化の特徴であり実態である点について、南は生活における間、武道における間、芸術における間などを通して、生活意識の間とならんで展開されてきたことを論証する。その結果、「日本人の生活意識には、人と人とのあいだ、とりわけ自己と他者のあいだの心理的な距離としての対人間が、日本的な人間関係の調整に大きな役割を演じてきたし、今でもそうである。このような対人間が自己と他者の相対的な社会的位置の決定に重要な役割を演じているのである」と結んでいる。このことに関連して、熊倉功夫は、『文化としてのマナー』（岩波書店、一九九九年）で、間の文化は歴史のうえで、ときとして否定されてきた時代があったが、「安定社会の支配原理」となったことを考察している。さらに、間の文化は、いわば日本人の遺伝子的な性格を帯びていることを語っている。上田閑照も、人間と人間の「間」には事が起こるということ、そして事への関わりが双方それぞれにとって存在の中身になるということ、それは決して偶然ではなく、まさに「間」とはそのような場であり、何か事をはさんで、事をめぐって話し合うことへの契機になるものであることを例証している（『上田閑照全集』第十巻、岩波書店、二〇〇二年）。なお、上田は、「人間と人間とがかけがえのない一人と一人として出会い向かい合い話し合う――それが人間」であることを念を押している。

反省すべき点がある。

もう一度視点をもどし、直接に間柄―間人論にかえってみよう。既述したように、間人論では、欧米と日本との対比において、欧米の個人主義、自己中心主義、自己依拠主義、対人関係の手段化、他者不信などを強調した感があった。個人主義から間人主義への転換、欧米モデルからの転換を特徴づけるための必要な位置づけであったかもしれない。

しかし、以上の考察はあまりにも直截的な区分に過ぎてはいないだろうか。やや専断的な定義に陥っていないだろうか。それこそ、皮肉にも、もう一つの〝間〟が不可欠だったのではないか。

そんなことを考えていたら、仲正昌樹・浜野喬士「〈humanitas〉の定義」（仲正昌樹ほか著『教養主義復権論』明月堂書店、二〇一〇年）に遭遇した。以下は、深い示唆に富む仲正・浜野論の要約である。

英語には、「自由」を意味する言葉として、〈liberty〉と〈freedom〉がある。〈liberty〉はラテン系の言葉で、〈liberation（解放）〉と関連をもつ。この解放とは、もともと「自由にする」こと、あるいは「自由化する」する意味で、歴史的にはフランス革命と深く結びついている言葉である。この解放の意味は、アンシャン・レジームによる「圧制」や「貧困状態」からの解放を意味した。そうした抑圧状態からの「解放＝自由化」は、ヒトとヒトの間でコミュニケーションが行われるための必要条件ではあるが、十分条件ではないと考えられてきた。

一方、freedom は、アメリカ独立戦争の理念と深く結び付いている。すなわち、freedom は「政治的」なものであるが、もっと深く「政治の中」において初めて意味をもつ言葉である。語源的には、ギリシャの「ポリス（polis）」に関わるものである。西欧諸国の「政治」の原型は、古代ギリシャの「ポリス」にある。「ポリス」のような政治的な共同体が存在するとすれば、そこには何らかの人間関係のルールがあり、コミュケーションの場で守るべき決まりごとの体系があるはずである。アテネのような民主的な「ポリス」では、市民が集い討論し、ポリスにとっての「共通善」を目指して政治が運営されていた。つまり、ポリスのように、人間と人間の「間」の秩序立った関係性が生じていたに相違ない。お互いに「間」を尊重し対話し合えることによって初めて人間にとっての freedom が意味をもつことになる。すなわち、freedom とは、物理的に抑圧がないということだけではなくて、ポリス的秩序の中で人間同志が言論を通して高尚していくことを意味する。

以上は仲正・浜野の要論である。してみると、従来論考されてきた欧米の個人主義とか自己依拠主義などの定義の仕方は必ずしも正鵠を射たものとはいい難いのではないか。欧米にも歴史的に間柄論は見事に成立していたと考えるべきであろう。したがって、間柄・間人論は、共通善の追求も含めて、日本型モデルの特質として考えるものではなく、世界史的共通の課題として考察すべきものであろう。

さて、間柄論について解明してきたが、しかしながら、もうすでに五〇年も前に三木清が先鞭を切っていた（『哲学的人間学』三木清全集第十八巻、岩波書店、一九六八年）。三木は諸論を集約しながら、人間と世界との関係について、「一、人間は世界のうちにある。二、人間は世界を作る。三、人間は世界である」と規定している。このことと関連して、かれは、「人間はつねに他との間柄に於ける役割を有する個人である。人間は世界のうちにあると単に云はるべきでなく、人間とは世界（世間）である」と論じ、人間とは世の中もしくは世間のことで、他者との間柄における人間であると断じている。なおかつ三木は、間柄は人々の間に連続的関係を築くものであり、間柄において、人間は他と〈相互的依存〉の関係論に言及している。この三木のいう〈相互的依存〉関係は、次項に直接結びつくテーマである。

四　相互依存

前項において、三木清の間柄論から相互依存の関係性に触れることができた。三木は、人間は常に他との間柄における役割をもつ存在とし、アリストテレスの社会的動物の例をあげる。改めて、その社会的動物を引いてみると、「政治学」の中で、「そこでこれらのことから明らかになるものは、国が自然にあるものの一つであるということ、また人間は自然に国的動物であるということ、また偶然によってではなく、自然によって国をなさぬものは劣悪な人間であるか、あるいは人間より優れた者であるかのいずれかであるということである」と記されている。文中の「国的」は、ポリス的＝社会的の義である。さらに、人間は蜜蜂や群居動物よりも一層「国的」であるのは、「動物のうちで言葉をまたもっているのはただ人間だけだからである」としている（山本光雄・村川堅太郎訳『アリストテレス全集』第一五巻、岩波書店、一九六九年）。そんなところから、前稿で示した三木の「哲学的人間学」に戻ると、三木は、「ひとといふ概念は人間の共在を示してゐる。唯一人の人間はひとではない。ひとは世間であり、多くの人間が共にあるのでなければ、ひとは云はれない。その限りひとといふ語は人間が社会であることを現はしてゐる」と力説している。三木はここで、人間の〈共存〉を強調し、ひとの主体性は、個ではなく、〈われわれ〉であると認識する。この点で、パウロ・フレイレ（P. Freire）の『伝達か対話か』（里見実ほか訳、亜紀書房、一九八二年）のⅠ「変革期の社会と人間」の章で、「人間として生きることは、他者および世界とかかわって生きることである。それは、世界をそれ自体で独立した認識可能な客観的事実として経験すること」と共通して興味深い。同書の「付録」にも、「人間とは、世界のなかに生き、世界とともに生きる存在であること、ならびに、労働をとおして、たえず現実を変えていく創造と再創造をおこなう存在」と記されており、三木論と相通じる論として併記した。そんなことを通して、三木は既述したように、間柄において、人間は他との相互的依存の関係を説いていく。なお三木は、「幸福について」においても「他者理解」論を展開している（『人生論ノート』創元社、一九四一年）。

別な角度から山岸健は、「人間という文字には人びとの姿が、浮かび漂っているように思われる。複数の人間、個人がさまざまな状態で触れ合ったり、向き合ったりする光景が、この人間という言葉には見え隠れているのではないかと思う」と感想を述べている（『人間的世界の探究』慶應義塾大学出版会、二〇〇一年）。たしかに漢字「人」の文字からは、人びとの支え合いながら生きている姿を連想することができる。トポスというギリシャ語には、場所、位置、家、部屋などのさまざまな意味があるが、山岸は、「人間はこうしたさまざまなトポスと縁を結びながら、日々の生活を築きつづけてきた」ことを人間の特性として示している。山岸は西田幾多郎の「人間は人間自身によって生きるものではない。又それが人間の本質でもない。人間はどこまでも客観的なものに依存せねばならない」という説を援用している。つまり、人間の文字から、人びとの姿が浮かび漂ったり、触れ合ったり、向き合ったり、身心の支えとなるもの、生きる喜びや楽しみや悲しみの支えとなるもの＝依存が尊ばれるのである。

松沢哲郎の研究は極めて斬新であり、独自のものがある。かれの「人間と動物」の二分法との訣別の論から、注目すべき依存論が展開されている。やや長文ではあるが、松沢自身の言葉でかれの依存論をそのまま伝えたい

（『チンパンジーの心』岩波書店、二〇〇〇年）。

最近の化石資料や遺伝子の研究から、ヒトとチンパンジーの共通祖先は約五〇〇万年前にいたと推定されている。地球の生命の歴史が約三六億年だとして、その大部分の時間、両者は同じひとつの生き物だった。その違いは、ＤＮＡの塩基配列で見て約一～二％でしかない。実際には、その差はウマとシマウマの差よりも小さい。われわれの素朴な世界観に従えば、白黒の縦縞のあるウマが「シマウマ」だろう。もしそう思うなら、黒いごわごわの毛が生えたヒトが「ちんぱんじん」だと思うのが妥当なのである。（中略）

来るべき二一世紀には、ヒトだけを特別視する「素朴な信念」は、さらに大きく揺らぐだろう。「人間と動物」という素朴な二分法は、天動説や天地創造説と同様に陳腐なものになるだろう。ゲノムの解読が進むほど、生命の連続性が明らかになる。ヒトという特別な動物が一種だけ特別に進化したわけではない。多様な種が、進化の過程で、お互いがお互いを必要とするようなかたちでこの世界を作ってきた。共生（シンビオーシス）と呼ぶべき、そうした相互に依存する性質は、生命の本質だとも言える。やがて、そう遠くない将来に、ゲノム生物学の知見と共生の思想に基づく新しい人間観が生まれるだろう。（中略）

ちょうど「人」という字が、支え合って立つ二人の姿を形象しているように、人間という存在は本来、他者の存在を契機としている。自分ひとりだけで立ってはいない。他者があって初めて自己という存在がある。たしかに個体というものがあって社会は成り立つが、逆に、社会というものがあってこそ個体も存在しうる。そうした、階層をも超えて相互に依存する生命の全体が、今後さらに色濃く人々の意識のうえに立ち昇ってくるだろう。

ダライ・ラマ一四世の著書に『人間はひとりで生きられない』（脇谷典利訳、学研パブリッシング、二〇一二年）がある。その第五章は「人間は相互に依存している」で、ダライ・ラマの依存論が明快に読みとれる。さきに三木清の幸福における他者論をみたが、一四世も、自分自身の幸福に独立した原因はありえないとし、「あなたの幸福は無数の要因に依存している」ことを説いている。一四世の思想には多分に仏教の縁起の思想に裏付けされていると思われるが、「もしわれわれがこの相互依存の考えを全体としての現象世界の認識に応用するならば、それによってわれわれは洞察力を大いに高めることができるだろう。たとえば、自己と他者との利害の、相互依存的性質を認めることができる」はずであると判断する。したがって、人間の利害や幸福が、同じ地球に住む動物たちの利害や幸福に〈依存〉しているか、あるいは人間の幸福と自然環境とが〈相互に依存〉し合っていることを論している。

人類は前世紀において、二つの世界大戦を経験した。民衆は、戦争の理不尽さ、愚かさ、悲惨さ、傲慢さ、獰猛さを知らされた。文明の野蛮は、人類の受容限度を越えようとしている。

そんな中で、いま、経済優先によるおびやかされている「いのち」の危機がある。利益優先におびやかされている「いのち」の危機がある。水俣問題も原発問題も現在進行形の「いのち」の危機をかかえている。歴史的にみると、足尾鉱毒事件の教訓は、全くといってよいほど生かされていない。足尾鉱毒事件の指導者である田中正造は、こんな名言を日記に残している（「日記」明治四五年六月一六日『田中正造全集』第一三巻、岩波書店、一九七七年）。

真の文明ハ　山を荒さず、川を荒さず、村を破らず、人を殺さゞるべし

田中は鉱毒事件に関連して、しばしば「非命」を論じている。もちろん「非命」とは、天命の寿命に反した人災による死である。歴史的課題でもある「非命」は、実は現代のいまでも、形を変えて迫ってきている。例えば、人

間の生に直接関係するものとして、現代の優生思想がある。優生思想については、本書「第一七話　太田典礼——優生思想への道と現代」を参照していただきたいが、なんと優生思想に立脚した日本の優生保護法は、戦後の一九四八年に成立している（一九九六年に母体保護法と改正）。この戦後の優生保護法のもとで、強制不妊手術（優生手術）を受けさせられた人は少なくとも約一万六千四七五人と推計されていが、その復権運動が行われている。ナチによる優生手術はあまりにも有名であるが、優生思想による不妊手術を可能にする法制度は、二〇世紀初頭に米国の一部の州で成立し、一九三〇年代にはヨーロッパや北欧諸国にも広がっていった。不妊手術の「被害者数はドイツ四〇万人、スウェーデン六万三千人、米国六万人、フィンランド五万六千人、ノルウェー四万人、デンマーク一万一千人」（「毎日新聞」二〇一八年三月二二日）と諸外国に広汎にまたがっていた。

しかし、この優生思想による命の選別思想は、現在のいま、そのまま継承されようとしている。着床前診断、出生前診断、デザイナー・ベビーなどなどによる、命の選別によって生じる価値のある命と価値のない命の問いが人類に突きさされているのである。恐ろしいことに、優生思想は繰り返し訪れる。あの福沢諭吉も犯してしまった、優生思想に裏付けられた「人種改良論」の再生を阻止する義務が人類にはある。優生思想は、人間を「ヒト固体という物体だと錯覚して品種改良を企てる」（佐藤雅彦「訳者あとがき」マーク・アダムス著、佐藤雅彦訳『比較「優生史』現代書館、一九九八年）。これは、生きている人間無視の思想である。人間は人と人との関係性のなかで生きているのである。優生思想にみられるように、人間は固体という物体ではないのだ。人間は、生きている人間の「依存」関係で生きているからである。

五　人間宣言――人間を討う意味

(一)　水平社宣言

「人間を討ねる」の本稿で、人間に関する定義や間人論などを検討してきた。ところで、人間を論ずる本来の目的はなにか。それは、人間が人間となることである。人が人となることである。それは当たり前のことである。当たり前のことではあるが、歴史はこの当たり前を許してこなかった。例えば『近代民衆の記録』全一〇巻（新人物往来社）がある。第一巻から並べると、第一巻・松永伍一編『農民』（一九七二年）、第二巻・上野英信編『鉱夫』（一九七一年）、第三巻・谷川健一編『娼婦』（一九七一年）、第四巻・林英夫編『流民』（一九七一年）、第五巻・谷川健一編『アイヌ』（一九七二年）、第六巻・山田昭次編『満州移民』（一九七八年）、第七巻・岡本達明編『漁民』（一九七八年）、第八巻・大浜徹也編『兵士』（一九七八年）、第九巻・西田秀秋編『部落民』（一九七九年）、第十巻・小沢有作編『在日朝鮮人』（一九七八年）にみられる人間は、どんな人間として位置づけられてきたか。『近代民衆の記録』には載せられてはいないが、一九五三年に公布されたらい予防法が廃止されたのは一九九六年であったが、その翌年一九九七年には北海道旧土人保護法が廃止されている。北海道旧土人保護法は、アイヌ民族を一方的に日本人化すること、すなわちアイヌ民族の文化を日本に同化させる同化政策の集大成でもあった。このことは被差別部落を考えるうえでも、ハンセン病問題を考えるうえでも、全く重なりあう問題である。黒川みどりが問題意識とする「排除と包摂（隔離と囲い込み）」（後述）に該当しよう。いかに法律の政定や廃止の現実があっても、一人ひとりの内面に届く論理が働かなければ無意味どころか悪化すら起こりうる。ブラジルの識字運動としても著名なパウロ・フレイレは、『伝達か対話か』（里見実ほか訳、亜紀書房、一九八二年）の「変革期の社会と人間」の項で、「人間として生きることは、他者および世界とかかわって生きることである。それは、世界をそれ自体で独立した、認識可能な客観的事実として経験することである」と述べている。フレイレはまた『被抑圧者の教育学』（小沢有作ほか訳、亜紀書房、一九七九年）で、「人間とは民衆のことである」としたうえで、「人間存在は沈黙していることはできず、偽りの言葉によって豊かにされることもない。それを豊かにしうるのは真の言葉だけであり、人間はそれを用いて変革する。人間らしく存在するということは、世界を命名し、それを変えることである」と力説している。人間存在は沈黙していることはできず、豊かな真実の言葉によって人間存在が証明可能となる。「世界を命名する」＝のちの「水平社宣言」そのものではないか。そこで水平社宣言をみる前に、明治初期の「解放令」の問題から「人間を討う」てみよう。

明治四辛未年八月、「太政官布告」第四四八号、および第四四九号は以下のとおりである（内閣官報局『法令全書』第四巻、一八八八年）。

第四百四十八　八月二十八日（布）
穢多非人等ノ称被廢候條自今身分職業共平民同様タルヘキ事

第四百四十九　八月二十八日（布）
穢多非人等ノ称被廢候條一般民籍ニ編入シ身分職業共都テ同一ニ相成候様可取扱尤モ地租其外除蠲ノ仕來モ有之候ハヽ引直シ方見込取調大藏省ヘ可伺出事

一八七一年の世にいわれている「解放令」である。しかし、解放令によって被差別部落の人々の「人間化」にどう反映されていったのであろうか。後にみる「水平社宣言」の起草者でもある西光万吉は、「よき日のために（水平社創立趣意書）」の中で、次のように指摘している。すなわち、「特殊部落の人々は明治四年の解放令によりて解放された。彼らは平民の籍にはいった。しかしながら凝結した歴史的伝統は、一片の法令をもってよく破壊しうるものでない。徳川政府が強いた厳格な階級政策の効果は、今も残る特殊部落民賤視の観念は、批評的精神を欠く人々の間に今も根強く残り、恐ろしき拘束力を発揮しつつある」とし、このような空虚な社会的規範は、現実にその例証にいとまのないほど蔓延していることを嘆いている。そのうえで西光は、解放の第一原則は、特殊部落民自身が自ら不当な社会的地位の廃止を要求すること、第二原則は、特殊部落民が、資本主義の鞭に悩む労働者階級（経済的弱者であり被搾取者）らと連帯的運動を展開していくべきことを主張する（『西光万吉著作集』第一巻、濤書房、一九七一年）。

西光万吉の論と同様な意味で、「部落問題資料文献」によれば、解放令以後の様子を次のように綴っている。当時の情況が赤裸々に記録されているのみならず、現代のわれわれにとっても黙視できない論点が多々あるので、やや長くはなるが転載しておきたい。

かくて穢多非人は其の封建的義務と桎梏とを撤廢せられ、平民の同列たること、國民の一部たることを政治的に保證せられたのである。部落民は新たに平民の籍に入り、租税と兵役との義務を負ふに至つた。當時既に二十八種の賤民は次第にいつとはなしに自由民のなかに混入してしまつたのが多く、この時まで殘つたのは非人、餘戸、夙、穢多、隱亡等の數種に過ぎなかつた。穢多非人の數は明治四年に穢多二十八萬三百十一人、非人二萬三千四百八十人（二萬三千四百十八人と記したのもある、何れかゞ誤記であらう）。皮作等雜種七萬九千百九十五人（七萬六千百五十六人）。總計三十八萬二千八百六十六人（三十七萬九千八百八十五人）で約四十

萬近くの人數であつた。（中略）

明治四年の初秋、解放令を聞いた全國部落民の喜びは如何ばかりのものであつたらうか。『明朝四つ刻お役所に出頭せよ』との達しを手にした村々の穢多頭は、翌朝役所に出て代官庄屋から彼の太政官布告を讀み聞かせられて涙にむせんだのである。全國幾千かの部落に亘る四十萬餘の人々が如何に此の改革を喜んだ事か。一千年來の痛苦と侮辱とから今ま初めて解放されたことを思ふて、人間となつた事を、平民となり得た事を、相擁して喜び泣いたのである。（中略）

けれども解放令は、此の村々のどよめき、人々のさゝやきに對して果して其れに相當する結果を生んだであらうか。吾等の父祖の欣喜雀躍は果してそれに價したものであらうか。

否な階級的差別は撤廢されたかの如く思はれたが、一片の法令は古來の凝結した歴史的傳統を打ち破り得なかつた。解放令は空文と化し去つて、何等の効果をも及ぼさなかつた。徳川政府が強ひた嚴格な階級政策の餘戸は永く殘つた。法令は部落民を政治的には解放したが、而も決して社会的乃至經濟的解放ではなかつたのである。（中略）

穢多非人は制度としては當然に廢さるべき運命にあつた。解放令は簡單ではあるが、其のうちに（一）人格的解放、（二）諸賦役及貢納の廢止、（三）納税及び兵役其の他一般の義務負担等の諸要素を含んで居る。けれども經濟的社会的解放としての價値絶無なるのみならず、特殊部落民一千年來の苦痛から脱せしめる所以とならなかつた。

解放令によって、被差別部落の人々は、一旦は「相擁して喜び泣いた」にもかかわらず、いかに悩み苦しんだかが読みとれた。解放運動の理論的支柱を担った佐野学も、解放令があっても、「凝結した歴史的伝統は一片の法令を以てよく破壊しうるものではない」ことを強調している（佐野学「解放の原則」『よき日の為めに』水平社創立事務所、一九二二年）。南梅吉も、「明治四年太政官布令により穢多の称を廃せられ、形式上所謂平民に列せられたかの如く見へた。しかし事実は穢多に変へるに新平民、少数同胞、後進部落等種々の名称を以てせられたる如く、久しきに亘る迫害と侮蔑とは、今日も厳として残って居り、この事実に見て私の見聞のそれよりも、より多くの事実のあることを思ふとき、それは穢多の称の他の称を以てせられし外の何ものでもなかった（「改善事業より解放事業」〈水平〉第一巻第一号、一九二二年七月）。つまり、被差別部落は、一八七一年のいわゆる「解放令」によって、「身分」という境界が取り払われたが、代わって「異種」という眼差しが注がれ、別な生得的境界が維持されてきた（黒川みどり編『近代日本の「他者」と向き合う』部落解放・人権研究所、二〇一〇年）ことを反芻せねばなるまい。

解放令前後における被差別部落研究史については、東上高志「部落史の課題」（部落問題研究所編『部落問題セミナー』（二）、汐文社、一九六四年）、藤野豊「全国水平社の創立とその思想」（部落解放研究所編『水平社運動史』解放出版社、一九八六年）、高橋貞樹『特殊部落一千年史』（部落問題資料文献叢書・第一巻、世界文庫、一九六七年）などに譲ることにする。なお、解放令以前、被差別部落の近代のありようについては、明治初期にいわゆる徴士・貢士等の地方諸藩の代表者によって構成された「公議所」に提出上程された建議が注目される。例えば、会計官権判事・加藤弘蔵（弘之）の「非人穢多御廃止之議」、豊後日出藩議員・帆足龍吉の「穢多ヲ平民トシ蝦夷地ニ移スベキノ議」、公議所書記・大岡玄蔵の「生殺ノ権ヲ穢多頭ニ委ヌヘカラサルノ議」、松本藩・内山総助の「穢多非人ノ身分御改正ノ議」、福智山議員・中野斎の「里数御改正ノ議」、および大江卓の「穢多非人廃止建白書」等についての内容は、東上高志「部落史の課題」（部落問題研究所編『部落問題セミナー』（二）、汐文社、一九六四年、同（四）一九六五年）、小木茂『入門・被差別部落の歴史』明石書店、一九八四年などに詳述されている。これらに散見されるのは、被差別部落が「人外」におかれていること、「常人」と認められるべきこと、万人が人命の尊さをもっていることなど、普通の人間が普通の人間になることへの訴えであった。

やがて被差別社会に対する改善運動の失策による融和運動への転換に移行するが、それでもなお、「部落民は永い間の因襲に依り、謂れもなき差別を受け『社会外の社会人』として、或は『人間外の人間』として、擯斥疎外」（南梅吉「人間性の尊厳」『特殊部落一千年史』）されてきた。人間が人間として尊いという当たり前の主張である。それは、「吾々はただ人間でありたい。吾々の歴史と現実とは余りに人間とはかけ放れている。吾々の人間であることを主張するは雪の白きを主張するそれほども、当然なことであった」（南梅吉「改善事業より解放運動」前掲）ことと同じである。どうもわれわれは、人間をみる眼差しを忘れてしまってきたようである。

いよいよここで、いわゆる「水平社宣言」を語るときがきた。

「水平社宣言」とは、図19-1に掲げた「綱領」と「宣言」を指す。なお、「全国水平社創立大会綱領・宣言・則・決議」では、次のような説明を付している。

表に印刷された綱領・宣言は、一九二二年三月三日の創立大会で採択されました。綱領は「人類最高の完成」という水平社運動の姿勢と目標を明らかにしたもので、桜田規矩三が朗読しました。宣言は西光万吉によって草稿が書かれ、平野小剣が加筆しました。これまで部落は「エタ」「特殊部落」などと差別されてきましたが、あえてこの言葉を使うことによって自らが部落民であることに誇りを持ち、恩恵的な融和事業を拒否して自主的・集団的な部落解放運動に立ち上がることを格調高い文章で訴えました。この宣言は、日本初の「人権宣言」として人権史上高く評価されています。（後略）

「綱領」に示されている第一項は、いわゆる被差別部落民衆による自主解放という目標を表しており、水平運動

図19-1　水平社宣言

綱　領

一、特殊部落民は部落民自身の行動によつて絶對の解放を期す

一、吾々特殊部落民は絶對に經濟の自由と職業の自由を社會に要求し以て獲得を期す

一、吾等は人間性の原理に覺醒し人類最高の完成に向つて突進す

宣　言

全國に散在する吾が特殊部落民よ團結せよ。

長い間虐められて來た兄弟よ、過去半世紀間に種々なる方法と、多くの人々とによつてなされた吾等の爲めの運動が、何等の有難い効果を齎らさなかつた事實は、夫等のすべてが吾々によつて、又他の人々によつて毎に人間を冒瀆されてゐた罰であつたのだ。そしてこれ等の人間を勦るかの如き運動は、かへつて多くの兄弟を墮落させた事を想へば、此際吾等の中より人間を尊敬する事によつて自ら解放せんとする者の集團運動を起せるは、寧ろ必然である。

兄弟よ、吾々の祖先は自由、平等の渇仰者であり、實行者であつた。陋劣なる階級政策の犠牲者であり男らしき産業的殉教者であつたのだ。ケモノの皮剝ぐ報酬として、生々しき人間の皮を剝取られ、ケモノの心臟を裂く代價として、暖い人間の心臟を引裂かれ、そこへ下らない嘲笑の唾まで吐きかけられた呪はれの夜の悪夢のうちにも、なほ誇り得る人間の血は、涸れずにあつた。そうだ、そして吾々は、この血を享けて人間が神にかわらうとする時代にあうたのだ。犠牲者がその烙印を投げ返す時が來たのだ。殉教者が、その荊冠を祝福される時が來たのだ。

吾々がエタである事を誇り得る時が來たのだ。

吾々は、かならず卑屈なる言葉と怯懦なる行爲によつて、祖先を辱しめ、人間を冒瀆してはならぬ。そうして人の世の冷たさが、何んなに冷たいか、人間を勦はる事が何んであるかをよく知つてゐる吾々は、心から人生の熱と光を願求禮讃するものである。

水平社は、かくして生れた。

人の世に熱あれ、人間に光あれ。

大正十一年三月

水　平　社

（裏面を見よ）

における最も重要な思想となっている。第二項目は、被差別部落民衆が直面していた課題が経済の自由と職業の自由であり、それを社会に要求するというところに、従来の改善運動や融和運動と異なる特徴を示している。しかも、当時は差別語として嫌った「特殊部落民」の用語を、自らの主体を表現する言葉として使用して点に重大な意義が認められる。第三項では、「特殊部落民」ではなく、一般民衆を含む「吾等」が主体とされ、しかも「人間性」「人類最高」という部落問題を超越した崇高な理念が掲げられている。第一項、第二項は平野小剱、第三項は阪本清一郎の提案とされている（朝治武「水平社宣言の歴史的意義」朝治武・守安敏司編『水平社宣言の熱と光』解放出版社、二〇一二年）。

「宣言」の執筆者は西光万吉と伝えられている。西光自身、「水平社が生まれるまで」で、こんな述懐をしている（『西光万吉著作集』第一巻、涛書房、一九七一年）。

京都祇園の「一力」で大星由良之助が酒色に耽ると見せかけて、一方で仇討ちの準備を進めていたという話は芝居や浪曲でも有名だが、その祇園の「一力」とともに昔から名高い島原の「すみや」が、水平運動の準備にいささかながら役立ったこともあるからおもしろい。（中略）

まさしく寒々としたうすれ日のさす屋上の物干し台である。したがって盃盤もなければ舞妓もいない。いるものはただ一人、青い労働服を着たやせて貧相な男がすわりこんで、ぼんやり考えているだけである。（中略）

彼はその頃、くしげ七条のある長屋の二階に住んでいた。その二階は三室ほど壁を抜いて紙箱工場になっていて、紙や道具が処も狭く置いてある。そしてすべて板間であったが、室の一隅にただ一枚だけ古畳を敷いてあった。そこが、彼の借用している一畳敷きである。その古畳の一畳敷きには、ふとんが二枚と風呂敷包みが一つだけで枕さえない。（中略）

京都の二月はまだ寒い。そのある日の午後、やはりうすれ日のしずかな「すみや」の物干し台へ、いつものように彼は上がってきてすわりこんだ。そして、いつものようにぼんやり考えているようだったが、やがて小さい手帳を出し、鉛筆をなめながらこまかい字で書きはじめた。「全国に散在する特殊部落民よ、団結せよ」。そして、夕方近くに物干し台を下りていったが、それきり彼はそこへは姿を見せなくなった。

彼とは私のことである。

文中、「彼とは私のことである」という彼も私も西光万吉である。しかし、さきの「全国水平社創立大会綱領・宣言・則・決議」の文中に記録されているように、「宣言」は西光万吉が記述し、平野小剱が加筆・添削したものである。当時、西光は二六歳、平野は三〇歳であった。

さて「宣言」の内容を凝視してみよう。住井すゑ・福田雅子『水平社宣言を読む』（解放出版社、一九八九年）をはじめ多くの解説論文があるが、ここでは、「人間を討う」という論点から次のように纏めてみた。

一、「宣言」本文六二二字。うち、「人間」一〇箇所、「人」一箇所。つまり、水平社宣言は「人間宣言」である。

一、あえて「「特殊部落民」を宣言し、主体的にとらえ直す力強さが感じられる。ネグリチュード運動と連動し、人間としての世界連帯の主張宣言でもある。

一、人はただ単なる平等ではなく、尊敬し合っての平等が尊い平等である。

一、「人の世に熱あれ」、「人間に光あれ」は、人類の詩であり、人間讃歌であり、人間の誇りとしての人権宣言である。したがって、一人ひとりの鎖の輪、文化による紐帯を宣言している。

一、「水平社リーフレット」の頭書に「人間にかへれ」の文言がある（部落解放同盟中央本部編『写真記録全国水平社』解放出版社、二〇〇二年）。「人間にかへれ」、「人間にかえれ」、それは人間同志が支え合う社会＝一種の依存＝が求められている。これらのことによって、「排除と包摂」（黒川みどり編『〈眼差される者〉の近代』解放出版社、二〇〇七年）からの解放が求められる。

「人間を討う」の後段は、この「排除と包摂」の続きとして、ハンセン病問題に苦しみ忍んできた人間宣言を討うてみたい。

（二）〈山桜〉〈灯泥〉宣言

人を棄てた二千年　〈病棄て〉の原点ともいえる『日本書紀』巻第二十二・推古天皇二十年（六一二）をみてみよう（坂本太郎ほか校注『日本書紀』下・日本古典文学大系六八、岩波書店、一九六五年）。

是歳、百濟國より化来る者有り。其の面身、皆斑白なり。若しくは白癩有る者か。其の人に異なることを悪みて、海中の嶋に棄てむとす。然るに其の人の曰はく、「若し臣の斑皮を悪みたまはば、白斑なる牛馬を、國の中に畜ふべからず。亦臣、小なる才有り。能く山岳の形を構く。其れ臣を留めて用ゐたまはば、國の爲に利有りなむ。何ぞ空しく海の嶋に棄つるや」といふ。是に、其の辭を聴きて棄てず。仍りて須彌山の形及び呉橋を南庭に構けと令す。時の人、其の人を號けて、路子工と曰ふ。亦の名は芝耆摩呂。

右の要旨は、六一二年に百済からの帰化人のうちの一人に、顔面に斑白のある者があり、白癩（ハンセン病＝癩病）と認められて、海中の島に棄てようとした。しかし白癩の人は庭造りの才能があるので遺棄を許され、須弥山等を模倣した庭を作らせた。同時に、白癩の人に対して、路子工あるいは芝耆摩呂と名付けられた、というものである。ここでは、確かに病者に対する〈遺棄〉と〈排除〉の思想がみてとれる。しかし同時に、この時代においては、病者に対する〈保護〉的要素も伺うことができるのが、せめてもの救いであろうか。
『日本書紀』からみて、当時の帰化人の中に、どれほどのハンセン病患者が認められるのかは推定することは不可能である。しかし当時、わが国にハンセン病患者が存在していたことは事実であろう。例えば、律令制度下における「戸令」に、「凡そ一つの目盲、両つの耳聾、手に二つの指無く、足に三つの指無く、手足に大きなる拇指無く、禿は瘡にして髪無く、久漏、下重、大癭瘇、此の如き類は、皆残疾と為よ。癡、瘂、侏儒、腰背折れたらむ、一つの支癈れたらむ、此の如き類をば、皆癈疾と為よ。悪疾、癲狂、二つの支癈れたらむ、両つの目盲らむ、此の如き類をば、皆篤疾と為よ。」とあり、「悪疾」は癩病と注記されている（井上光貞ほか校注『律令』日本思想大系三、岩波書店、一九七六年）。このような律令制度は、現代に比べれば微々たるものながら、若干の弱者保護の制度を持ち併せていた。さきの『日本書紀』の癩者への待遇もその一つの表れであろう。「戸令」の中でも、重病者あるいは障害者に対する保護（介護者をつけること、税金の一部免除など）が認められる。

さきに述べた「戸令」巻八にも、

悪疾、癲狂、二つの支廃れたらむ、両つの目盲らむ、此の如き類は、皆篤疾と為よ。（中略）凡そ年八十及び篤疾には、侍一人給へ。九十に二人。百歳に五人。皆先づ子孫を尽せ。若し子孫無くば、近親を取ること聴せ。近親無くば、外に白丁を取れ。若し同家の中男を取らむと欲はむには、並に聴せ。郡領以下の官人、数と巡り察ること加へよ。若し供侍不如法ならば、便に随ひて推決せよ。其れ篤疾の十歳以下にして、二等以上の親有らば、並に侍給はず。

とあり、身体障害、疾病を段階区分し、給侍を与える条規もあり、その中には「悪疾＝らい」も含まれていることに注目したい。

一方で、律令制度から荘園制への移行は、社会の崩壊寸前の状態、末世の時代ともいわれている。「律令制度の解体と穢れ」の思想から「病者の排除」への思想にいたる経緯についての論を引いてみよう。「日本という社会は、律令制を中国から輸入する以前は、未開に近い状態の社会でした。律令制を受け入れた後も、日本人の宗教観念には原始的な宗教観念が色濃く残っていました。原始的な宗教では、穢れというものが重要な役割を果たしています。神に祈る空間は、清浄を保たなければならないと考えたからです。そうでなければ、神は人間の願いを聞いてくれない。穢れは神が嫌うものであって、穢れを完全に取り除くことが、宗教行事を行う上で絶対に必要であるというのが、原始的な宗教に共通する観念でした。

古代の日本には、このような宗教観念が濃厚に残っていたわけです。穢れの対極は清浄ですから、清浄な天皇を実現することで、政治的には低下してしまった天皇の権威を、もう一度取り戻せると当時の人びとは考えたわけです。そうすると、天皇に穢れをうつさないということが政治上の重要なことということになってきます。穢れをうつさないための様々な装置が生まれてくることになります。そういう動きの一つが、病者や障害者を社会から排除するというものでした」（山本尚友「ハンセン病の歴史」大野哲夫ほか編著『ハンセン病講義』現代書館、二〇一三年）。

つまり、『日本書紀』の時代では、排除や遺棄の意志は存在しつつも、あわせて保護的意志が若干見受けられていたが、律令制の解体に伴い、保護の思想は消えて病者排除・遺棄という〈病棄て〉一色に変化していく。原始的な宗教観念では、体の障害や病気は穢れと考えられていた。したがって彼らは祭祀関係からは排除されていた。その彼らが平安末期になると、乞食の集団に加わり、共同体から排除されていくようになる。

『今昔物語集』でみてみよう。「巻第二十」の「比叡山僧心懐依嫉妬感現報語」の話である（『今昔物語集』四、日本古典文学大系二五、岩波書店、一九六二年）。

餘ノ講師共ハ我ニモ非ヌ心地シテ、行ニモ非ズ、事皆乱ス。國ノ者共モ、一ノ供奉ニ未ダ不見ザリケル者共ハ、「事ニモゾ懸ル」ト思テ、後ノ方ヨリ皆迯テ行メレバ、人少ニ成ヌ。即チ、事畢ヌレバ、惣講師ノ料ニ儲タリツル布施共ハ、皆、一ノ供奉ニ取セツ。残リ留タル國人共ノ思タル貌・氣色、極テ本意无氣也。
其ノ後墓无テ、任モ最レバ、一ノ供奉モ京ニ上ヌ。守モ二三年許ヲ経テ死ヌレバ、一ノ供奉、寄リ付ク方无テ、極テ便无ク成ヌ。而ル不、白癩ト云テ病付テ、祖ト契リシ乳母モ、穢ナムトテ不令寄ズ。然レバ、可行キ方无テ、清水・坂本ノ奄ニ行テゾ住ル。其ニテモ然ル片輪者ノ中ニモ被悪テ、三月許有テ死ケリ。
此レ、他ニ非ズ、嚴法會ヲ妨ゲ、我ガ身賤クシテ、止事无キ僧ヲ嫉妬セルニ依テ、現報ヲ新タニ感ゼル也。
然レバ人、此レヲ知テ、永ク嫉妬ノ心ヲ不可發ズ。嫉妬ハ此レ、天道ノ悪ミ給フ事也ト語レリ傳ヘタリトヤ。

ここでの話には二つの意味がある。一つは遺棄である。前半は少々割愛した部分があるが、比叡山の東塔に心懐という僧侶が、白癩に罹ってしまい、乞食の群れに入るも、仲間の乞食から嫌われ三月ほどの間に死んでいく（遺棄）状況が書かれている。もう一つの意味は、僧侶心懐が白癩に罹った原因についてである。すなわち、心懐が白癩に罹った理由は、厳しい法会を妨げ、我が身賤しく、やんごとなき憎を嫉妬したことへの報いであるという曲解を示していることである。

〈病棄て〉にはこんな話もある（「智海法印癩人法談」『宇治拾遺物語』日本古典文学大系二七、岩波書店、一九六〇年）。

是も今は昔、智海法印有職のとき、清水寺へ百日参りて、夜ふけて下向しけるに、橋の上に、「唯圓教意、逆則是順、自餘三教、逆順定故」といふ文を誦する聲あり。尊きことかな、いかなる人の誦するならんと思て、近うよりて見れば、白癩人なり。かたはらにゐて、法文の事をいふに、智海ほと〳〵云まはされけり。南北二京に、これ程の學生（がくしやう）あらじもの（物）をと思ひて、「いづれの所にあるぞ」と問（と）ひければ、「この坂（さか）に候（さぶらふ）也」といひけり。後に、度々たづねけれど、尋（たづね）あはずしてやみにけり。もし化（他）人にやありけんとおもひけり。

わが国古代の癩患者への社会的排除の悲劇をみた。しかしこの歴史は、時代を問わず継続されてきた。島田等はいう。「保健衛生政策としての近代日本のらい行政は、長い間、患者にとって〝病棄て〟というにひとしい非情なものであった。そしてその存続は、まぎれもなく国民的基盤の上で可能なものであった。さらに、明治以前のらいに関する文献を見るとき、患者の状態には〝遺棄〟という言葉が使われていることが少なくないが、少なくとも一定の管理の手が及ぶであろう〝隔離〟ですらない遺棄こそ、つい昨日まで、日本の社会がらい患者に与えた処遇の本質であった」（『病棄て』ゆみる出版、一九八五年）。癩の発生についても、先の「比叡山僧心懐依嫉妬感現報語」でみた嫉妬による因果応報説、遺伝説、罪障説、仏罰、天刑、先祖の祟り説（礫石全次『病いと癒しの民俗学』批評社、二〇〇六年）など、さまざまな不合理、非開明の諸説に翻弄され、合理的・科学的対応からますます遠ざかってしまった。再び島田同書からの説をひく。「醜いとされ、汚いとされ、穢れているとされて、人々は棄てられてきた。人間の存在にとって棄てるということが、いかに根深い衝動であるかを、一つの象徴的な疾病の歴示は示している。」さらに説く。「らい処遇思想の二千年は、病いとともに人を棄ててきた二千年である。」と。

日本共同体の質　「らい予防法」は、とんでもない法律だった。「らい予防法」に先立ち、一九〇六年に第二二回帝国議会衆議院に「癩予防法案」が提出される。この時期はハンセン病への恐怖心が煽り出されていたが、当該法案は衆議院で可決されたものの、貴族院では審議未了となり、翌一九〇七年の議会で可決される。「癩予防法」が法律第一一号として施行されたのは一九〇九年のこととなる。その結果、日本全国を五区に分け、第一区・全生病院（東京・定員三五〇名）、第二区・北部保養院（青森・定員一〇〇名）、第三区・外島保養院（大阪・定員三〇〇名）、第四区・大島癩療養所、後に大島療養所と改称（香川・定員一七〇名）、第五区・九州癩療養所、後に九州療養所と改称（熊本・定員一八〇名）の五施設が法に基づき、連合府県立として開設された。国策としてのハンセン病対策はここから出発することになる（松田徹『「隔離」という病い』講談社、一九九七年）。

さらに一九三〇年に旧内務省が「ライ根絶計画」を発表し、同年に強制収容の受け皿となる初の国立療養所である長島愛生園が、本土と離れた岡山県の小島に設立された。文字どおりの隔離政策であった。在宅患者の強制収容である。しかも療養所には、所長に「懲戒検束権」が与えられ、「特別病室」と称する「重監房」に収容する強圧的管理を容易にしていた（三宅一志・福原孝浩『ハンセン病』寿郎社、二〇一三年）。

ハンセン病患者の隔離政策は、この「癩予防法」によって強行されていく。しかし驚くべきことが戦後に起きた。一九五三年に、戦前の「癩予防法」の内容を引き継ぐ戦後の「らい予防法」が、ハンセン病患者の圧倒的な反対を押し切って成立した。「らい予防法」の問題点は、相変わらず患者隔離が継続され、退所規定が設けられていないことである。つまり、ハンセン病患者は一旦療養に隔離収容されると、一生療養所から出所できない法律である。ハンセン病患者を認定した場合、有無をいわせずに患者を日常生活から切り離し、療養所に一生にわたり強制収容してしまう強権的政策が戦後に実施されていたのである。冒頭に記した「らい予防法」は「とんでもない法律だった」（『「隔離」という病い』）の文言は本当であった。

さすがの「らい予防法」も、一九九六年にようやく廃止されることになる。続いて一九九八年には入所者らによって、熊本地裁に国のハンセン病政策の転換の遅れの責任を問う「らい予防法違憲国家賠償請求訴訟」が提起される。続いて東京、岡山でも提訴が行なわれるが、二〇〇一年に熊本地裁で原告勝訴の判決が下された。つまり熊本地方裁判所は、わが国のハンセン病隔離政策とその法的根拠とされた「らい予防法」を憲法違反と断罪し、当該法案を一九九六年まで改廃しなかった立法不作為を断罪した歴史的判決であった。それは、まさしく人権の回復、人間の解放の宣言でもあった（猪飼隆明『近代日本におけるハンセン病政策の成立と病者たち』校倉書房、二〇一六年）。ちなみに、同書に示されている「原告準備書面」を掲載しておく。

被告国は、一九〇七年（明治四〇年）の「癩予防ニ関スル件」の制定に始まり、一九九六年の「らい予防法」廃止に至るまで、一貫して強制隔離政策をとり、強制隔離制度を定め、存続させ、原告らを事実上の強制隔離状態下におき、現在に至るまで原告らが社会の中で平穏に生活する権利を奪い続けてきた。被告国によるこれら侵害行為の継続及び原告らの高齢化により原告らが受けた損害はいまなお拡大の一途を辿っている。

すなわち、被告国は、一九〇七年「癩予防ニ関スル件」を制定し、これによりハンセン病患者の強制収容・終身隔離政策を開始した。一九三一年（昭和六年）には隔離対象をすべての患者に拡大して強制隔離の強化によるハンセン病及びハンセン病患者の根絶を企図し「癩予防法（旧法）」を制定した。その後も、被告国は、患者の収容範囲の拡大を図り、また、「無癩県運動」を全国で展開し、民族浄化の名の下に国策として強制隔離と断種・中絶の強要による患者の絶滅政策を徹底していった。被告国は、ハンセン病が感染力の非常に弱い病気であり、仮に感染しても発病率の著しく低い病気であることを知りながら、ハンセン病が不治の病である等といった宣伝をなし、診療・入所等の措置に際し、衆人環境の中で患者の家の消毒を実施し、輸送列車に「らい患者専用列車」と公に表示するなどして、いわゆるハンセン病にたいする「恐怖宣伝」を行い、強制収容による強制隔離を実施し続け、これにより社会にハンセン病患者に対する根強い差別意識、偏見を生ぜしめた。

熊本地方裁判所判決の当日、原告が勝訴の感動を綴った詩がある（厚生労働省『ハンセン病の向こう側』二〇一七年)。

太陽は輝いた
90年、長い長い暗闇の中
一筋の光が走った
鮮烈となって
硬い巌を砕き
光が走った
私はうつむかないでいい
みんなと光の中を
胸を張って歩ける
もう私はうつむかないでいい
太陽は輝いた

詩の中、「私」は「私」のままでもよいし、「私」を「人間」に置き換えて読むのもよいであろう。

こんなすばらしい詩が発表される反面、『ハンセン病の向こう側』には、熊本裁判に勝訴したからといって、ハンセン病問題は決して解決しなかった多種の問題点を指摘している。例えば、「入所者や社会復帰者、その家族に対する偏見や差別は今でも根強く残っている」とし、「判決後も熊本県で入所者に対するホテル宿泊拒否事件」などがあげられている。さらには「療養所に入所したときに、家族に迷惑が及ぶことを心配して本名や戸籍を捨てた人もいるため、現在も故郷に帰ることなく、肉親との再会が果たせない人もいます。療養所で亡くなった人の遺骨の多くが実家のお墓に入れず」といった状況が載せられている。このことは、「らい予防法」という法律が廃止されたとしても、そのことを、市民一人ひとりが、その意味を十分に理解しなければ何の役にも立ち得ないのである。いい換えれば、「らい予防法」が廃止されたというそのことだけでは、ハンセン病問題は解決したことにはならないのである。むしろ、「そのことによって、もう解決したかのような一つの状況が生まれるならば、それこそ最も恐ろしいことなのではないでしょうか」（大野哲夫ほか著『ハンセン病講義』現代書館、二〇一三年）の提起は貴重である。

すでに述べたハンセン病差別の論点と若干重複するかもしれないが、改めてその差別の構造をみることにしよう。さきの三宅一志・福原孝浩著の『ハンセン病』には、ハンセン病差別の本質として次のように述べている。

> ハンセン病（癩病）差別の本質は何だろうか？　それは差別に苦しむ難病患者・その血縁者らを「斬れば血が出る」人間とは見ず、僻地や離島の療養所という名の収容所に放り込んだ国策が引き起こし、その国策によって国民の恐怖心・差別心がどんどん煽られたということだ。ご丁寧にも、収容されていく患者宅を真っ白になるほど消毒した例が圧倒的に多く、周辺住民の恐怖心をかき立てている。患者を療養所に連れて行くときも、牛馬並に貨物列車を用いた場合が多い。しかも貨車には「ライ患者輸送中」とこれみよがしに張り紙をし患者の歩いた跡を大仰に消毒した（主に石炭酸使用）。

同書では、ハンセン病差別・偏見をさらに助長したのは、一九二九年から国策として施行された「無癩県運動」に注目している。「無癩県運動」という名称は、あたかも慈善運動的感触を与えるが、この運動は皇紀二千六百年（昭和一五年、一九四〇年）を機に加速させられたように、優生思想に支えられた不良子孫を残さない民族浄化運動や富国強兵策に則したものであった。したがって「無癩県運動」は、「癩は天刑病」という蔑称をも包み込む差別構造を内包していたとみることができる。丁度、江戸時代において、放浪癩患者を「非人」の枠においたように、ハンセン病患者を「人間の枠外の存在」とみたのが無癩県運動にほかならなかった。『ハンセン病講義』にもどると、ハンセン病差別における隔離の被害として、一、人生被害、二、断種・堕胎、三、奪われた本名などをあげている。ここにみられる「人間の枠外の存在」の指摘は、別稿「水平社宣言」でみた被差別部落の「社会外の社会人」、「人間外の人間」とみた思想構造と同じくしていると思われる。

ハンセン病に対し、人を棄てた二千年という。被差別部落も人を棄てた二千年かもしれない。わが国には「共同防貧」などに優しい国民性をみる反面、われわれのなかに潜む他者に対する「排除と包摂」を繰り返してきた日本の共同体の質を反省する必要があろう。

〈山桜〉〈灯泥〉宣言　現代を考える前に、わが国の中世におけるハンセン病患者の実態を紹介しておこう。中世には、制度上で非人宿の長吏が職務として、らいの管理・監督を行うのが普通であった。当時の病人生活の実態を知る手掛りとしては、一二七五年に大和国（奈良県）の非人の長吏らが律宗の僧に提出した「起請文」がある。その中味の要約は、「らい病人がいるということを聞いた時には穏便に解決するための使者を患家に派遣して詳しく説明させ、本人ならびに親族らによく相談させる。その病気が真正らいであった時は、在宅ができずその家を出るというのであれば問題はない」（山本俊一『増補日本らい史』東京大学出版会、一九九七年）という内容であった。当時としては、自宅に定着しているらい患者であろうと、流浪中の病人であろうと、その姿を見かけたり噂を聞きつけただけで、直ちにその身柄を強引に非人宿に収容しようとしていた様子が伺える。そしてこのような人達は、一例をあげると、大和国ではらい患者は北は北山十八間戸、南は西山光明院に収容され、国内各所を勧進して生活をしていたようである。この時代、キリスト教関係者の救済活動は各種の研究所に多く立証されているが、仏教の救済活動は極めて低調であったし、場合によって差別行為を助長する場面も多く認められている。ハンセン病に対する否定的役割を担った例として「妙法蓮経普賢菩薩勧発品第二十八」の中味は次のようである（宮坂道夫『ハンセン病　重監房の記録』集英社、二〇〇六年より引用）。

法華経を信じる人の世話をしたり、ほめたりする人は、この世において現実によい報いを受けるだろう。もし、この教えを固く信じる人を見て、その人のあら探しをして世間に言いふらすような人がいたならば、それが本当のことであろうと誤解に基づくものであろうと、その人はこの世において白癩（びゃくらい）という病いにかかるだろう。もしもある人が、法華経を信じる人を嘲笑すれば、その人は何度生まれ変わっても、いつも歯の間がすいていて、唇は醜く、鼻は低く、手脚はよじれ、斜視となり、体が臭くてきたならしく、悪い出来ものができて血膿を持ち、腹は膨れ、息切れがして、種々の重い病気を背負い込むことになるだろう。（著者訳）

ただ仏教の中でも、例外的なある種の救済活動として僧忍性や光明皇后が浮かぶが、ここでは光明皇后の例を挿話的に触れておきたい。

光明皇后のハンセン病患者への医療行為（ここではとくに湯施行）の契機には二つの側面があると考えられる。第一は、当時の中国における医療の先見性にある。ハンセン病患者に限ってみると、隋代の僧道舜は村人の教化に務め、「癩病者のいる村々を訪れて医療を施し、膿が潰れて流れている者があれば、皆口で吸い出し、衣服を洗ってやった」とされる。隋代末の智巌（部将、後に出家）は、晩年に石頭城の癘人坊に居を構え、説法のためには、「癩病者の膿を吸ったり、洗濯をしたり、何でも行なった」（GBS実行委員会『論集光明皇后』東大寺、二〇一一年）。唐初におけるハンセン病患者の医療施設は以上に由来している。ところで、こうした中国における弱者救済の制度と実態を観察し、その情報をもたらしたのは、七〇四年に入唐し、七一八年に帰国した道慈であった。道慈は、聖武天皇や光明皇后とも厚い信頼関係をもち、施薬院や悲田院の設置の進言を行ったという。それは律令制下における弱者救済の制度上の不備を補うことにもなった。第二の契機は、『続日本紀』にみられる。七六〇年に当たる天平宝治四年六月七日条は、「太后、仁慈にして、志、物を救ふに在り。東大寺と天下の国分寺とを創建するは、本、太后の勧めし所なり。また悲田・施薬の両院を設けて、天下の飢ゑ病める徒を療し養す」（青木和夫ほか校注『続日本紀』三、新日本古典文学大系一四、岩波書店、一九九二年）とあり、ここに光明皇后の公的記録としての事蹟を確認することができる。ただし、ここでは東大寺、国分寺の創建事項及び悲田院・施薬院設置などの事蹟はすべて割愛し、光明皇后湯施行譚を中心に考察していく。太田有希子は、光明皇后の湯施行功徳が説かれてきた諸説を引用している。その一つは、「湯浴の発展と施浴の功徳の説経、そして湯の聖性観念の成立は、地方における非人集団・身分の形成と結びついて、おそらく十一世紀から十二世紀にかけての時期に、最も身体的に穢れた者とされた癩者をも浄める行為としての施浴という、光明皇后の垢擂供養伝説（縁起）を生み出す」ことである。その二つは、「重源造営の湯屋のうち、攝津国渡辺別所の無差の大湯屋が罹癩や堕地獄に対する恐れを未然に防止し、無量の寿福を得る」ことを紹介している（「光明皇后説話の位相」〈巡礼記研究〉第六集、二〇〇九年九月）。同研究では、光明皇后の『建久御巡礼記』について、流布本系統では施行対象が「非人」であるが、春日社系統の「大宮家本」「内閣文庫本」「神習文庫本」では施行対象が「癩病ノ非人」になっていることに注目している。

光明皇后のハンセン病患者の湯屋治療を直接に記録したものとして『元亨釈書』（経済雑誌社、一九〇一年）がある。その「巻十八」がそれである。

妙觸宣明。浴室澣濯。其功不可言自已。后恠喜。乃建温室。令貴賤取浴。后又誓曰。我親去千人垢。君臣憚之。后壮志不可沮也。既而竟九百九十九人。最後有一人。偏體疥癩。臭氣充室。后難去垢。又自思而言。今滿千數。

図19-2 「光明皇后施療図」より

豈避之哉。

ここでは、明らかに千人目の患者を癩患者と断定している。『寂照堂谷響集』巻四（光明皇后会『光明皇后御伝』光明皇后会、一九五二年所収）にも、「浴室澣濯功不可言、之建温室令貴賤浴、誓曰、我去千人垢、既竟九百九十九人、後有一人疥癩、臭気充室、后忍揩背、病人言、良医教曰、使人吸膿除愈、世無深悲者」と類似の情況を描写している。『法華経直談鈔』には、「癩人が七日間も入浴し七日目に阿閦仏とあらわれる」（阿部泰郎「湯屋の皇后」〈文学〉一九八七年一月号）話が載せられている。ただし『三国伝記』巻第二（仏書刊行会「大日本仏教全書」一九一二年）では、癩患者とせずに「乞食」の名称で、光明皇后の同じ趣旨の湯屋施行の功績を讃えている。

癩患者に対する光明皇后の湯屋治療の絵画も残されている。早稲田大学図書館蔵の半山画「光明皇后施療図」（出版年不明）は、図19-2のとおりである。

同図の詞書きには、左のような説明書きが付されている。文中の飛田は、もちろん悲田のことである。

聖武天皇之御后光明皇后与申奉るハ深く佛道を崇め皇にすゝめ奉りて東大寺国分寺を建立あり飛田施薬の二院をおきて天下の飢病の輩を恵ミ給ふ中にも御心願有て浴室を建て千人の垢を去給ふ既に九百九拾九人におよび今壱人癩人来る臭気室にみちて堪がたくといへども厭ず背を摺たまふ病人のいふ我身膿みちて甚堪がたし庶幾吸て給われといふ皇后則濃を吸て曰我汝が瘡を吸たりと人にいふことなかれと仰られければ病人いふ君も我膿を吸たりと人にいふ事なかれといひて大光明を放阿閦仏と現じ給ふとかや（後略）

挿話的にみようとした光明皇后の話が長くなってしまった。話を本筋に戻そう。さきに中世のハンセン病患者の実態の一部を紹介したが、現代の問題を考えてみたい。

一九二一年、旧内務省衛生局が「各道府県立癩療養所長」に入所者の「告白」の収録を命じて編纂された「癩患者の告白」がある。その編纂の目的は、入所者の「発病当時の感想」「疾病の隠蔽」「治療に対する苦心」「社会の患者及其の血族に対する嫌悪、圧迫」「浮浪徘徊に依りて病毒撒布の状況」「収容当時の心理状態」「将来の希望」などにまつわる告白を収録することによって、施設改善の参考資料とすること、及び癩に関する正当な理解と同情を喚起することにあった。このことに関して、『〈眼差される者〉の近代』（前掲）は次のように纏めている。以下は要約の一部分である。第一は、「発病当時の感想」で、①「癩」の宣告を受け、「血も氷ってしまふかのやう」で「殆んど卒倒せん計り」、「一家の悲嘆は云う迄もなかった」、②「悲嘆と煩悶に終日無為の日を送る有様」、③「老若の別もなく皆悲惨の極み」、④「廃物の身と成」り、故郷の人に「合す顔」がない、⑤兵役免除となり「社会にも国家にも義務を果すことができない」などで、宣告に大きな衝撃があったことが読みとれる。第二は、「疾病の隠蔽及治療に対する苦心」で、⑥「裏の六畳敷の間」に隔離されたり、⑦「一里程離れた処」に「母と隠れ住む」、⑧「偽名」を使う、⑨「伝統的な加持祈祷」などが報告されている。第三は、「社会の患者及其の血族に対する嫌られている。

悪、圧迫」に関するもので、遺伝病、血統観が根強く、地域社会における病者とその身内への視線の深刻さが訴え

先述した厚生労働省の『ハンセン病の向こう側』でも、「「療養所」の実態」として、元ハンセン病違憲国賠訴訟全国原告団協議会会長の故・谺雄二は、

国はハンセン病患者に対し、強制隔離しただけではありません。収容した療養所では、重症者の看護、眼や手足の不自由な人の介護、そして食事運搬や土工・木工、さらには亡くなった療友の火葬までも、入所者に強制的にやらせたのです。また、療養所内での結婚の条件として子供が産めない手術を強制されたりしました。さらに、こうした措置に不満をもらせば、次々と療養所内の監禁所に入れられました。栗生楽泉園には全国のハンセン病患者を対象とした「特別病室」という名の重監房があり、零下20度にもなる極寒の環境下で食事もろくに与えられず、たくさんの人が亡くなったのです

と実態を訴えている。同じくハンセン病違憲国賠訴訟全国原告団協議会事務局長の竪山勲は「夢見る故郷の空」で、

中学校二年生13歳の時、体に発疹が現れ、まもなく校長先生から「きみは学校へ来なくていいよ」と言われました。そして何がなんだか分からないうちに、星塚敬愛園に入所させられ、園に着いたその日に強制的に偽名を名のらされました。はじめて外出許可をもらい故郷の父に会いに帰りましたが、そこに待っていたのは「もう二度と帰ってきてくれるな。兄や姉たちにも迷惑がかかるといけないから」との父のことばでした。父にそう言わせたのは「らい予防法」があったからです。それは私から家族を、友達をそして故郷を、さらには教育を奪いました。以来私は帰郷をあきらめ夢の中でしか故郷へは帰れなくなりました。父が亡くなったのも知らされず、知ったのは亡くなってから満6年後のことでした。

と綴っている。これらは、単なる回想ではない。ハンセン病に対する排除や忌避の思想が、人びとの内なる「なにか」を見届けなければならないのであろう。

特筆すべきことがある。ハンセン病者自身による「人間宣言」である。ハンセン病者自身の雑誌〈山桜〉の再刊号（第二七巻第四号、一九四六年一月、創刊は一九一九年四月）の「巻頭言」に堂々と宣言している。ハンセン病患者自身が、「真に一個の人間」としての宣言である（図19-3）。〈山桜〉第二七巻第九号（一九四六年）の「巻頭言」でも、「生きる根拠、生命の根ざすところは動物も人間も同一である。悪疫たりと云へ、又我等も生命ある人間であることを忘れてはならぬ」と宣言している。さらにハンセン病患者の雑誌〈打泥〉創刊号（一九五〇年一二月）で、白浜博史は「目覚め」で、「吾れわれは人間なのだ」と、高らかに「人間宣言」をしている（図19-4）。「水平社宣言」と同じように、ハンセン病における人間宣言を、かりに「〈山桜〉〈灯泥〉宣言」と呼びたい。

人間宣言は、人が人となることであるが、〈灯泥〉の同じ創刊号で、奥隆治は「発足」を語る中で、「肉を太らす事なく、魂を太らす人間」を主張している。見方によっては、「肉を太らす」とは、権力を意味するのであろうか。〈打泥〉第七集（一九五一年八月）の「ピッチング・ローリング」欄で、次の論が印象に残る。「自分は狂人でないと信じてゐる狂人には、自分以外の人間は狂人に見え、鉄格子の中を覗く人間は、鉄格子の中の彼から見れば、鉄格子に入ってゐる人間に見えるに相違ない。と同じように、権力を振ふ人間の眼には、彼以外の人間は愚者に映り、侮蔑されていることは映らないだろう。此処に権力のくだらなさがある。」ここで説かれている権力とは、ハンセン病に対する排除・隔離を行った権力であり、同時にそのような政策に暗黙に追従してきたわれわれのことであろうか。

図19-3　ハンセン病者自身による「人間宣言」

YAMAZAKURA

卷頭言

思ひ見よ、日本人すべてが今日等しく丸腰になつたが　扮飾を捨て丸腰になつて、はじめて何物にも介在されない、眞に一個の人間としての自身の力を識ることが出來るのだ。

今や舊殻は響をあげて砕かれ、偉大なる新生の陣痛すでに起る。而新日本の黎明が、久しく權勢に抑壓されてゐた自由と平和の曙光が、やがて閑かに山河を染め　嘗つての穢れた地上隅なく照るとき其處に逞しい息吹があがり新鮮な目覺しい芽生が始まる。

あゝ悲觀は樂觀と一致す、いづれ大いなれば更に大いなり。

再刊號

図19-4　白浜博史筆「目覚め」

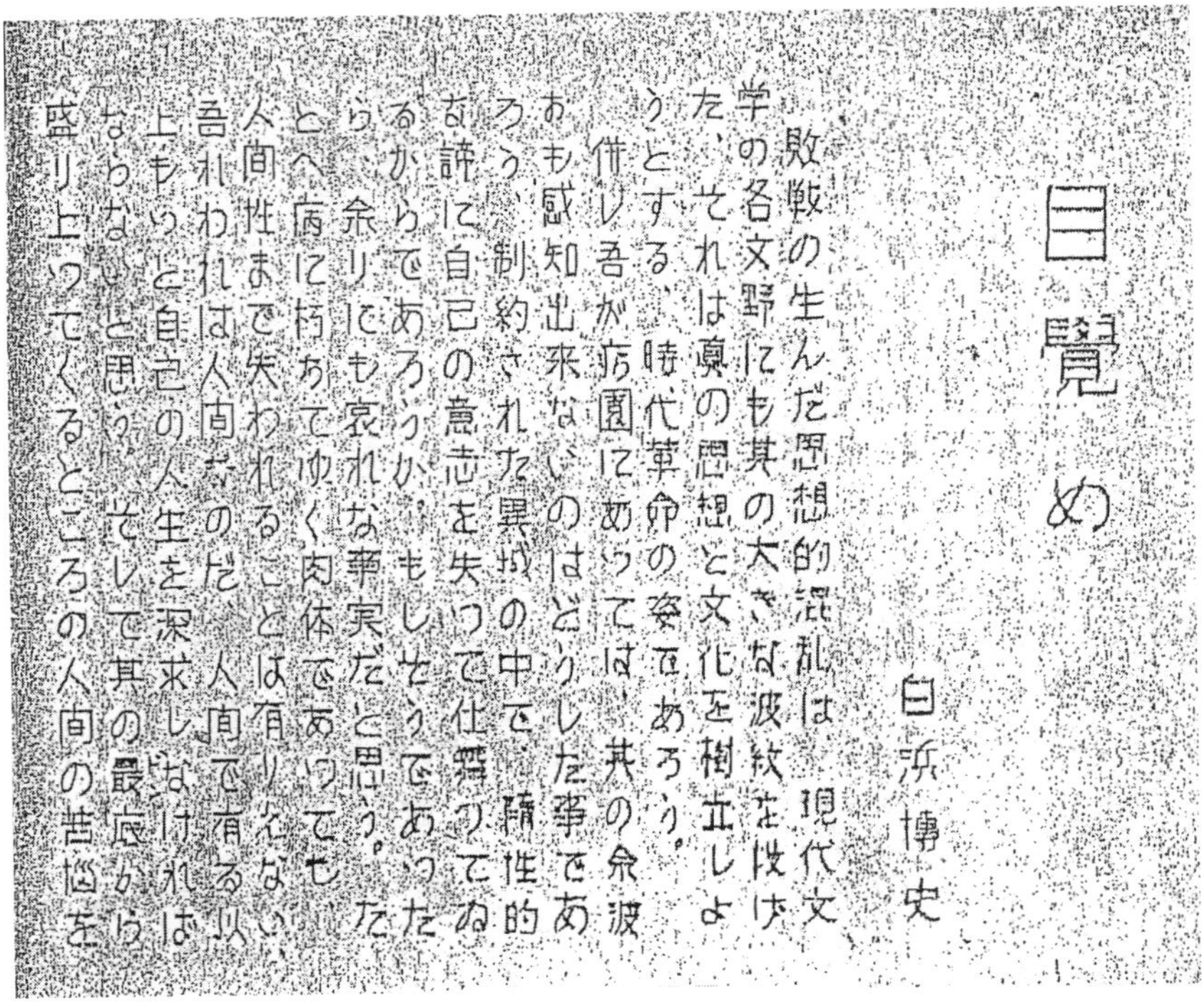

目覚め

白浜博史

敗戦の生んだ思想的混乱は　現代文
学の各文野にも其の大きな波紋を投げ
た、それは真の思想と文化を樹立しよ
うとする、時代革命の姿であろう。
併し吾が病園にあっては、其の余波
をも感知出来ないのはどうした事であ
ろう、制約された異域の中で、惰性的
な諦に自己の意志を失って仕舞ってゐ
るからであろうか。もしそうであった
ら、余りにも哀れな事実だと思う。た
とへ病に朽ちてゆく肉体であっても、
人間性まで失われることは有りえない
吾れわれは人間なのだ、人間で有る以
上もっと自己の人生を深求しなければ
ならないと思う。そして其の最底から
盛り上ってくるところの人間の苦悩をば

そんな意味で、〈灯泥〉同じ第七集に、谺雄二が詩「大地に寄す——三つの幻想」を寄せている。「三つの幻想」の「其の二」連の後半は、

人間は人間ゆえに人を殺戮し
獣は獣ゆえに倒し喰らい合う
無の影の
すさまじき映像の
祭太鼓は
炎炎と雄叫びをあげる

と結んでいる。全国ハンセン病療養所のうち六八人の作品が収録されている詩集・大江満雄編『いのちの芽』（三一書房、一九五三年）で、深山祐子は「無意味な争い」の後半部分は九行になっている。

人間は
正しい営みを忘れ
すべてを破壊してしまうものだろうか。
国家が
国家を
破壊し
人間が、人間を
破壊し

世の終りを急ぐ
福寿美津男は「特別病室」を書いている。訴えている。討（う）っている。
木の葉の炎える山路を歩きながら私は獄舎へ行った。
数年前まで
一丈あまりの鉄筋コンクリートの塀で視野をさえぎったという
特別病室。
あの病室にどれだけの人が、悶え死をしたことか。
癩者は人間性を無視され
凍えながら死んでいった。
苦しみながら壁板に枯れた文字で
「私には罪はない」と記されていたという。
今ぼくは破かいされた病室に
想いめぐらし
かれらを思う。
極寒十五度に、敷一枚、掛二枚でほり込まれ凍え死んだ人
ぼくは此の悲惨極まる地に、目を向けて
天に叫んだ。
父よ

人間が、人間を裁くことを止めさせよ。

そうだ。
人間とは、あたりまえの人間があたりまえの人間になることであるのだ。
人間とは、肉を太らせるのではなく、魂を太らせる人間になるのだ。
人間とは、人間を裁いてはいけないのだ。人は権力ではないのだ。
人間とは、相互主体的に依存しあいながら生きる間柄にあるのだ。
人間とは、お互いに尊重しあうところに人間の光があるのだ。
人間は、そんなことを物語っていかねばならないのだ。

◉余論◉

〈高遠の桜〉序より

安藤昌益のこと／母のことと内村鑑三／考える人間／自然にかえれ／平田篤胤／原子力神話／続・平田篤胤／ゆい・もやい／杉田玄白／遠野物語の教え／佐藤一斎／植木等の等／只野真葛／山鹿素行／淡谷のり子の反戦／長谷川伸「瞼の母」／橋本左内／盗みの三人七態／法原罪と徳田球一／藤村操／大塩平八郎／藤野先生と魯迅／忘れまじ煙山専太郎／渋谷定輔／田中正造／野口英世とその母

「依存」の思想の外円として、余論と題し、〈高遠の桜〉の「序」を掲載する。

かつて私は早稲田大学エクステンションでの講座「自分史へのいざない」を担当した。同講座を終了した受講生有志が「自分史友の会」を結成し。その機関紙が〈高遠の桜〉である。

二〇〇五年の「自分史へのいざない」の趣旨は、「人間が人間らしく温かく生きていくためには、自らの過去をふりかえり、その航路を確かめ、改めて出発することが大切です。自分史を通して自分を発見し、自分のまわりの他者を知り、自分に感動することを目標とします」とし、続いて「人間誰しもが、喜びや悲しみ、つらいことや嬉しいことがあると思います。でも自分の生きてきた存在に誇りをもちましょう」と綴っている。講義内容の概略は、①自分史の定義、意味、意義など。②正岡子規『仰臥漫録』、『病牀六尺』など。③「エンピツを握る主婦」、「あの日夕焼け」などの生活記録。④細井和喜蔵『女工哀史』、渋谷定輔『農民哀史』など。⑤色川大吉の自分史、橋本義夫の「ふだん記」など。⑥自伝として新井白石『折たく柴の記』、山鹿素行『配所残筆』、定信『宇下人言』など。⑦日記的自分史として永井荷風『断腸亭日乗』、宮沢賢治「ローマ字日記」、乱歩「貼雑年譜」など。⑧杉田玄白、白隠、平田篤胤らの自画像による自分史。⑨吉田松陰、幸徳秋水、管野スガらの死刑囚の自分史などであった。

元始、人間は表現するひとであった。しかも自分史は偽りのない生活実態史である。Death Education が「死と向き合って生きる」ことをテーマとするならば、自分史は「生と向き合って生きる」ことであろう。人間の歴史にとって、事実の積み重ねほど重いものはない。人々の涕、笑、悶、苦、悩は生きている証として宝物である。自分史の積み重ねが、まさに本物の正史たりうる。そんな人々の自分史を紙碑として残しておきたいものである。ここに掲げた「序」はそのほんの序曲にすぎない。

安藤昌益のこと

創刊号（二〇〇八年七月）

近世もまだ中葉のころ、忘れられた思想家安藤昌益は渾身の力をこめて、痛烈に当代社会体制を批判した。それは権威・権力に対する圧倒的な反旗であった。

しかし安藤昌益は、人間関係の側面では、最も人間らしい〈やさしさ〉を忘れなかった。そのやさしさにはものの本質がひそんでいた。それはなにか。

人間を表現する語に「百骸九竅（ひゃくがいきゅうきゅう）」がある。「九竅」とは、両眼、両耳、両鼻孔、口、大小便に用する穴の合計九つの穴を指す。これは誰もが首肯する説である。

ところが昌益は「九竅」ではなく、「八竅」だという。昌益の説く「八竅」とは、曰く、両眼でみる意味で一つ。両耳できく意味で一つ。両鼻孔で嗅ぐ意味で一つ。口で一つ。大小便で二つ。以上で六つ。ここからが昌益らしく、体内の汗腺の一つをあげる。さらにさらにそれはもっと昌益らしく、ヒトが母の胎内より呼吸し続けてきた《臍》をあげる。《臍の緒》こそが、ヒトの根元であると教えるのだ。

これである。やさしさ、とはこれである。ものの本質とはこれなのである。

ヘソこそが自身の存在の原点である。すなわち、『自分史はヘソのオ』から出発する。自分自身で最も大切なものはいのちであり、いのちの原源は母である。それこそがヒトが人間たる所以であろう。したがって自分史を綴ることは一人前をかちとることである。ひとはひとを通してはじめてひととなる。自分史は素晴らしいのだ。

とはいえ、自分史はいわゆる正史と比較すれば、どうみても端の歴史にすぎないかもしれない。しかしわれわれは自分史の蓄積こそが、真実の歴史を醸造することを確信している。端の歴史は周辺文化であり沈黙の文化であるが、この周辺や沈黙を堂々たる中央の文化に組み換える作業が求められている。自分史はそんな意味でフレイレ(P. Freire)の唱導するところの〈世界に名前をつける〉運動でもある。

巷間では、事実は小説より奇なり、という。けだし名言であろうが、自分史という事実は小説より〈気〉なのである。自分史という事実はまさに貴重な財宝に値するし、気は〝たま〟や〝魂〟に相通ずることから、自分史とはそれぞれの人の人生の味わいが充満している。

もう一度、だから自分史には読む人の心をゆさぶり動かす力をもっているのだ。

私は本講座では「自分史へのいざない」と題し、自分史の目的・意義・方法について、生活記録、自伝、日記、ふだん記などと比較考察しながら、その体系化を語ることを核に据えてきた。ところが幸運にも、受講生有志の間から、自発的自主的に自分史作成の提案があった。

嬉しいことであった。

そんなわけで、この冊子は早稲田大学エクステンション講座「自分史へのいざない」受講生お一人おひとりの〝志〟が充ち溢れた珠玉の自分史である。

題して『高遠の桜』。創刊号である。

ぜひ読み継がれますよう。

ぜひ語り継がれますように。

二〇〇八、まだつゆのときに

母のことと内村鑑三　第二号（二〇〇九年七月）

私は、かけがいのない母を昨年なくしました。文字どおり「なくしました。」それから私は、母の分骨をわが家の玄関に供え、毎日母の分骨を両手でしっかりと抱きながらお線香をあげています。分骨のため、とても軽い母です。

母は私の誕生から、何歳までか、病のとき、ぐずったとき、笑ったとき、泣いたとき、いかなるときも私を両手でしっかり抱いていてもらったことを思うと、今さら感慨にふけります。ですから、母の分骨を抱くのは母親自身だと感じると両手に力が入ります。

　骨いたみ　瘦せたもう母　人寿百
　　父にむかいて　逝き給う母

母をなくしたとき詠いました。母はちょうど百歳のお祝いをした三か月後に逝きました。骨折していたため、ずっと痛がっていましたが、火葬場で骨折を結んでいたであろう鉄のボルトがそのまま現れたときは胸が塞ぎました。満百歳を過ぎたところでしたので、年齢的には天寿を全うしていただけたのかな、というのがせめてもの慰めでした。

父は八八歳の米寿をもって他界しましたが、母はあと四日で父の命日と重なるところでした。

母は長野県の今は塩尻市に編入されていますが、上西条の出身です。小学校卒業のみですが、私が小学校三年生のころよく習字を教えてくれました。長じて私の大学や大学院の入学を貧しさのなか許してくれました。ですから親のいいつけには従うしかありませんでした。

そのころ、時々というか、いつもというか、母は私にこんな質問をしました。

〝なんで大学へいくのか〟

〝大学に行ってなにをするの？〟

〝毎日大学院なんかに出かけて、なんの用があるの？〟

私は母の疑問に答えられませんでした。

内村鑑三の『後世への最大遺物』は一八九四（明治二十七）年のいわゆる日清戦争の始まる直前に開かれた、いわば全国キリスト者集会での講演速記です。この講演で内村は興味深い発言をしています。それは「後世への我々の遺すものの中に先ず第一番に大切なものがある。それは何であるかと云うと金です」といい切っている。しかし実際に金を貯めることのできる人とできない人とがいるので、「金よりも良い遺物は何んであるかと考へて見ますと、事業」が第二番目と位置づける。さらに第三番目には「思想」を主張する。内村は、この第一番から第三番までのものは、どれでも価値はあるが最大の遺物ではなく、〈最大遺物〉は「生涯」であると考えた（ここに自分史作成の基本問題が潜んでいる）。

のちに一九二五（大正十四）年に、内村はこの『後世への最大遺物』の「改版に附する序」の中で、「天地無始終、人生有生死」を引き、「天地は失せても失せざるものがあります」と、改めて筆に力をこめている。「天地は失せても失せざるもの」――それは私にとって母、そのものであります。それとともに、昔、母の疑問に答えられなかった問いは、私にとって「天地は失せても失せざるもの」として永く私の胸に刻まれています。

『高遠の桜』第二号は、早稲田大学エクステンションセンター「自分史へのいざない」講座に参加されたかけがえのない仲間の皆さんのかけがえのない結晶です。多くの方々のご熟読とご批判を期待してやみません。

考える人間　第三号（二〇一〇年三月）

今年の二月になって、七七歳の喜寿を迎えてしまった。七〇歳の古稀記念論文集『社会教育の杜』を出版でき、この喜寿記念については『自己教育へのまなざし』ができ、こんな嬉しいことはない。

三年ほど前、左足膝を痛めてしまった。診断に寄れば「加齢による膝変形何とか症」だそうである。なぜ同じ年を経っているのに左足だけが古稀を過ぎたのか？

ところがである。昨年暮に、今度は右足膝を痛めてしまった。これで左右両方の足が〈平等〉に七七年の歳を重ねたのだ、と実感した。これまで自分を支えてきてくれた左の足も右の足も、痛みとともに、これがまさに《自分史》の足跡となった。

ところで、足と書いてしまったが、正確には、足は足くびから先の地面にふれる部分であり、脚は大腿と下腿を指す部分であり、足と脚の両者を表現するのが、下肢となるようである。したがって正確には先に書いた足の痛みは、脚の痛みと表現した方がよいかもしれない。けれども一般論によりつつ以下〈足〉と表現していこう。

もう一つところで、人間は約四百万年前に〈生物革命〉を引きおこした歴史をもつ。ホモ・サピエンスとかホモ・ルーデンスとかホモ・エコノミクスなどに先立った〈ホモ・エレクトス〉の出現であった。二本足で立ち歩く人間の出現である。主に鳥類は二本足で立っても、鳥には手が無いのかの問題ではなく、手を使用しない。人間は、足で立つことによって手を使用して労働し、その労働によりサルからヒトへと進化させたのである。

ただ、二本足で直立したために手が特別な器官として作用したのか、それとも逆に、知能が発達して手を使用するようになったため、足の直立につながったのか、つまり手が先か、足が先か、興味ある点である。

さらに重要な問題がある。

〈考える人間〉を可能にしたのは、有名な語句の〈考える葦〉である。足の直立がヒトの進化につながるとすれば、それこそ考えようによっては、〈考える人間〉を可能としたのは〈考えるアシ（足）〉であったかもしれない。そうすると、足を痛めたことは、大変な知能への打撃になるのか。

手や脳（頭）の研究はすすんでいるが、足（脚）の研究は後発のようである。考えるには歩くことが有効であるらしい。「歩」の字は、上方の「止」は「足」の字の下方と同じであり、下方の「少」は「止」を逆にした形である。したがって「歩」は左右の足が順に出される象形文字である。よって足は歩くことを意味し、歩くことは知能の発達を意味していた。

私が足を痛めてしまったことの実感は、一歩一歩足を踏む度に痛いこと、歩行がうんと遅くなること、足の筋肉が衰えること。それだけではない。足を痛めてしまったこと、それは頭脳も痛めてしまったのか。とんだ自分史である。満〈足〉してはならん。

第四号（二〇一〇年九月）

自然にかえれ

これは聞いた話です。

あの大自然に満ち溢れているハワイでは〝自然〟という言葉はなかったそうです。〝自然〟を表す言葉としては、〝mana〟で自然霊力（もともとメラネシア語で、〝力〟を意味し、宇宙に偏在する非人格的・超自然的な力）のことであったようです。

しかし、大自然を示す意味での自然という言葉がなかったのはハワイだけではないのです。例えば親鸞の有名な「自然法爾」の自然は、読み方としては〈じねん〉であり、その意味は〈おのずから〉または〈みずから〉でした。『歎異抄』にも「自然」は三か所ほど出てきますが、いずれも、〈じねん〉であり〈おのずから〉の意味でした。

中国でもそうです。自然の初出といわれる老子の「老子道徳経・上篇」で引かれる「希言自然」も、〈ありのまま〉のような意味で、いわゆる自然を指す名詞形ではありません。かれの思想の一端である「無為自然」も、同様の意味で使われています。

もう一度、日本に戻ります。

『日本書紀』の「神代下」では、こんな記述があります。

葦原中国の主とせんと欲す。然も彼の地に、多く螢火の光く神、及び蠅声す邪しき神有り。復草木咸に言語有り。

…………〈草木ことごとくにものいうことあり〉…………

『日本書紀』をもう一つ。

葦原中国は、磐根・木株・草葉も猶能く言語ふ。

…………〈岩も木株も草葉も ものいう〉…………

つまり、日本の古代でも自然の言葉はなく、草木、岩、木株、草葉などで表されておりました。そのいわば「山川草木」には霊があったのです。だから山川草木が〈ものをいった〉のです。これはアニミズムの原点かもしれません。同時に、〈ものをいう〉のは自己表現の原点でしょう。

これも、もう一度親鸞に戻りますと、「草木国土悉皆成仏」とは自然の言葉はありませんが、あらゆる自然物に仏性があることを示しています。いわゆる自然を示す名詞が一般化したのは近代以降といわれています。

〝自然に帰れ〟という言葉・思想をよく聞きます。老子や荘子もいいました。安藤昌益もいいました。J・J・ルソーも叫びました。近くでは鈴木大拙も〝自然にかえれ〟を主張しています。〝自然にかえれ〟の思想はまちまちかもしれません。人間は自然に入るのでしょうか？　微妙な問題です。

しかし、日本書紀の時代にかえるとすると、草木国土はことごとくものをいっているのです。しかも　われわれ人間は草木国土のものをいうのに加えて、言語・文字をもっているのです。

われわれは自然にかえって、自己表現をしましょう。これが自分史の原点かもしれません。

平田篤胤　第五号（二〇一一年三月）

昨年の炎暑の終わるころ、秋田方面に旅をしました。目的は長年の念願であった平田篤胤ゆかりの地の訪問にありました。とりわけ篤胤の奥津城（墓）詣でが一番のねらいでした。

篤胤のお墓はかなり山の中でしたので（本居宣長のお墓ほどではありませんでしたが）、途中で木の棒を拾い、杖代わりにして登りました。そのお墓の正面は「平田篤胤之奥墓」、裏面には「天保十四年癸卯閏九月十一日」と刻印されていました。墓石の右側には高弟である生田萬が師篤胤を讃した「古今五千載之一人、宇宙一万里之独歩」が刻まれていました。

なによりも篤胤の奥津城は、師と仰ぎ尽くした本居宣長を遠く拝む位置どりでした。とてもとても感動を覚えながら下山しました。

ところで秋田のタクシーの運転手さんは秋田弁か東北弁か外国語のようで、なかなか意味がすぐにはわかりませんでした。しかし、とっても親切で優しくあたたかみが溢れていて、嬉しい楽しい旅でした。次の訪問地・盛岡の運転手さんはこれも親切でよかったのですが、残念ながらいわゆる標準語で逆にもの足りなさを感じました。

平田篤胤というと、国家主義者のレッテルが貼られていますが、私はかれは稀にみる国際通の学者であり、その自然哲学的発想に注目しています。紹介しました高弟生田萬が「五千年の一人」はあながち誇大評価ではないと思っています。

とりわけ近世の社会の中で、《地動説》の主張などは自然哲学者として特筆中の特筆ものだと考えています。

近代日本は、理想的人間像の一人として二宮尊徳を「つくり」だしました。一方で、勤勉さとか清貧さとかで、理想的人間像に二宮尊徳か平田篤胤か、どちらがふさわしいか、の論争があったそうです。もし全国の小学校の銅像が篤胤になっていたら、日本はどうなっていたのか、興味は尽きないところです。

篤胤には自分史はありませんが、かれの生涯を決定づけた悲しい物語りがあります。

里子にやられ、貧乏御足軽の家にて苦々しく六歳まで養はれ、既におきつけにされるところ乳母の夫が死て家に帰されて父母兄弟に阿嘖せられたる苦み言語道断いつも語れる通り也。八歳の時より十一歳まで桜井氏—宗休と云—なる大金持の御はり医の所にもらはれて居たが、ふと医者坊になるのがいやと思へるに合せて、養家に実子が出来し故に帰され、其より家にて、飯たき掃除草むしり便小走り屎かつぎ、(中略)顔にあざのあるが、兄弟をころして家をうばふ相也とていやがられ、(中略)兄ころす相だと云はる、がつらくて(『大壑平田篤胤伝』)(傍線筆者)

たしかに、当時の『本朝人相考』本の「悪相」の項をみますと、篤胤の肖像とかなり類似した相をみることができないこともないようにみえます。

〈兄弟をころして家を奪う相〉、〈兄を殺す相〉、これが篤胤のアイデンティティになっていたのではないか。そんな霊性を担う篤胤の生育史そのものが、かれの自分史の出発になるのではないか、と推測しています。

第六号（二〇一一年六月）

原子力神話

未曽有のようで、けっして未曽有ではない。

例えば、あの地震のおそろしさ、津波のすさまじさ。

その恐れ、怖れを、八六九（貞観十一）年五月二六日の記録は、こんなふうに伝えている。

廿六癸未。陸奥国地大震動。流光如晝隠映。頃之。人民叫呼。伏不能起。或屋仆厭死。或地裂埋殪。馬牛駭奔。或相昇踏。城郭倉庫。門櫓墻壁。頽落顚覆。不知其數。海口哮吼。聲似雷霆。驚濤涌潮。泝徊漲長。忽至城下。去海數十百里。浩々不弁其涯涘。原野道路。惣為滄溟。乗船不遑。登山難及。溺死者千許。資産苗稼。殆無子遺焉。

（「日本三代実録」（『国史大系』第四巻）

《大地震の甚激、牙をむき、怒涛のごろく襲来する津波、人々が山へ逃げようとしても、人々を押し潰し呑み込んでいく津波、全て青海原と化し、何も残さずに散った原風景》そんな記録である。千百四十二年前の大災害が、まるで動画のように描写されている。

しかし二〇一一年の東日本大震災には原発が加わってしまった。地震・津波は天災であろうが、原発事故は人災かもしれない。

近代は、あるいは科学技術文明は、自然を征服し、自然を人工物に置き換えてきた。それでよし、としてきた。人類は傲慢であった。傍若無人であった。どうもわれわれはルネサンス以降において、近代に夢を見すぎてきたのかもしれない。科学神話、知識神話、技術神話、その最たるものが原子力神話であろうか。しかし今回、もろくも原子力神話が崩壊しようとしている。

いま東日本大震災を前にして、改めて人類が幸福追求のための科学技術とはなにか、文明とはなにか、自然とはなにか、などなどについて、悔いのない議論がまたれよう。

私はアニミストを宣言していた鶴見和子さんに注目していた時があった。鶴見さんは自身の水俣調査から学んだことの一つとして、こんな発言をしている。それは《人間も自然の一部であること、自然破壊とは外部の自然を破壊するだけでなく、人間自身の内なる自然を破壊することでもある》と述べている。

こんな視点を欠いていたために、今回、文明科学神話の前に、突如として姿をみせたのは、人類がかつて征服したはずの生の自然の大逆襲であった。原子力という科学に対する生の自然の痛烈な反逆であった。

加えれば、科学知識の粋であろう原子力の癒しがポンプを使って海水を注入するという――まるでバケツリレーで海水を汲み取る――という、いわば最も〈原始〉的な力でしか〈原子〉を抑えることができない風景から何を学んだらよいのか。

われわれは歴史から多くのことを学ぶことができる。それは「確かなもの」でなければならない。そうすると、われわれは子どもたちに何を伝えるべきか。現行わが国の小・中の副読本では〈原発は、どんなことがあっても絶対安全です〉と記述し、続けてきた。文部省時代を含めて文部科学省はその権力によって原発の危険性の記述を拒絶してきた。アメリカでさえ、〈原子力規制委員会〉に対して日本は〈原子力安全委員会〉である。倫理観を問われるのではないか。

本誌は、自分史友の会・事務局長の牛木士朗さんの緊急提案によって生まれた。東日本大震災特別お見舞い号の位置づけである。

東日本大震災にかかわり被災されたお一人お一人に心からのお見舞いを申し上げます。……自らの無力を感じながら、申し訳ない気持ちをもちながら……

第七号（二〇一一年九月）

続・平田篤胤

『モディリアーニの「自分史」』の論考が〈現代のエスプリ〉に掲載され、自分史の奥行きの広さに改めて思い知らされたことを強く記憶しています。そこで今回は、自画像と自分史の関係を考えてみたいと思う。

自画像とは、自分で描いた自分自身の肖像画と定義できます。この定義にもう少し意味を加えると、自分で自己を描く行為の前提として、自己の客体化への意識化、すなわち自己を自分に対立するものとしてみる姿勢が必要となろう。

そんなことを念頭におくと、自画像の成立は、一般的にはルネサンス以降とみるのは妥当であると思われます。ルネサンスによって中世の神の庇護と束縛からの解放による人間の覚醒が認められるからです。自分自身が問題となるのは、なんらかの形で〈自我と世界との対立〉＝自身における内的な対話が認められたからである。ここに自画像の成立があろう。

自画像——それは自己認識のための苦闘と自己告白の意思による〈自己表現〉——であるとすれば、自画像とはまさに〈自分史〉への道そのものではないだろうか。

眼を転じて、わが国の自画像の歴史をみてみよう。わが国の自画像の初出は、一三世紀の藤原信実「中殿御会図」（早大図書館写本蔵）とされる。この図の中に描かれた信実の自画像には写実精神の芽生えの面、及び個性描写から自己の客体化に踏み込もうとした思考が注目されているが、上述の定義からみると自画像前史の位置づけになるのではないか。

その点では、一四世紀末の東福寺で殿司を務めていた画僧・吉山明兆の「自我頂相」は自画像に値する風格をもっている。それ以降、画人による自画像が数多く現れるようになる。

画家以外の人物で興味ある自画像が多々ある。本居宣長は生涯三度自画像を描いている。宣長を師と仰いだ平田篤胤は生涯に一度だけ渾身の自画像を描いた。篤胤は前号でも少し触れたが、幼少期のいじめなどの逆境の中で、とくに〈兄弟を殺して家を奪う相〉の風評を背負った生涯でもあった。

図余-1は、よく見かける平田篤胤の肖像画である。図余-2は『本朝人相考』に描かれている「艱難相」である。同類のものに「魂性奸男相」や「兄弟中吉凶相」がみられる。図余-1と図余-2の共通性は不明である。

図余-3は篤胤自身の自画像である。一八四〇年、篤胤六五歳、亡くなる三年前の作品である。篤胤は平田国学として知られるが、実は当時としては稀有な自然哲学者・自然科学者でもあった。そのためかその自画像は自身で寸法を測定したうえでの実写したものである。ていねいなうえに渾身の力がこめられている。

図余-3をジッと見る。ジッと読む。

〈兄弟を殺して家を奪う相〉の風評を超越した勝利感。妻・家族への愛。父親・母親への敬。学問にすべてに捧げた幸福感に充ち満ちた自分史がある。

図余－1
（出所）『明治維新と平田国学』国立歴史民俗博物館、2004年

図余－2
（出所）『本朝人相考　男部　坤』早稲田大学図書館蔵

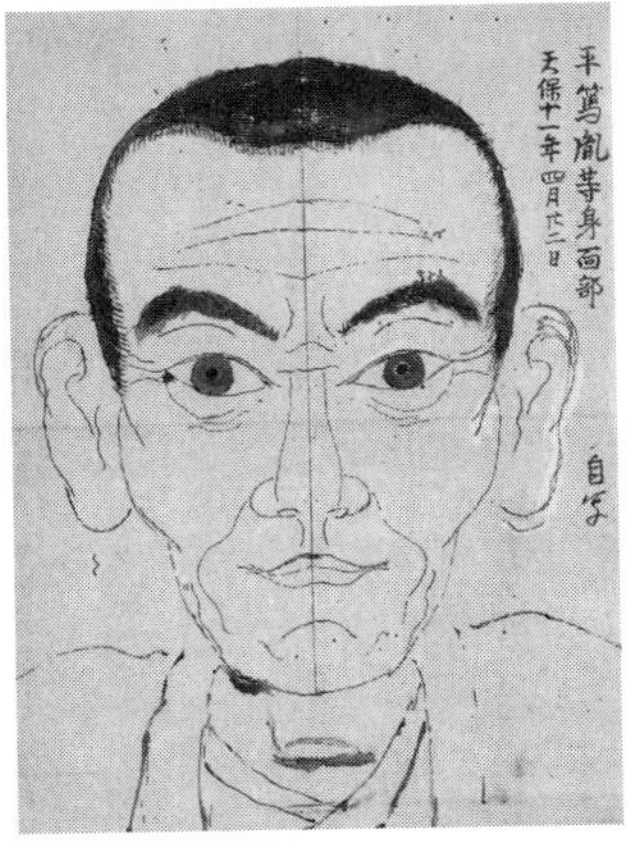

図余－3
（出所）『明治維新と平田国学』国立歴史民俗博物館、2004年

ゆい・もやい　第八号（二〇一二年二月）

私は年賀ハガキの印刷は、右隅に「あけましておめでとうございます」の一行と、左下隅に住所氏名を入れるだけにしている。ハガキの真中には、その年のテーマを入れるだけにしている。昨年は兎年であったので、年賀状は『稲羽の素兎から幾世紀。自由大学運動九十周年』をメインとした。お蔭様で、昨年一一月、自由大学運動九〇周年記念集会を盛大に開催することができた。発起人代表として、私には嬉しい年であった。

今年の年賀ハガキは

『ゆき（結い）・もやい（舫）。絆と縁』

の一行とした。この一行には二つの意味がある。一つはもちろん二〇一一年三月一一日の東日本大震災への連帯を意味している。もう一つの意味は以下のようである。わが国における自死者数はもう十年連続三万人を超えている。同時に、その陰にかくれるように孤独死・無縁死が、昨年の推計で自死者とほぼ同数の三万二千人ほどに及んでいるという。

孤独死・無縁死が注目されたのは、あの阪神・淡路大震災における仮設住宅・復興住宅における九〇〇人にも達する悲しい出来事に由来している。けれどもこの孤独死や無縁死は、けっして大震災時に限らない。大都市においても日常性ものとなってしまった。現在でも東京都区内だけに限っても、一日平均十人強もの孤独死がみてとれる。『池袋　母子餓死日誌』は、まさに池袋という都会のど真中のアパートの中で、母親と息子がセンベイ一枚で数日間耐え苦しみつつ暮らし果てた様子を記した無縁死の惨状であり、同時に無縁社会の実情を無残に表現していよう。《エンガチョ》という子ども遊びがある。地域によって差異はあるものの、鬼ごっこに似た遊びで鬼に追われた子が、〈エン切った〉という所作にすると、無条件で解放されるのだ。〈エン〉には「穢れ」と「縁」の二とおりの解釈があるものの、〈エン〉を切れば、そこには「不可侵の聖域」が生まれる。旧約聖書の「逃避邑」がそうであるし、デンマークの子ども遊び helle も同じらしい。この不可侵の聖域を〈アジール〉と呼ぶが、アジールはさまざまなところに広がっているような気がする。例えば日本の家にはかつて多く「縁側」があり、誰でもがその家の縁側でお茶をのみ、談笑し、交流があった。現在の家に縁側はほとんどなくなった。〈家〉自身アジール化してしまった。

木曽地方には「出居（でい）」があった。出居とは縁側をより広くしたようなもので、各家の玄関や道路側にあって、住民や通行人・旅人も自由に座り、人と人とを結びつける対話の場があった。今は出居も変化している。人と人とのつながり・縁を何に求めたらよいのであろうか。

そういえば、ユイ（結い）もあまり聞こえなくなった。ユイとは主として農村における共同労働の相互扶助組織で、かつては誰でも聞き、実践していた。伊豆諸島の新島では今でも「モヤイ精神」を島のテーゼとしている。ユイには共同労働の結果としての報酬の共同分配は認められないが、モヤイは共同分配をある程度前提としている。

ユイにもモヤイにも、そこにはアジールはない。人と人とのつながりが縁となって、確かなものとして認め合っているからであるに相違ない。

「辛い（つらい）」という字がある。この辛いという字に、そこに一（いち）を加えると「幸（さいわい）」となる。われわれ一人ひとりが、まわりの人にちょっとでもよい、なにかを加えるとそれは〈絆〉となる。

第九号（二〇一二年八月）

杉田玄白

杉田玄白に関して、私にとって親しみをもっていることが二つあります。その一つは、玄白の生年は一七三三年です。私の生年が一九三三年ですので、おこがましいことですが、ジャスト二〇〇年差であることです。その二つは、玄白の父は福井県小浜藩の官医でしたが、江戸詰の折、玄白は牛込矢来町で誕生していることです。早稲田大学のすぐ近くで生を享けたのかと思うと、とても親しさを覚えます。

玄白は蘭学者であり医者でありましたが、たくさんの著作があります。かれの五六歳から七四歳までに綴った『鷧斎日録』は、質量ともに厖大な記録です。この日録の中には、例の寛政異学の禁についての記事や、鬼平犯科で著名な火付盗賊改め長谷川平蔵の事件など、興味ある内容に富んでいる。同時に、医者として玄白の往診の多さに驚きを感じます。

ところで玄白の生涯を通観すると、玄白には二つの自分史があると思います。第一は「こころの自分史」、第二は「からだの自分史」です。玄白のごく晩年の著作に『耄耋（ぼうてつ）独話』があります。耄は七〇歳、耋は八〇歳を意味しますので、いわば「老いぼれの独りごと」のようですが、実は老医としての玄白自身の〈自己診断〉の作品です。その冒頭は

私は享保十八年癸丑九月十三日の生まれだから、今年文化十三年正月九日の節分までに齢は八十四歳、日数でいえば二万九千九百十九日を経たことになる。生まれつき健実だったわけではない。積聚（胃痙攣）などという持病もあって、なんら普通の人と異なることなく、ときどきその病気が発して悩まねばならぬこともあった。特に養生に心を用いたということもなく、

と始まっています。八四歳まで二万九千九百十九日と日数で数えているところに、一日一日を大切に生きた証をみせています。老いぼれといっても恍惚ではなく、加齢による身体の規則的変化を老医として確実な眼で自覚しています。その中では、足、腰、飲食動作、目、鼻、耳、口、入れ歯、筋肉、物忘れなどの苦痛や不安を訴えています。

大小便にいたっては、こんな風に告白しています。

ことに、冬、西北の風が吹いて肌寒い日などは、一度用をたした後もまたたちまちにたまるかのようで、いつまでも残りのしたたりがつづき、まるで清水がぽたぽた垂れているような感じで心安らかでない。その不浄。不潔なことは、たとえようもない心地だ。

この赤裸々な表明は、自らの身体の変化を如実に示したもので、近世において類をみないものです。『耄耋独話』は医者からみた空前の「身体的自伝」「からだの自分史」と位置づけられます。

第二は「こころの自分史」です。玄白は、前野良沢ら『解体新書』を一七四四年に上梓します。原本のターヘル・アナトミア（Anatomische Tabellen）は二四九頁で、翻訳の作業は必死の連続でおよそ三年半の歳月を要しました。『解体新書』は、医学上のみでなく、日本文化史上にも燦然と輝く不朽の遺産です。

この『解体新書』及び、蘭学創始にかかわった玄白をはじめとする先陣の苦闘の記録こそが、一八一五年の玄白書『蘭学事始』です。玄白の苦闘の自分史の中での圧巻は次の言葉です。玄白らが前野良沢宅に集まり、原本に対峙した姿勢です。思わず玄白らに手を合わせたくなる気持ちになります。

かのターヘル・アナトミアの書にうち向ひしに、誠に艫舵なき船の大海に乗り出だせしが如く、茫洋として寄るべきかたなく、たゞあきれにあきれて居たるまでなり。

さらに苦闘がやがて結実していく喜びの表現の圧巻は『蘭学事始』下巻の終わりの部分にあります。

一滴の油これを広き池水の内に点ずれば散って満池に及ぶとや。……この道開けなば千百年の後々医家真術を得て、生民救済の洪益あるべしと、手足舞踏雀踊に耐へざるところなり。

このように『蘭学事始』は蘭学のために書き残した遺書であり、蘭学発展を通した玄白の「こころの自分史」にほかなりません。最も美しい精神的自分史だと感嘆しています。

実は玄白には〈第三の自分史〉があります。これは玄白の自画像です。機会があれば、別稿で試みたいと思っていますが……。

第一〇号（二〇一三年一月）

遠野物語の教え

〝ガレキ〟とはいうまい、と思っていた。〝瓦礫の山〟とは絶対に口にすまい、と決めていた。二〇一二年一一月一八日、語り部さんに引率され、石巻の惨状の現実を見た。いわゆる〝ガレキ〟を目の当たりにした。いうまい、と思っていた〝ガレキの山〟には、炎焼を防ぐための棒状のエントツ風のものが、いくつも建てられていた。異様な風景であった。

〝ガレキ〟には、被災者の身体の一部がしみついているかもしれない。被災者にとって、かけがえのない思い出の品々の一片ではあるまいか。被災者の苦しみや悲しみの声がつまっているのではないか。大災害の正確な記憶者そのもののはずであろう。

〝ガレキ〟はひとのタマにちがいない。

二〇一一年一一月一七日、宮城県加美郡加美町で「風土の会」の会長をされ活躍されている、自分史の二瓶瑠璃子さんの肝入りで講演会が催された。早稲田大学の「自分史友の会」の〈高遠の桜〉有志も、事務局長の牛木士朗さんの呼びかけで、会長の川本弘さんはじめ多数の参加者があり、宮城と早稲田の交流があった。

翌一八日、東日本大震災の被災地見学会があった。われわれ一団は冒頭に記したように、語り部さんに引率され石巻に降り立ち、海に向い、続いて陸に向かい黙祷を捧げた。かなり強い強風の下であったが、すぐ隣りで、高校生と思われる一団が一列に整列して黙祷を捧げている姿に、すがすがしさ、優しさ、尊さ、美しさを無精に感じた。ひとの心のありがたさに、こみあげてくるものがあった。

〝ガレキ〟の山とは関係があるのか否か不明ではあるが、今、東北地方で〝幽霊〟をみる現象が多くみられる。私自身、幽霊の存在には、にわかに賛成しかねている。けれども反面、分析哲学に象徴されているように、幽霊を科学的に実証しようとも思っていない。今年、二〇一二年に入り、幽霊を報じる新聞が注目される。以下、その具体例をみてみよう。

① 二〇一二年一月一八日、『産経新聞』（朝刊）の見出しは、

・水たまりに目玉、枕元で「遺体見つけて……」

・「幽霊見える」悩む被災者

・癒せぬ心の傷、宗教界「相談を」

② 二〇一二年一一月一九日、『朝日新聞』（夕刊）の見出しは、

・幽霊目撃談、被災地で

・「相思相愛だから現れる」

③ 二〇一二年一一月二〇日『毎日新聞』（朝刊）の見出しは、

・宗教者　死に直面する人支え
・「あの世の話」否定せず傾聴

であり、「(亡くなった) おじいちゃんが来て眠れない、津波で死んだ同僚たちが呼んでいる」と打ち明ける被災者の幽霊話を載せている。

④　東日本大震災からちょうど一年後の二〇一二年三月一一日の『毎日新聞』(朝刊) に、岩手県山田町の自宅後で津波が来襲した海の方角を見つめている長根勝さんと娘の瑠歩さんの写真が映されている。長根さんの母親は膝が悪く、大津波が押し寄せてきたとき、裏山への階段を上りきれずに流されてしまった。長根さんは母親を探しに、遺体安置所等を巡り歩く。同新聞は悲惨な状況を載せている。

ところが、びっくりするような話がある。東日本大震災から一一五年前の一八九六年の明治三陸津波の様子が、東北の伝承を集めた柳田国男の『遠野物語』に再現されている。この大津波で妻と子の二人を亡くした「福二」さんが妻の幻影に誘われ霧の浜に、一晩立ち尽くす話がある。典型的な幽霊の話である。……実は、実は、この「福二」さんの四代後の子孫が、あの長根さんなのだ。……奇跡のような話だ。この話を教えてくれたのは母であった。

長根さんは、「ただの教訓ではなく、じいちゃん、ばあちゃんから口で伝えられた話こそ力をもつ。一人一人が血の通った物語を語り継ぐことでした、次世代の悲しみはなくせない」とみた。だから長根さんは、流出した家系図の復原を始め、この図を娘さんに見せながら、先祖の物語を伝える決心をしているようである。

これこそ、まさに〈自分史〉の原景を教えてくれている。

佐藤一斎

第一一号（二〇一三年五月）

今回は佐藤一斎の自分史について考えてみたいと思います。佐藤一斎は一七七二（安永元）年に生まれ、一八五九（安政六）年に没しています。父は美濃岩村藩の家老ですが、一斎は江戸藩邸で出生しました。八八歳の長寿でしたが、あともう九年の寿命があれば、明治維新をみることができた時代です。一斎は一八〇一（享和二）年より林家塾長、一八一四（天保一二）年より幕府儒官・昌平坂学問所教授を勤めた幕末期の儒学者でありました。かれは「陽朱陰王」（陰で陽明学を信奉しながら、表では官にへつらって朱子学を信奉する）と評された時もありましたが、むしろ自身は学統・学派への桎梏の解放を意図していました。

論より証拠、一斎の門人には朱子学者の大橋訥庵、陽明学者の山田方谷、葉山佐内、松山秀山、蘭学者に渡辺崋山、さらには佐久間象山、安積民斎らの俊才を輩出しています。加えて象山・民斎の門人として吉田松陰や勝海舟らが生まれており、秀山の門流から西郷隆盛が出、隆盛自身は一斎の〈言志四録〉を手抄した『西郷南州先生手抄言志録』を上梓しています。明治維新の鍵をにぎる多くの人物が一斎の門流であったわけです。

さて本題の佐藤一斎の自分史をかれの〈言志四録〉を題材として考察しています。〈言志四録〉については後にやや詳しく述べますが、実は〈言志四録〉の前史というべき作品があります。それは近代に入りますが、永井荷風の『断腸亭日乗』です。この『断腸亭日乗』はいうまでもなく明治近代日記文学の一大巨篇でありますし、荷風の自分史にもなっている作品です。

『断腸亭日乗』は偏奇館建設の三年前の一九一七（大正六）年から千葉県市川市菅野の独居において隠死するまで一九五九（昭和三四）年の四三年間にわたるもので、荷風の年齢でみると三九歳から八二歳までの長編日記となっています。それはまさに、荷風の自分史そのものの記録であるといっても、過言ではないと思います。ギネスに値するものだ、ともいわれています。『断腸亭日乗』は長さだけでなく、文学的かつ文化的評価も絶大なものがありましょう。荷風の文化勲章受章時の自身の感想として、〈自分が文化勲章として認められたのは『断腸亭日乗』ではないか〉という趣旨のことを述べています。いかに荷風がこの日記に力投していたかがわかります。

やや余談になりますが、この『断腸亭日乗』の中で、私にとって気になっていることが二つあります。一つは昭和二十年八月十五日条で「休戦の祝宴を張り皆酔うて寝に就きぬ」と記し、二日後の十七日条でも「休戦公表以来門巷寂寞たり」と記されていることである。「終戦」でもなく「敗戦」でもなく「休戦」とは、なにを語ろうとしていたのか。二つめは、憲法制定に関して昭和二十二年五月初三条「米人の作りし日本新憲法今日より実施の由。笑ふ可し」。「笑ふ可し」とはなにか？　荷風さんに聞いてみたい。

余談から本題にもどります。

佐藤一斎の〈言志四録〉は、荷風の『断腸亭日乗』と比較しても、長さについて内容についても勝るとも劣らない言行録であり、自分史です。〈言志四録〉とは、『言志録』、『言志後録』、『言志晩録』、『言志耋録』の四書を指します。『『言志録』は一八一三（文化十）年、一斎が四二歳から筆をとりはじめています。一斎が林家の塾長として八年後の歳月が通過し、儒学者としての地位を築きあげた時から出発しています。二四六条あります。『言志後録』は一八二八（文政十一）年、一斎五七歳からで二五五条です。『言志晩録』は一八三八（天保九）年、かれの六七歳からのもので、二九二条です。『言志耋録』は、なんと、かれの八〇歳からの記述で、三四〇条あります。つまり〈言志四録〉は一斎の八八年の生涯のうちの四〇年間にもわたる合計一一三三条の驚異の語録であります。

『言志晩録』より一条。

少くして学べば　則ち壮にして為す有り。
壮にして学べば　則ち老ゆとも衰へず。
老にして学べば　則ち死すとも朽ちず。

すばらしい三行ではありませんか。

当時、一般的には「幼にして学ぶ者は日出づる光の如し。老いて学ぶ者は燭を乗って夜行くが如し」（『顔氏家訓』）と訓じられていました。しかし一斎は全く逆でした。それは佐藤一斎八八年の生涯の自身の生活と学びから発露した三行です。一斎の〈言志四録〉はかれの四〇年に亘る自分史の宝庫です。

佐藤一斎の自分史へのいざない、に拍手です。

植木等の等　第一二号（二〇一三年九月）

チョイト一杯のつもりで飲んで　いつの間にやらハシゴ酒　気がつきゃホームのベンチでゴロ寝　これじゃ身体にいいわきゃないよ　分かっちゃいるけどやめられねぇ

ご存知、スーダラ節、唄うのは植木等。日本一の無責任男とうたわれた、あの植木等。

私の尊敬する人物の一人に植木等がいます。

かなり前のことですが、植木等は朝日新聞に『父徹誠を語る』というコラムを書いています。植木等の父親は植木徹誠（てつじょう）といい、途中から僧籍をもちました。徹誠は反戦主義者であり、平等主義者であり、ことに部落解放運動に鋭く関わり続けた人でした。植木等が小学生の時、徹誠は部落解放運動の件で投獄された際、等の担任の先生は

「等君、君のお父さんは少しだけこの時代に早く生まれただけなんだよ」と励ましてくれたそうです。

新聞のコラムではそれ以上のことは書いてありませんが、植木等の文章の行間には父を尊敬し、父の意志を継いでいきたいという熱い思いを読みとれました。かれは愚直なまでに無責任男を演じていましたが、その愚直さの中の底に〈あるもの〉を感じていました。そんなところに私は心ひそかに尊敬の念を抱いていたものでした。

クレージーキャッツの面々は、ハナ肇をはじめ、おそらく本名ではなく芸名で登場していたはずです（そんなことを聞いたことがあります）。ただ一人、植木等は本名そのままで通しました。さきに述べたように、父はレッテルを貼ってはいけませんが反戦主義者、平和主義者、そしてあくまでも平等主義者でありました。植木等の〈等〉の名前は、その平等主義から付けられたものでした。しかも植木等は本名を通しつづけました。かれは父親を誇りに思っていました。だから〈等〉にこだわり〈等〉に誇りと名誉を感じていたに違いありません。植木等の等の名前そのものが、かれの全生涯を背負った自分史でありました。

〝名無しの権兵衛〟という表現がありますが、その意味は「名乗るほどもないつまらない者ですが」との意味で、けっして名前のない権兵衛さんではありません。誰もが名前をもっています。氏名とか姓名とかいいます。わが国には近代に入り、四民平等を国是とし、明治三年にいわゆる庶民に苗字を許可し、さらに八年にはそれを義務化しました。

自分史を見るとき、自らの氏・性を手繰っていくことは極めて重要なことです。同時に、植木等の場合の等のような名前も自分史の立派な要素となります。

そこでもう一人。美濃部孝蔵。

美濃部孝蔵だけでは誰のことかわからないかもしれません。『孝蔵』と名付けた意味は、「大いに親孝行をして蔵の一つも建てておくれ」という親の望みからでした。ところが孝蔵は親の意に反し、一〇歳にもならないうちにバクチは打つし、親の金員を横領しては悪事に使い果たしてしまうような育ちでした。さらに孝蔵は一三か一四歳で酒に溺れる始末で、父親はカンカン、母親は泣き崩れる有様でした。親孝行どころか蔵が建てられるような情況ではありませんでした。孝蔵が家出をしてからある日、〈孝ちゃんは口が達者だから噺家にでもならないか〉と声をかけられたのが転機でした。こうして落語家に弟子入りした少年が、やがて〝昭和の大名人〟とうたわれた五代目・古今亭志ん生であります。

あの悪ガキ小僧で親不孝者だった美濃部孝蔵は、親の願いどおり蔵の一つも二つも建てたのであります。孝蔵という名の志ん生、これも自分史。

第一三号（二〇一四年二月）

只野真葛

そこは〈お・も・て・な・し〉の雰囲気のある町である。

宮城県加美郡中新田。

昨年に引き続き、たかだか二回目の訪問であるが、妙に懐かしい親しみのある町である。そこは二瓶瑠璃子さんの、日々の活動の場である。二瓶さんは、われわれ「高遠の桜・自分史友の会」のメンバーであり学友でもある。実は二瓶さんらの計画で、この町で二回目の講演会を開くことができた。講演のテーマは「只野真葛と現代──他者と生きる」であった。二〇一三年一一月一日、「自分史友の会」の川本会長・金久保副会長・牛木事務局長ら有志九名と、あの中新田に向った。

なんと、只野真葛は、この宮城県中新田の出身であった。この〈お・も・て・な・し〉の地に真葛さんは生まれたのだ。「只野真葛と現代——他者と生きる」では、およそこのような話をした。

① 女性史からみて、「江戸時代に才女なし」といわれてきたが、この説は真葛によって否定されること。真葛は、しかも単なる女流文学者の位置づけだけでなく、江戸時代における女性として極めて稀有な社会思想家であること。

② 真葛の言説には、ジェンダー論、社会体制批判論、独自の「天地の拍手」論など秀でた論が多いこと。

③ ただし真葛の代表作『独考(ひとりかんがえ)』の題名に象徴されているように、他者を拒否する論点があること。

真葛は『独考』の中で、しばしば「ひとりつらつら」考えること、「我にひとしき人なき」こと、「世人とつながりがたし」と訴えていることが多い。そこは文字どおり「ひとりかんがえ」の枠を越えることはできなかった。「他者とともに考える」「皆で考える」「他者と向き合って考える」視点の軽視が惜しまれる。ところがどっこい。

只野真葛には、眼を見張る自分史がある。「むかしばなし」がそれである。その出だし、

去冬の頃よりおもへたちて、かたはしを物に書付おきしを、この春書あつめ奉るなり。

桑原家のことより書出しは、もはら故母様のことをいはんためなり。○御様などの字わづらはしければ、おほく略す。私にはワと印とす。

とあるように、私である真葛自身を「ワ」と記号化している。真葛の幼名は「あや子」であるが、

あや子宝暦十三癸未に生て、この文化九年申にいたりて、五十のよわひをたもてり。母　は今年をへて世をさり給ひし。ワは今いく年をかへぬらん、末遠くぞおもはる、。

のように真葛約五〇年にわたる自分史である。五〇年の記述である「むかしばなし」は、〈自分史のための家族史〉のようでもあるし、〈家族史のなかの自分史〉のようでもある。例えば、

母様御参は八度なり。はじめの出生はよわく、七夜前になくなり、其後はワはじめ皆人となりなり。兄弟の内身体丈夫なるはワが一ばん、はつめいなる事は長庵におよぶ人無。

のように表現されている。ほほえましい情況も多く見受けられるが、一方で父への憶いに深いものを感じる。「むかしばなし」は長文であるが、女性の眼からみた「家」の歴史的な構造を物語っているところに注目したい。「私にはワを印とす」とあるように、固有名詞の記号化も先進的であろうか。

江戸時代に、女性の手によるこんな自分史があるなんて稀有だ。

山鹿素行

第一四号（二〇一四年五月）

山鹿素行（一六二二―一六八五）、あまりにも有名である。あの忠臣蔵の名場面、山鹿流陣太鼓のファンも多いにちがいない。

山鹿素行を知らない人は少ないと思うのだが、その実像はあまり知られていない。何故だろうか。わからないのだ。

山鹿素行の『配所残筆』は、新井白石（一六五七―一七二五）の『折たく柴の記』と松平定信（一七五八―一八二九）の『宇下人言』と並んで、わが国における武士による自伝の三副対と称せられているが、その中でも『配所残筆』は前二者に較べて世間の認知度は低い。何故であろうか。わからないのだ。

山鹿素行、幼名文三郎、実名義以、高興、高佑、通称甚五左衛門、号素行軒、会津に生まれる。父の貞以は、後に江戸に出、剃髪して修玄庵と名乗る。父は当時のインテリ浪人の常習として医者になって生活の資とし、素行の陶治訓育に専念した。

さきに述べた素行の自伝である『配所残筆』の「まえがき」に当たる部分は、こんな調子で始まる。

我等儀、凡下之者、殊更無徳短才、中々御歴々之御末席江、出座候者に無之候所……

（私は身分の低い者の生まれですので、ことさら徳もなければ才能もありません。ですから中々身分の高い人々の末席につくことなど及びもつきません。……）

なんと控えめなことか。なんとへりくだったことか。謙遜しすぎのような表現に満ちた出発であった。しかし一転して本文に当たる第一条では堂々たる言辞に変わる。

一、六歳より親申付候て、学被為仕候へ共、不器用に候て、漸八歳之比迄に、四書五経七書詩文之書大方よみ覚候

（私は六歳の時から父の申し付けで学問を始めました。しかし不器用であったため、ようやく八歳のころまでに四書（大学、中庸、論語、孟子）、五経（易経、書経、詩経、礼記、春秋）、さらに七書（兵学の七書）、著名な漢詩・漢文の書物をだいたい読み覚えることができました。）

あれほどへりくだっていたのに、六歳から学問を始め、わずか八歳にして四書五経七書などなどをほぼ読破してしまうとは、なんたる落差か。驚嘆のほかない。

果たして素行は、爾後世間の注目を集めることとなる。かれの学問は、儒学、老荘学、国学、神道、仏教など、当時の学問という学問のあらゆる範囲に亘っていた。ことに山鹿兵学は、むしろ武士道の道徳を説き、天下平天下

の人生哲学を説くものであった。なかでも『中朝事実』『聖教要録』は、かれの会心作といえる。

『聖教要録』は、当時一般の朱子学に養われてきた素行がさまざまな懐疑時代の体験を通して、官学の朱子学を批判し、素行自身の「真朱子学」というべきもので、時の官学、時の権力の忌憚に触れた書であった。

この『聖教要録』の公刊によって幕府の罰を受け、播州赤穂の浅野藩へ流謫（るたく）の身になったのが一六六六年一一月であった。この幽閉の身から丸八年半、一六七四年六月に放免されるが、その年の正月に、

「我等於配所打果候時節到来」

と覚悟し執筆したのが『配所残筆』である。

この書のクライマックスは、幕府の権力によって、たとえ流謫されたとしても、〈私を罪に陥れることはできても、私の聖教要録に示した真の道理を罪に陥れることはできない〉と真向うから官学朱子学への挑戦であり、山鹿朱子学の宣言であった。かりに自らの学問が否定されるのであれば、「寔に我等辞世之一句に候」と死をもって道理を貫こうとする炎の魂をみることができる。ゆえに山鹿素行の『配所残筆』は自伝でもあり、遺書的自分史でもある。

はかなくも美しい自分史をみた。

権力に抗したまさに山鹿流自分史をみた。

第一五号（二〇一四年九月）

淡谷のり子の反戦

淡谷のり子……ブルース

淡谷のり子……厚化粧の存在感

そして淡谷のり子……特攻隊

私は夏が来ると敗戦か終戦か休戦かは別にして戦争が終わったことを思い出す。一九四五年八月一五日、私は中学一年生でした。伊那中の講堂で、玉音放送を聞いた。聞かされた。玉音放送の意味はよく判らなかったが、三度目の出征に出ていた父が無事帰ってくるのかな、くらいの感想だった。八月六日広島、九日の長崎の原子爆弾投下は信州の山奥には深刻に届いていなかった気がする。

それからずっとずっと経ってから、夏が来ると『きけわがづみのこえ』を読むようになった。私の年齢からするとそんなに離れていない若者たちが学徒出陣の命によってその尊い命が主として南方の空に陸に海に奪われていった。特攻隊員の記録も声に出して読む。思わず正座せずには読めないのだ。

特攻隊員と淡谷のり子とは縁が深い。淡谷は昭和十二年「別れのブルース」、翌十三年の「雨のブルース」によってブルースの女王と呼ばれるようになった。しかしここからが彼女のすごいところだ。戦争中、淡谷のり子は〈軍歌を歌うことを拒み続けた〉硬骨の女王だった。〈抗の精神〉を貫いたブルースの女王だった。「別れのブルース」からの時代背景をみてみよう。

昭和十二年　東京に大本営設置

　十三年　文部大臣荒木貞夫陸軍中将「音楽による国民精神」鼓舞。〈音楽は軍需品〉

十四年　国民精神総動員〈ゼイタクは敵だ〉

十五年　皇紀二千六百年祝賀「愛国行進曲」

十六年　対米英宣戦布告

〈ゼイタクは敵だ〉の中で、ジャズは追放され、ゴールデンバッドは金鵄に、チェリーは桜にピアノは洋琴に、そして淡谷の歌は自主禁止になっていく。さらに〈進め一億　火の玉だ〉の中でそれでものり子はブルースを歌う。非常時の時代に派手なドレスを着て、アイシャドーに真っ赤な口紅をぬって、憲兵に〝不謹慎だ〟と怒鳴られると、〝こんな不器量な者が素顔でステージにたてるか〟と逆に啖呵を切ったという。五〇枚近くの始末書を書かされたのも前代未聞かもしれない。

淡谷のり子は一九〇七（明治四十）年八月一二日青森県呉服商大五阿波屋の長女として出生。屋号は「大五」で父・彦蔵とあるように阿波屋一族は男子には「蔵」が命名されていた。叔父・悠蔵は農民運動に生涯を捧げ、何度も投獄されていた。母・みねは雑誌〈青鞜〉の愛読者であった。そんな環境からか淡谷は戦後「戦争の道を許さない女たちの連絡会」の呼びかけ人を積極的に快諾している。

話を戻そう。

そんな淡谷のり子が一度だけ舞台で泣いたことがある。

九州での特攻隊基地でのことであった。滑走路の傍らに作られた仮設舞台で歌うことになった。歌の途中で出撃命令の下った隊員らが一人一人敬礼して中座していった。飛行服に日の丸の鉢巻きをキリリと締めていたが、まだ少年のような面影を宿した若者もいた。……淡谷のり子はこらえきれずに客に背を向けて涙をこぼした。

淡谷のり子は〈特攻隊〉というロボットじみた人間など、どこにもいないと信じていた。だから淡谷のり子は……ブルースを歌いながら、兵隊さんが〈生きて帰ってくることを〉念じた。

〈必ず必ず生きて帰っておくれ〉と必死に祈った。

ブルースこそ、淡谷のり子の軍歌を拒み抗の精神を貫き平和を願う真実の自分史にほかならない。

（本稿は淡谷のり子著の『わが放浪記』『酒・うた・男わが放浪記』『ブルースのこころ』『老いてこそ人生は花』「忘れられない戦争中の悲しい体験」（〈文化評論〉吉武輝子「淡谷のり子」（〈望星〉）関根千春「淡谷のり子」（〈歴史地理教育〉）などを参照した。）

第一六号（二〇一五年二月）

長谷川伸「瞼の母」

忠太郎　俺あ厭だ―厭だ―厭だ―だれが会ってやるものか。（中略）
　俺あ、こう上下の瞼を合て、じいッと考えてりゃあ、逢わねえ昔のおッかさんの俤が出てくるんだ―それでいいんだ。逢いたくなったら俺あ、眼をつぶろうよ。

（『長谷川伸全集』第一五巻）

私のたまらなく好きな長谷川伸の「瞼の母」の最終幕である。番場の忠太郎に託したこの名作は、昭和五年一月に生まれた。この「瞼の母」は長谷川伸自身の実体験の賜である。

長谷川伸は一八八四（明治十七）年三月一五日、現在の横浜市日の出町に父・長谷川虎之助、母・かうの次男として生まれた。本名は長谷川伸二郎であった。伸（伸二郎）が生まれてから三年後の明治二十年、生母かうは虎之助の放蕩がもとで自分から身を引くかたちで二人の子を残して家を去った。母が家を去るとき兄・日出太郎は小学校へ行っていて留守であった。一人残っていた長谷川伸はまわらぬ舌で、母に向って、「……今に大きくなったら、お馬に乗ってお迎えに行ってあげるから、そんなに泣くんじゃない……」とけなげにいったという。このとき、母・かうは二六歳であった。もっとも、その母の記憶では、母が「伸や、大きくおなり」といったとき、伸は「お母ちゃん、僕大きくなったら兵隊さんになって、お馬に乗って和泉（いじみとしか言えませんでした――和泉は母かうの里の名）に迎えにいくから、お土産を買っといてくれ」と答えたという。

この時から長谷川伸の母に会いたいという切なる想いが、その幼い脳に胸に深くしみこんでいった。母への想いは歳を重ねるたびに増していくことになる。

長谷川伸には自分史にあたる「ある市井の徒」がある。その「まえがき代わりに」でこんなふうに述懐している。


明治十七年の春、生まれた新コが、母と生き別れをしたのは四ツのときだった。（中略）その頃は清水の次郎長の養子銕眉・山本五郎が、『東海道遊侠伝』という次郎長伝をつくり、その本の広告欄に、明治戊申磐城の戦乱に行方知れずとなった父母と妹を探し求めて既に十余年、知る人あらば教えてよ、泣血の広告文を掲げたのもこの年のことである。（傍線・筆者）

この〈泣血の広告文〉こそ、長谷川伸の母想い、母探しの真情と重なっているのだ。

伸は幼いとき泣き虫と呼ばれていたそうである。しかし伸は自らの泣き虫を「母に去られた児が、泣かずに遊んでいるはずはない」と必死に訴えている。だからこそか、『ある市井の徒』の副題は「越しかたは悲しくもの記録」となっている。

旧中山道番場の宿に忠太郎地蔵が建てられている。台石には「南無帰命頂礼、親をたづねる子には親を、子をたづねる親には子をめぐりあはせ給へ」の文字が刻まれているという。

そしてそして奇蹟がおこった。一九三三（昭和八）年二月一二日、奇しくも四七年ぶりに長谷川伸は「瞼の母」に再会した。時に生母・三谷かうは七一歳、伸四九歳であった。この感激は文字では表現できない。

「瞼の母」から番場の忠太郎と長谷川伸は一つの〈いのち〉となった。

長谷川伸はなによりも人間を大切にした。平岡正明は、かれを「血糊の世界が嫌い」な人と評している。佐藤忠男は、かれをいわゆる学歴のない土工出身の被治者の立場で民衆の精神史研究の最も秀でた開拓者と絶賛している。論より証拠、長谷川伸の『日本捕虜志』『印度洋の常陸丸』はかれが建てた形なき〈紙碑〉なのだ。

この〈紙碑〉こそ、自分史にほしい。

橋本左内　第一七号（二〇一五年七月）

いま、吉田松陰がブームである。時代が求めているのか、テレビドラマの影響なのか。松陰は一八五九（安政六）年一〇月一七日に伝馬町獄舎にて刑場の露と消えた。

そこでどっこい忘れている人はいませんか?

……そうだ、松陰刑死のたった一〇日前の一〇月七日に、同じ伝馬町獄舎で刑死した橋本左内がいた。松陰三〇歳、本稿主人公橋本左内わずか二六歳。

左内は死刑の数日前に、部屋こそ隔てていたものの、同じ獄舎の松陰に詩二首を贈って敬意を表している。松陰もまた獄中執筆の遺書とも自分史ともいえる『留魂録』の中で左内と直接相まみえなかったことを嘆いているだけでなくその存在をいたく認めていた。

橋本左内、名は綱紀、字は伯綱または弘道、号は景岳または篤斎、時に藜園、松亭、挹翠、容安、桜花晴暉楼を名乗った。一八三四（天保五）年、福井藩の奥外科医をつとめる橋本彦也長綱の長男として出生。吉田松陰の四年後輩、福沢諭吉と同年である。

左内は自らも外科医学を学び、やがて父親の職を継ぐ必要があった。ためにかれは一六歳から一九歳までの三年間大阪の緒方洪庵塾（適塾）に入門。福澤諭吉や大村益次郎らも学んだ適塾での必死の勉学でその才能は開花した。その間、かれは夜中になると外出し、大阪天満橋近辺のホームレスの人達の診察治療を続けたそうである。また少し後になるが、左内がかつて師事した恩師吉田東篁の母親の乳癌の乳房摘出手術を成功させ、世の賛嘆を浴びた。二一歳になった左内は、次に江戸に遊学し、杉田成卿（玄白の孫）や坪井信良らに従って蘭学・蘭医などの西洋学術に関する知見を深めた。蘭学のみならず英語、ドイツ語なども解読し、同時に政治的識見も高めていった。とくに杉田成卿か西欧のフレイヘード（自由）の字義を学び、単なる語学や自然科学知識以上のものを習得した。かれの思想路線は平板な幕府擁護的守旧主義ではなく、幕末封建世界を脱却し、近代日本へ展開するに際してのまさに正統的コースであるべき開国主義・開明思想をリードするものといえたはずである。かれは、当時のロシア・イギリスの対立を縫って、信頼もあり隣国でもあるロシアとの攻守同盟を考え、国防や国内産業振興を構想した稀有な人物の一人であった。

ところで、この左内の思想の原典はどこにあるのか。それはかれが一五歳の少年時代に著した『啓発録』に求められる。

『啓発録』は五カ条の規箴である。第一「去稚心」。第二「振気」。第三「立志」。第四「勉学」。第五「択交友」となっている。第一の「去稚心」では「稚トハスベテ永クサキ処アリテ物ノ熟シテ旨キ味ノナキヲ申也」とし、人は稚心から脱しなければ士気は振るわないとして第二に移る。この振気によって第三の立志に向かうことができると説く。

第四の「勉学」では注目すべき論がある。「学」とは先人の〈勉行ヲ習ウ〉意味を強調している。

つまり「詩文や読書ヲ学ト心得候ハ笑カシキ事」と断じている。詩文や読書が学問ではなく、学問とはまず先人の善事を習うという実学思想を展開している。なお、勉学には継続性の大切さを例示しながらその必要性を説いている。最後の「択交友」では、損友と益友を論じ、さらに益友の中には〈争友〉の存在を重視している。

この『啓発録』は、緒方洪庵塾入門の前年に書かれた一五歳の橋本左内による〈自省録的自分史〉である。左内は身長五尺ばかり、撫肩で「繊妍婦人」といわれた小柄な二六歳の生涯であった。しかし胆力においては誰にも負けなかったという左内が、もし三〇歳壮年の橋本左内が存在したら、その〈自省録的自分史〉に何が加えられていただろうか。

残念である。

第一八号（二〇一五年一〇月）

盗みの三人七態

◎ガンジー『自叙伝――真実をわたしの実験の対象として』

① わたしたち両人は、紙巻きたばこの吸殻を吹かしたり、そのために召使いのお金をちょろまかしたりする癖に、さよならをした。

② しかし、この盗みよりはるかに本式の盗みを、わたしは少したってからやった。わたしが銅銭をちょろまかしたのは、わたしの十二、三才のころ、あるいはもっと前だったかもしれない。別の盗みを犯したのは十五の年だった。わたしは、肉を食べた兄の腕輪から、金片を盗み取った。

◎吉川英治『忘れ残りの記』

③ 薯泥棒　脱兎のごとく逃げ出し

走っても走っても恐怖に追いまくられて、真っすぐ家の方向に走れなかった。

④ 否みようもなく、ぼくには盗癖があったようだ。小学生当時にも母の小銭をかすめたり、店の銭箱へ手を突っこんだ経験がある。

⑤ ぼくは一冊の本を持って盲目的に駈けていた。すると古本屋の主人の恐い顔がすぐ後に迫った気がした。（中略）ぼくは恐怖と後悔から手の書物を石垣の下の小溝に抛り捨てた。

◎鶴見俊輔『悼詞』

⑥ 小さい時から、わたしは盗むことをおぼえた。学齢前は、朝まだ暗いあいだにおきていって、菓子を盗んで食べるというようなことだった。そして階段をおりる途中でもうつかまって、しかられた。《こういう恐ろしい子ができたのは、自分（母）の責任だから、さしちがえて死ぬ》という趣旨の声涙ともにくだる教訓を何度かきいたかわからない。

⑦ 私は、改めなかった。小学校にはいってからは近所の中学生と組んで、万引をするようになった。私の母は、金のことを汚ないもののように感じていたので、余分に使う金をくれなかった。そのため、私は自分で使う金を自分でかせぐ必要があった。

こんな鶴見俊輔が、ことし二〇一五年七月二三日に亡くなった。九三歳であった。俊輔は後藤新平の孫であるが、リベラルな立場で幅広い批評活動を展開し、戦後の思想・文化界に多大な影響力をもった哲学者・批評家である。「思想良心の自由」の信念を貫いた人物として知られる。

かれは二〇〇八年に直接販売のみの出版であるが『悼詞』を著している。この本は鶴見俊輔が生涯において、心の底から感心してきた一一五人への想いをそれぞれに込めた追悼集となっている。編集者の言葉によれば一一五人への〈紙碑〉である。同時に俊輔自身の自分史にもなっているし、自らへの〈紙碑〉ともなっている。一二五人とは、ベ平連の小田実、『共同研究 転向』のヒントになった秋山清、〈思想の科学〉のバトンタッチをした渋谷定輔らである。その中に姉の鶴見和子や父の祐輔、母・愛子のことなどを綴っている。

母への想いが面白い。母・愛子（一八九五―一九五六）は、後藤新平の長女で麻布区新綱町に出生。一七歳で鶴見祐輔と結婚、四人の子どもを得ている。母の父は岩手小藩の下級武士、母の母方は熊本の中級武士、いわば下級武士のシキタリで育ったため、俊輔は子ども時代から、側に居るだけでピリピリしていたという。俊輔の盗みの後の家出、女性関係、自殺未遂、学校の三回退学事件、ビリに近い学業などで、母はいつも〝ご先祖様にすまない〟〝自分（母）の責任だ〟が口癖だった。そんな関係で、母は大正期には天理教信徒であったが、俊輔の素行の悪さを直すため、一九三六年にキリスト教に入信している。

母は大柄で五尺四寸はゆうにあったが、四〇代で脳溢血で倒れてからは闘病生活を余儀なくされた。そんな母から俊輔は三回ヤキをいれられたそうである。一回目は五歳時、針が体内に入ったとき。二回目は自転車で倒れて骨折し一三針ぬったとき。三回目は海軍病院で胸部カリエスの手術を受けたとき。母は〝この子は特異体質だから〟といって、〝マスイはなるべく使わないように〟と医者に注文をつけた。拷問を三回受けた。

ヤキを入れた母であったが、「母が自分を愛していることを確信している」「一生の愛情をうけた」という俊輔と母の自分史の一端である。

第一九号（二〇一六年二月）

法原罪と徳田球一

このところ冤罪や誤審のような事件が多いような気がする。医療の世界では、誤診や医療ミスをはじめとする〈医原病〉（iatrogenetic disease）がつとに指摘されてきている。

法曹の世界でも、法律とか裁判が原因の誤審を〈法原冤〉あるいは〈司原罪〉とか考えたが、ちょっとパッとしない。そこで《法原罪》または《裁原罪》とでも命名してみたい。なにしろ、人の命の問題にかかわるので、大いに議論を深めてもらいたい。

冤罪の字義について一言。捕えようとしたウサギ（兔）が逃げてしまうと逸の字になる。では捕えられたウサギはどんな字になるか。囲いを示すワ（ケイ）とウサギの兔と合わせて冤（エン）となり、冤罪＝無実の罪となる。ウサギはケイに追い込まれると、走ることが不可能となり、ただ屈するしかないからである。

一方、法は刑罰を意味した。法の本字は〔灋〕で、廌は鹿に似た一角をもつ動物で、刑罰が良好な場合に出現し、もし刑罰が良くない場合はその場から〈去〉るのである。サンズイは水、つまり水平・公平を意味している。したがって法はこの動物が立ち去らないような公平な裁きが求められる。

冤罪の代表格は大逆事件であろう。幸徳秋水や菅野スガなど一二名が無条件で殺されてしまった。思えば残酷無比。昭和や戦後になってからも思想犯らの不法逮捕・取り調べは尋常ではない。小林多喜二を思うとゾッとする。

私の書斎のやや中央に『獄中十八年』という小さな古ぼけた本が置いてある。何故かわからないが、私が大学生のころから、この本はいつも眼のつくところに置いてあるから、自分でも不思議である。なにも私は徳田球一が特別に好きな人物、というわけでもない。自然と眼につくのだ。妙な縁である。

徳田球一は一八九四（明治二十七）年日清戦争が勃発する翌月の九月に沖縄県国頭郡名護村に生まれた。地元名護で印刷業と雑貨店を兼業していた。父母は、この長男に〝琉球一〟の人物になれ、との夢を託して〝球一〟と命名した。徳田球一の『獄中十八年』は「小さな正義派」の見出しで、誕生から共産主義に至る原点から出発している。例えばこんな風である。

わたしの祖母はひどい貧農の娘で、その生れ故郷の家はまるでブタごやのようなあばらやだった。祖母はそういうところにうまれ、女郎に売られ、やがて祖父の妾になってわたしの父をうんだ。母もおなじようにしてうまれた。母方の祖母は、貧乏な職人の家にうまれ、その家には女の子が三人ゐたが、二人まで女郎に売られた。

こんな記述が続く。女郎の売買の値段は、明治維新直前の慶応年間では、一五、六歳の娘で二〇円、ひどい場合は一〇円の取引きだったそうである。当時のこの地方の農民や労働者の生活環境が映し出されている。そんなとき、球一一五歳、中江兆民『一年有半』を読み感激したという。一七歳のときには幸徳秋水の『社会主義真髄』を読み、マルクスやエンゲルスに触れることになった。

当時、日本では〈琉球〉はまだ特別扱いで、学校に派遣される教員もデモ・シカ教師であったらしい。球一は小学校では最初のストライキを組長として指導する力量をすでにもっていた。中学校の想い出として、「そのなかでも、とくにわるい先生だとおもったのは、のちに講談社の社長になった野間清治だった。野間は私が中学一年のときの漢文の先生だったが、漢文などはほとんど知らない。（中略）しかもかれは遊郭を宿舎とし、まいにち酔っぱらって出勤した」など実名入りで批判している。貴重な証言である。

『獄中十八年』の圧巻は「網走――氷のこんぺいとう」である。網走刑務所は零下三〇度、徳田球一死闘の記録である。『獄中十八年』は実に生々しい文字通りの自分史である。共産党書記長・徳田球一、共産党支持者以外にも広く愛された〝徳球〟。『獄中十八年』一九四七年発行。一六一頁。定価一六円。

第二〇号（二〇一六年一一月）

藤村　操

わが国戦後の思想界をリードしてきた代表者の一人に安部能成をあげることに反対する人はいないであろう。安部能成というと、旧制の第一高等学校とか文部大臣というより、むしろ深い知見と高潔な人物像として文字どおりの代表的日本人である。そんな安部に『我が生ひ立ち』がある。典型的な自分史的自伝である。非常な大著である。

安部にはすでに「戦後の自叙伝」があるが、さらに「遠く長く離れて愛憎共に淡くなった他人のことを語って見たいといふ気持が起こって来た」理由から『我が生ひ立ち』が生まれるようになったらしい。

さすがに安部である。「元来私は記憶力は強い方である。殊に人の顔や表情や話し振りなどに対する感じとその記憶とがはっきりして居る。」こんなことから執筆にとりかかるのだが、「私の唯一の長所であった記憶が近時頓に減退して来て、今の内に書いておかねばと思へて来た」からであった。

加えて、安部の友人をみると和辻哲郎は五、六歳若く、長与善郎も四歳若く、小宮豊隆は二カ月半若く、谷崎潤一郎も二、三歳それぞれ若いのだが、各人が健康を害している。安部自身は病臥もしないうちに〈我が生ひ立ち〉の名の自分史を完成させたい、そんな意力が『我が生ひ立ち』である。

本書はⅠからⅥまでの六部より構成されている。Ⅰは生家、父の前歴、小学校のことなど、Ⅱは中学校、野球部など、Ⅲは一高、藤村操の死、聯合柔道試合など、Ⅳは東大時代、綱島梁川先生の死、大学卒業当座の生活など、Ⅴは結婚、家庭、父親や夏目漱石の死、関東大震災など、Ⅵは終戦、講和条約、文部省などである。

この中で最も注目されるのが「藤村操の死」の部分である。やや長文になるので、要点箇所を以下、引用してみた。転写した部分の最後には発見された藤村操の遺骸の処置について、操のオジにあたる那珂通世は、滝辺に土葬する案を出したが安部は火葬して東京青山墓地に埋葬する案を出し、結果として火葬となった。

一高生、十七歳、藤村操の華厳の滝投身自殺は各方面に甚大な衝撃を与えた。……なにせ操の妹と結婚した安部能成にとっても思い自分史のヒトコマであったにちがいない。

藤村操の死は三十六年の一年三学期の五月二十二日であつたが、私には彼の印象は鮮かに残つて居る。彼は身体は少し私より低かつたかと思ふが、恐らく五尺五寸くらゐだつたらう。頬が紅くて眉の整つた美少年であつた。一度岡本先生（岡忠）が、朝食を少なくするのが頭に好い、とみんなに説諭したことがある。その時藤村が「先生今朝は朝飯を沢山上つたのですか」といつたことがある。

あの華厳滝事件とどのくらゐ隔たつて居たか知らぬが、その前私は、一夜小石川の新諏訪町の小さな借屋に、彼を訪ふたことがあつた。彼は家は弟妹が居てやかましいからといつて、近くの牛天神の岡に私を誘ひ、その頃は分けても静寂だつた境内で話したことがある。その時に彼が私に話したので記憶して居るのは、私が感情的な性格でないといふこと、自分の過去を考へて見ると、すべてはやはりよかつたといふ感想とであつた。

（中略）

彼は体格もよく、運動にも興味を持ち、隅田川へいつてボートを漕いだこともあつたときく。痩せこけた神経質の文学青年といふ面影はなかつた。彼が華厳の瀑辺に「巌頭之感」を残して身を投じた事件は、一世を聳動してセンセーションを起こしたことは、否み難い事実であつた。（中略）

彼は始から「巌頭之感」を書く積りで、硯と筆とを携へ、巌頭の樹木を白げてそれを残したので、今から考へて見れば、さういふやりかたに好感を持つことはできないが、死ぬる時まだ十六歳十ヶ月の少年だつた彼が、学問に対する夢のやうな大望を失望して、何かこの地上に痕跡を残さうとした少年らしい野心は、同情できないことはない。（中略）

藤村操の死はたしかに時代的意義を持って居た。日本は明治以来欧州列強の圧迫に囲まれて、富国強兵の一途に進んで来た。一高の籠城主義だとか勤倹尚武だとかいふものも、結局は日本のその趨勢の一波に過ぎなかつた。ところが朝鮮問題を中心として日清戦争があつけない勝利に終り、更に十年を経て日露戦争が起こる前後から、国家問題とそれを中心とする立身出世に余念のなかつた青年の間に、国家でなく自己を問題にする傾向が起こつて来た。（中略）

藤村の死骸は中々見つからず、その間にも華厳の滝への投身は一時の盛んな流行となつて、日光町の多大の迷惑になつた。彼の死骸の滝壺に見つかつたのは、彼の死後六十日も立つてからであり、学校も休暇になつて居たから、私自身志願して、那珂さん及び藤村の母君の弟で海軍大学の教授だつた理学士の芦野敬三郎さんと一緒に、それを引き取りにいつた。（後略）

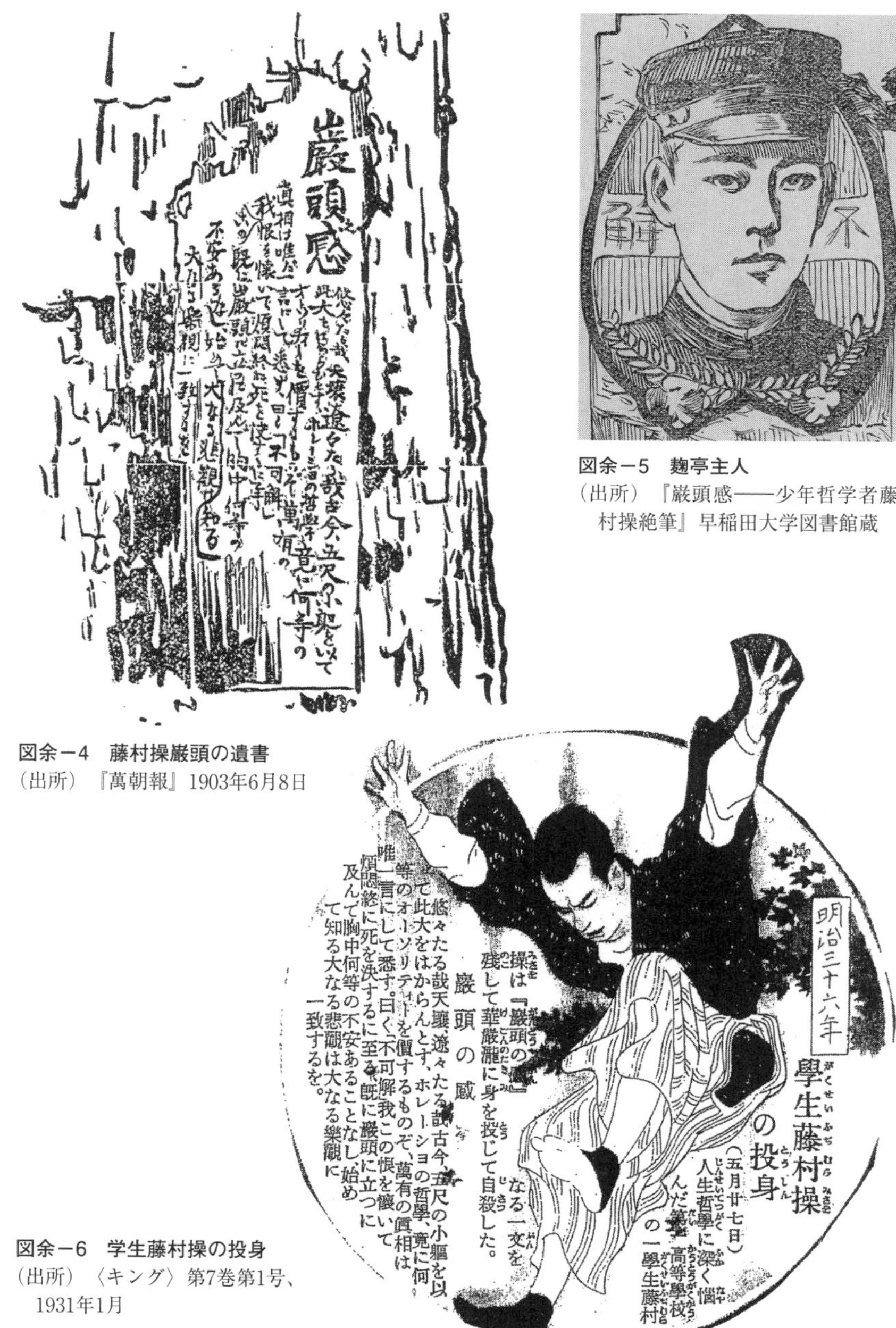

図余－5　麹亭主人
（出所）『巌頭感――少年哲学者藤村操絶筆』早稲田大学図書館蔵

図余－4　藤村操巌頭の遺書
（出所）『萬朝報』1903年6月8日

図余－6　学生藤村操の投身
（出所）〈キング〉第7巻第1号、1931年1月

第二一号（二〇一七年三月）

大塩平八郎

平八の頭を切って万民の気を安うなる米という文字

大塩平八郎にちなんだすばらしい狂歌です。

平八のアタマ（一）をとれば米の字になるシカケです。

大塩平八郎（一七九三―一八三七）といえば「大塩平八郎の乱」で有名です。大塩は過重な労役と租税に苦しむ農民に愛情を注ぎ込んだ「愛農家」であり「農民の師友」でもありました。大塩は困窮者を救うために政策を町奉行に訴えるとともに、私財をなげうって民衆の救済に全力を尽くしました。さまざまな経緯をもちながら、一八三七年二月一九日に「救民」を旗印に決起挙兵しました。世に知られる大塩の乱です。

「救民」のための決起挙兵の精神は、二千字を超える大塩畢生の〈檄文〉にあります。この〈檄文〉は、君臣上下がこぞって驕奢を事とし、賄賂を公然と行い、民衆を苦しめる政治は仁政の基本とかけ離れたものと批判していることから出発しています。もっとも大塩の生きた時代は幕藩体制のゆがみが顕著化し、かつ飢饉も相次いだ時代でもありました。浄瑠璃本の『浪華異聞・大潮余談』では「大塩平八郎、ただその義にあたるや、その身の禍福生死をかへりみず、その道に当たるや、その勝敗利鈍を問はず、世に警鐘を打ちならさん」と賛辞をおくっています。

大塩が指摘した「民窮」「四海困窮」の由来は、権門（役人を含む）と特権商人との癒着構造にありました。大塩の指摘はまさに正当な判断であったと思われます。天保年間には一揆とか打ち壊し、国訴など相次いで起こっています。あの吉田松陰は、一揆などが発生するのは為政者のせいであるという、徹底した農民人民主義を展開しています。そんな立場に立って考えると「大塩平八郎の乱」の乱の表現はあまりふさわしいとは思えません。「大塩事件」と表記すべきと考えています。大塩平八郎を単なる「騒乱者」扱いにしてはならないのです。同じ意味で大正期の「米騒動」も「米事件」とすべきでしょう。民衆を表面的に騒乱者にしてはいけません。

いわゆる「大塩の乱」　一八三七（天保八）年二月一九日

いま現在　　　　　　　二〇一七（平成二十九）年二月一九日

大塩の挙兵からジャスト一八〇年。この日を期して筆をとりました。この事件はわずか半日で終息を迎えました。大塩自身は四〇日ほど潜伏しましたが、自決してしまいました。

大塩は知友頼山陽から〈小陽明〉と賞賛されていました。いわずとしれた王陽明になぞらえたものです。その大塩の学問と人格とさらに行動力を慕って門人が増していきます。かれは家塾「洗心洞」を開校します。「洗心」とは「聖人此を以て心を洗ひ退いて密に蔵れ」からの出典です。「洞」は王陽明の陽明洞から採りました。大塩は名実ともに、日本の陽明学の代表的人物でありました。

大塩の著書には『古本大学刮目』『儒門空虚聚語』『増補孝経彙註』などがありますが、なんといっても主著は『洗心洞箚記』です。一八三三年に刊行されています。ですから彼の決起挙兵の四年前に書かれたものです。この『洗心洞箚記』は時として佐藤一斎のいわゆる『言志四録』と比較されることがあります。一斎の約四〇年に亘る思想遍歴の叙述の長さには及びませんが、『洗心洞箚記』に盛られた一三九条の内容は、大塩の渾身の思想の自分史であります。

すなわち、この書は経書の註釈ではなく平八郎自身の言葉であって、「眼の触るる所、心の得る所、有る毎に之を筆にして以て自ら警め、又た以て子弟の憤悱を発するを助くる」ように書かれたもので、平八郎の思想の生な姿を端的に伝えたものです。自ら「箚記自述」においてこの書は「一家の言」でありましたし、「一生之心血在于此書」と記されているように、大塩平八郎の生涯の心血をそそいだ書でありました。

私流に解釈すれば『洗心洞箚記』は、一三九条にわたる大塩平八郎の存在を問う思想の自分史の総決算といえましょう。あるいはかれの陽明学の集大成としての知行合一の思想形成の自分史ともいえましょう。

（相良亨校註『佐藤一斎大塩中斎』日本思想体系四十六、岩波書店、一九八〇年、中瀬寿一他編『史料が語る大塩事件と天保改革』晃洋書房、一九九二年などから学びました。）

第二二号（二〇一七年七月）

藤野先生と魯迅

日本人にとってうれしい話がある。日本人にとってとても誇らしい人物がいる。

藤野先生。

藤野厳九郎（一八七四—一九四五）。福井県坂井郡本荘村の人。愛知医学校卒業。一九〇一年、仙台医学専門学校の解剖学講師となり、後同校教授に昇進。一九一五年に同職を辞し、翌年、三国町にて開業、一九一九年から一九四五年まで本荘村診療の医師。

日本人でも魯迅のことはたいていの人は知っている。けれども日本人でも藤野厳九郎のことはたいていの人は知らないかもしれない。

日本人であるわれわれにとって胸をうつ言葉がある。日本人でもほとんどの人が知らない藤野厳九郎に対して、あの世界の魯迅が、『私が自分の師と仰ぐ人のなかで、彼はもっとも私を感激させ、私を励ましてくれたひとりである』と書き留めている。

そんな魯迅の「藤野先生」を考えてみよう。

魯迅（一八八一—一九三六）。本名・周樹人。魯は母の姓。浙江省紹興に生まれて上海にて没している。一九〇二年に礦務鉄路学堂を卒業し、省政府の給費生として日本に留学することになる。かれはまず東京の宏文学院（後に弘文学院と改称、嘉納治五郎経営の清国人留学生用の学校）にて二年間日本語を学び、仙台医学専門学校（東北大学医学部の前身）に入学する。

魯迅は、この仙台医学専門学校で、痩せた、八字ひげの、眼鏡をかけた藤野厳九郎先生の講義を受けることになる。ある日、魯迅は藤野先生から筆記したノートの提出を求められた。その返ってきた筆記ノートをみて、魯迅は、「私はびっくりした。そして同時に、ある種の不安と感激に襲われた。私のノートは、はじめから終りまで、全部朱筆で添削してあった。多くの抜けた箇所が書き加えてあるばかりでなく、文法の誤りまで、いちいち訂正してあるのだ。」魯迅の感激ぶりは尋常ではなかった。しかも藤野の魯迅ノートの添削は骨学、血管学、神経学などすべての学科にわたっていた。

藤野は魯迅の人間を見抜いていたのであろう。魯迅が仙台を去ることを告げた時、藤野の「顔には、悲哀の色がうかんだように見えた」という。藤野は魯迅を愛し、魯迅は藤野を心から敬していた。魯迅著「藤野先生」の末尾はこんな言葉で結ばれている。

だが、なぜか知らぬが、私は今でもよく彼のことを思い出す。私が自分の師と仰ぐ人のなかで、彼はもっとも私を感激させ、私を励ましてくれたひとりである。よく私はこう考える。彼の私に対する熱心な希望と、倦まぬ教訓とは、小にしては中国のためであり……大にしては学術のためであり、……彼の性格は、私の眼中において、また心裡において、偉大である。彼の姓名を知る人は少ないかもしれぬが。彼が手を入れてくれたノ

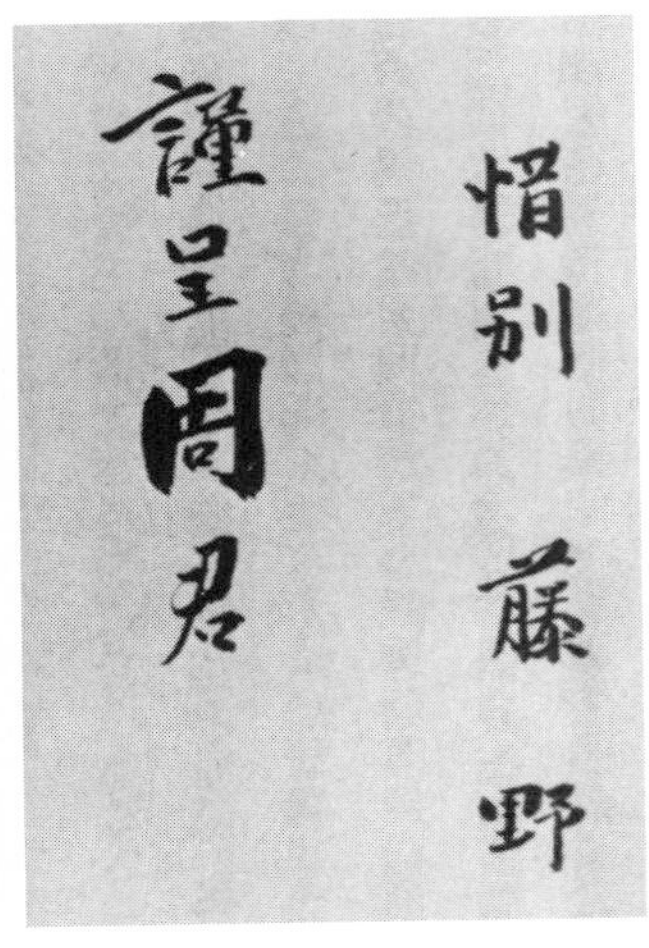

図余-7（左）　藤野が別れに際して魯迅に贈った写真
図余-8（右）　図余-7の裏面（周君は魯迅の本名。周君の周の字の太さが藤野の魯迅への熱情の濃さとしてあらわれている）
（出所）『野草；朝花夕拾；故事新編』（魯迅全集3）、学習研究社、1985年

ートを、私は三冊の厚い本に綴じ、永久の記念にするつもりで大切にしまっておいた。……

ただ彼の写真だけは、今なお北京のわが寓居の東の壁に、机に面してかけてある。夜ごと、仕事に倦んでなまけたくなるとき、仰いで燈火のなかに、彼の黒い、やせた、今にも抑揚のひどい口調で語り出しそうな顔を眺めやると、たちまち私は良心を発し、かつ勇気を加えられる。

魯迅にとっての藤野とのほんの一齣の自分史が、いまも世界の中で生き続けている。

【参考引用文献】「立間祥介『魯迅全集』三、学習研究社、一九八五年。竹内好『魯迅』日本評論社、一九四四年。駒田信二『魯迅作品集』講談社、一九七九年。大久保利謙『外国人の見た日本』第三巻、筑摩書房、一九六一年、など。）

第二三号（二〇一七年一一月）

忘れまじ煙山専太郎

いきなりであるが、出陣学徒に贈った煙山専太郎の文言をかみしめてみたい。

軍隊という所は野蛮な所である。諸君の教養がこれをいくらかでもよくすることが出来ればと期待する。諸君決して死んではならない、血気にはやったり、変な責任感にとらわれて死を急いではならない。是非元気で帰ってきてほしい。古来、中国では人を送るに酒をもってするというが、今はそれがない。詞をもって送るを、次によいとするが私にはそれも作れない。ただ、言葉をもって送るだけで、諸君には誠に相済まない。

これは当時早稲田大学史学科の学生であった木村時夫の『酔眼炯々』の一節に収められている。木村は学徒出陣に際し、この煙山専太郎「先生の言葉が一番嬉しかった」と述懐している。

一九四三（昭和十八）年一一月一五日、午前一〇時三〇分、当時戸塚道場と呼ばれていた安部球場において出陣学徒の壮行会が挙行された。早大の出陣学徒はおよそ六〇〇〇余名、加えて見送る教職員・在学生合わせて二万人の大壮行会であった。その大壮行会の直前、文学部史学科だけによる壮行会が行われた。席上、煙山専太郎教授の学生に贈った言葉が上述の訓示である。

至玉の辞である。

早稲田大学が誇れる弁辞である。

これより一か月ほど前の『早稲田大学新聞』は、「銘せよ有史最大の光栄／断乎米英撃破へ!!!」の見出しで、「校門から営門へ、（中略）不懐の皇国体護持開顕こそみたみわれに課せられた光栄ある使節であり、而してその一億総突撃の先頭をきる光栄の任務を持つものこそ学徒なのだ。日本男児の若き血に燃え、いざ征かん（後略）」の文字が躍っている。この論調は当時において最も一般的な風調で、〈死して護国の鬼となれ！〉が当たり前の訓示であった。

改めて煙山専太郎の出陣学徒に贈る言葉を振り返ってみよう。

〈決して死んではならない〉

〈是非元気で帰ってきてほしい〉

壮行会場には軍関係者がいるかもしれない当時の状況の中で、こんなすばらしい言葉が発せられたのだ。木村時夫が学生としてこの煙山専太郎の言葉が「一番嬉しかった」と感じたのは、単に「決して死んではならない」「是非元気で帰ってきてほしい」の言葉だけではないのであろう。それは煙山の学生一人ひとりへの熱い思いが、煙山の人に対するたまらなく慈悲に溢れた思いが、木村の胸の奥底をゆさぶったのであろう。

早稲田大学教授煙山専太郎。東京大学在学中であるにもかかわらず、わが国初の無政府主義研究といってよい『近世無政府主義』を刊行している。しかも早稲田大学出版部からである。早稲田によほど縁があったのであろう。本書は純粋な学術研究書であるが、例えば幸徳秋水や、大逆事件の宮下太吉、管野スガらに愛読されている。

煙山の主張は「権力を憎み正義は常に弱者とともにある」という姿勢を貫いていたのである。煙山は数多くの著作を発表しているが、代表作の一著『世界大勢史』（実業之日本社）の末尾ではこんな言葉で結ばれている。「平和世界の実現に必須な今一つの条件を挙げなければならぬ。民族間の争たる戦争の惨害に対し、どんな形にしろ、個人の責任を問うて之に竄逐を加へ、之に復讎する様な刑罰法、制裁法が行はれる限り、決して真正の平和の実現があり得ないと云ふことである。私は此意味に於ても我日本の如きは、一切の軍備の撤廃だけに止めておかず、此際、率先して死刑の廃止を断行すべきであることを極力主張せんとするものである。」

煙山専太郎は時代を見透した平和主義者であった。

煙山専太郎の冒頭の辞……これこそが早稲田大学が誇れる自分史となってほしい。煙山の反戦の辞……早稲田大学自分史の中核に据えてほしい。

渋谷定輔　第二四号（二〇一八年八月）

一九八九（昭和六十四）年一月三日（火）午後一一時七分。

私淑していた渋谷定輔さんがこの世を去ってしまった。

この年は私の父も逝ってしまった悲しい悲しい年であった。

渋谷定輔の出会いの思想史の観点から四人をあげてみると、一人は池田ムメ（後の渋谷黎子）。一人はウクライナの農奴出身の詩人・画家タラス・シェフチェンコ。一人は自身の考えの基盤になったともいえる土田杏村。もう一人は、渋谷定輔の胸の中に腹の中に強烈に宿っていた細井和喜蔵であったにちがいない。渋谷と細井の最初の出会いは一九二二年。出会いの契機は、〈種蒔く人〉に関係する詩人たちが〈鎖〉同人誌発行の場であった。この時、細井二五歳、渋谷一七歳であった。渋谷が貧農出身の話、小作争議の話、自作の詩を展開していると、細井は渋谷に「詩だけでは限界がある。散文を書かないと広く読者に訴えられない」趣旨の話をする。細井もやはり貧農の出身で、小学校は五年で退学し、機屋の小僧以来紡績工場の下級職工として働いてきたが、いま『女工哀史』をまとめていることを熱く語った。そこで細井は自分は『女工哀史』を完結する、〈君は『農民哀史』を書かないか〉と提案した。渋谷は快く即座に同意し、二人は固い握手する。その時、大阪の工場でドリルで孔をあけるボール盤で切断された細井の左手の小指のない固い握手であった。その握手から実に四八年後の一九七〇年、ついについに渋谷定輔著『農民哀史』は完成する。

『農民哀史』は短期間のものながら、渋谷定輔の一九歳から二一歳までの多感な青春時代の若き「自分史」である。一日一日の日記風の記録の内容が重いものになっている。例えばその内容は「五月一日　五月一日(メーデー)がきた。全世界の労働者と農民が血と汗と泪の結晶ともいうべき真実の叫びをあげて行動し、日ごろの屈辱を奪還する日がきた。きのうは薄ら冷い北風が吹き、空はくもっていた。きょうは輝かしい太陽が緑の若葉に照り映え、全労働者階級に新しい希望を約束するようだ。」から始まっている。『農民哀史』は実に渋谷と細井の共通の到達点——われわれ直接働く人が主人公となる社会を、人間解放の課題を掘り起こす——そんなテーマに充ちあふれる内容となっている。ものすごい自分史だ。

ところで細井は結核性痔瘻(じろう)という病気をもっていて、肉体労働者とはいえ、体重は四五キロに足りなかった。細井は『女工哀史』を単行本として出版されたのは一九二五年であるが、その直後急性腹膜炎で忽然として世を去ってしまった。まだまだ前途多岐にわたるものがあっただけに誰からみても惜しまれる死であった。渋谷にとっては言葉にならない悲嘆であった。

細井の死について『農民哀史』はこんな風に綴っている（一九二五年八月二〇日）。

> 私の胸に土塊が投げつけられたような息づまる重い痛切な感情がこみあげてきた。ああ、何という運命だ。ようやく第一線にあらわれたと思う間もなく、奪われていく同志の生命よ！
> それはあまりにも冷酷だ（後略）

さらに渋谷のもとに電報が届く。

ホソイシス　ソウギ　ハ　二五ヒル　ゼヒコラレタシ
その八月二五日、渋谷の住む埼玉県南畑で豪雨激しく、荒川が氾濫、大洪水に見舞われてしまう。渋谷は細井の葬儀に泣ける思いで参加できなくなってしまった。その時の感情を『農民哀史』には
細井君！　許してくれ！
自分史渋谷定輔『農民哀史』圧巻の一ページである。
渋谷定輔は『農民哀史』執筆の約束時に細井とかわした握手で、かれの左手の小指のない感覚を生涯忘れなかったそうである。

田中正造　　第二五号（二〇一八年一一月）

いま、経済優先におびやかされている生命（いのち）の問題が焦点化されている。やや誇張していえば、利潤優先、企業優先、あるいは権力優先におびやかされている（いのち）の問題である。

近くは東日本大震災――教科書副教材で原発は〈どんな場合でも絶対安全〉と記述されてきた神話が崩壊した。企業側は津波浸水予測図を無視しリスクを軽視し、その結果、多くの人々の生命を犠牲にしてしまった。

スマトラ沖大地震・津波やインド災害等においては、甚大な被害と引き換えに、住民の意思とは無関係に大規模開発が展開され、今や〈災害資本主義〉と呼ばれる事態を生んでいる。

少し時代を遡れば水俣の問題も経済優先におびやかされた生命（いのち）の典型であった。水俣を追求した石牟礼道子さんも鶴見和子さんも今はすでにいない。『苦海浄土』にしても『内発的発展論』にしてもシッカリと心して読んでお

くべき作品として遺されている。

そんな時、思い起こすのは経済優先や権力優先によっておびやかされている生命(いのち)の問題の象徴ともいえる足尾銅山鉱毒事件である。集約してみると、(i)硫黄ガスによる山林の枯渇による住民の健康問題、(ii)排水の垂れ流しによる渡良瀬川の金属汚染被害、(iii)保水力を失った山林を源流とする河川の洪水頻発による被害、(iv)汚染された米や魚類を食した人々のいのちの問題などである。いずれもすべて、住民の生命に直接かかわる大問題であった。

明治政府は、当時日本一の産出量を誇る足尾銅山の操業を停止する意思はなかった。それが経済優先であり、権力優先の現実の姿であった。

足尾鉱毒事件に真正面から取り組み敢然と立ち上ったのが、田中正造であった。田中正造は経済優先におびやかされていた住民の生命を守る運動の主導者であった。田中正造は企業優先の犠牲として亡くなった生命を〈非命〉と呼んだ。〈非命〉をなくすこと。われわれへの宿題であろう。

田中正造には自分史ともいえる自叙伝がある。それが「田中正造昔話」(『田中正造全集』第一巻、岩波書店)である。

昔話は、「予は下野の百姓なり。天保一二年一一月を以て阿蘇の郡小中村に生る、幼名は兼三郎と呼び」から始まっている。足尾鉱毒事件では全身全霊を捧げた田中正造ではあるがいくつかのエピソードがある。

エピソード① 正造は幼時より剛情で母親にもしばしば抵抗したが、〝母は頻りに予を宥めたれども予も頑として之を用ひざるに怒りて終に戸外に逐ひ出し、戦慄き泣叫ぶ予を夜雨に晒らしむること二時間余〟のような厳しい刑罰を受けた。

エピソード② 餓鬼大将でもあった正造が一五歳のとき、〝悪友に唆かされて梁田の青楼に遊ぶ、妓を擁すること一回にして終に三年不治の黴毒病に罹れり〟と告白し、〝しかも黴毒感染を秘密とし鬱々悶々日天一日、或日フト此処を去りて医を江戸に求め彼処にて存分の治療をなすに如かずと思ひ付き、脱走して村外に至るや、事覚れて父母よりの追手、追ひ付来り、終に捕はれて一室に幽閉〟されたことを回想している。正直で面白い。

エピソード③　足尾銅山鉱毒事件を中心に、文字通り八面六臂の活躍の最中、明治四十一年のことである。急用ができ、妻かつ子に手紙を出そうとしたところ、妻の名を失念してしまった、という。

田中正造の言行は多くの人が知っている。大正二年十月十二日、田中正造葬儀における大隈重信弔詞がある（『田中正造全集』別巻）。

孤弱ヲ扶ケ狂屈シ伸べ険シ履ミ厄ニ遭ヒ家ヲ忘レ身ヲ献ゲテ下民ノ困難ヲ救ハント欲シ（中略）一世ノ惰眠ヲ攪破シ能ク渡良瀬沿岸数十万無告ノ民ヲ救済セリ。君ノ生涯ハ奮闘ノ伝記ニシテ満身是レ同情ノ熱血ナリ。其済民ノ精神老テ衰ヘズ、終ニ疾ヲ渡良瀬流域ノ村落ニ得テ鉱毒排除ノ運動ヲ共ニセシ同志ノ家ニ逝ケリ。

（後略）

田中正造言辞のうち、多くの人に声を出して読んでもらいたい一文がある。

真の文明ハ　山を荒さず、川を荒さず、村を破らず、人を殺さざるべし

（『田中正造全集』第一三巻）

野口英世とその母

第二六号（二〇一九年六月）

ことし二〇一九年の春、いろいろな変化がみられる。

その一。［元号］。小生にとって、正直にいえば［元号］には全く興味がない。ただいえることは、現代は明治憲法〈帝国憲法〉に逆流しているのではないか。近代以前には［元号］はそれぞれの意味があった。明治憲法は違う。一世一代元号イコール天皇元号である。戦後、新憲法により旧帝国憲法の体質は払拭されたはずである。あの石橋湛山も、当時の政財界の要人も、概して天皇元号に異を唱えていた。それが、いつのまに。〈天皇元号〉制、これでよいのか？

その二。［紙幣］。野口英世が消えるらしい。

本稿では、長年お世話になった野口英世について考えたい。いや、かれのかけがえのない母・野口シカについて語ってみたい。

野口シカは、嘉永六（一八五三）年に出生。幼にして父も母も家出のため、赤貧と孤独で祖母の養育をうける。シカは生来利発さと負けず嫌いの勝気さを備えていたが、生活のため八歳にして子守奉公に出ている。シカは小作百姓や厳しい労働の合間に産婆業の資格を取得する。約三〇年間で約二〇〇〇人の出産を手がけた。シカの献身的な働きは多くの人の敬慕を受けたという。野口英世が帝国学士院から恩賜賞を授与された際には、その賞金で恩賜田をつくり、人々への奉仕の念を忘れなかった。人々への奉仕、それがシカの生涯でもあった。

土井晩翠は、そんなシカをうたう。

意志の基は恩愛の慈母の
胎より得し恵み
辛労山と積みなせる
悩の中に、大愛の
一念駆りて、くれなゐの

血のにじむまでいそしみし
野口しか女の名は朽ちず。（以下略）

シカは明治四十五（一九一二）年一月に、米国滞在研究中の英世に手紙を書く。これが不朽の手紙である。シカはどんなにか毎日毎日英世のことを案じていた。胸に迫る手紙である。シカは幼いころに覚えた文字を一字一字必死に思い出しながら綴った。認めた文字の中に、子を想う母の愛と、帰国を促す赤裸々な心情に満ち溢れている。正座してじっくり味わいたい。

おまイの〇しせに（出世）わ〇みなたまけました〇わたくしもよろこんでをりまする〇なかた（中田）のかんのんさまに〇さまに（重複）ねん（毎年）〇よこもり（夜籠り）を〇いたしました〇べん京（勉強）なぼでも〇きりかない〇いぼし（烏帽子＝近くの地名）〇ほわこまりをりますか〇おまいか〇きたならば〇もしわけ（申訳）かてきましよ〇はるになるト〇みなほかいド（北海道）に〇いてしまいます〇わたしも〇こころぼそくありまする〇ドかはやく〇きてくだされ〇かねを〇もろた〇こトたれにもきかせません〇それをきかせるトみなのれて（飲まれて）〇しまいます〇はやくきてくだされ〇はやくきくたされ〇はやくきてくだされ〇いしよ（一生）のたのみて〇ありまするにし（西）さむいてわ〇おかみ（拝み）〇ひかしさむいてわおかみ〇しておりますきたさむいてわおかみおります〇みなみたむいてわおかんておりまする〇ついたち（一日）にわしをたち（塩断ち）をしております〇ゐ少さま（栄昌様）に〇ついたちにわおかんてもろておりまする〇なにおわすれても〇これわすれません〇さしん（写真）おみるト〇いただいておりまする〇はやくきてくだされ〇いつくるトおせて（教えて）くたされ〇これのへんち（返事）ち（重複）まちてをりまする〇ねてもねむられません

この切切たる手紙から三年後、大正四（一九一五）年、渡米してから一六年めの野口英世とシカは喜びの再会をする。シカの生涯の中で一番嬉しい時であった。シカと英世は仲良く旅行をすることができた。しかしシカは大正七（一九一八）年、当時猛烈に流行った流行性スペイン感冒により十一月十日午前四時、六六歳の生涯を閉じた。シカの自分史は同時に野口英世の自分史でもある。

貞賢院産恵精安清大姉。

（『野口英世記念館のすべて』『野口英世とその母』『全伝野口英世』『野口英世の母』『野口シカ物語』、小林栄『野口英世の思出』、小泉丹『改稿野口英世』、湯浅謹而『野口英世』その他を参照した。）

あとがき

人間が人間らしくぬくとく生きるために自立が説かれてきた。自立の概念も首肯しうるが、もっともっと大切なものがある。それは依存である。依存の思想が、人々の間に、普通に素直に優しく気がねなく受容される世間が、人間らしい社会になりうるのだ。

人はなにを語るべきか……それは依存である。〝生きる〟ことへの支点はなにか……それは依存である。

本書は『「依存」の思想』とした。実は、当初、書名を『依存学三歩前』にしようかと思案した。私は高校生の時、出隆の『哲学以前』に出会った。読むには読んだが、空読みで内容を把えることができずに苦戦した記憶がある。『以前』の書名であっても、高校生の頭には難解であった。そこで、『以前』よりも『三歩前』とすれば、たとえ内容が陳腐であっても許されるものという甘い計算があった。ところが今度、「依存学」という「学」が果たして存在するのかしないのか、依存学が学として構築されるには、何が必要不可欠なものか、私の頭脳にとっての臨界そのものであった。したがって『依存学三歩前』を諦観し、ややおとなしく『「依存」の思想』として世に問うことになった。それにしても、「依存」そのものの定義らしきものを未だ見出していない。本書は、「依存」の周辺を回転しただけに止まってしまった。本書の「前景」にも付したように、幼少期、月を捕まえようと思って月に向って全速力で走ったことがある。月は一歩でも二歩でも近づくはずであるが、実際には月の存在は、むしろ一歩一歩遠ざかっていくように感じられた経験がある。「依存」の存在も、そんな月の存在に似ているのかもしれない。

私は幸いにも、二〇〇〇年度から、早稲田大学オープンカレッジの講座を担当させていただいた。その一つが「Death Education（死と向き合って生きる）」である。この講座では、私自身の反省をこめて、二つのことを真先に伝えることにしている。一つめに伝えたいこと。従来の教育あるいは教育学は、成長・発達を基軸としてきた。したがって従来の教育（教育学）には、人は衰えていく、病んでいく、躓く、悲しむ、死んでいく、そんな場面を正面から対峙しない状況をつくってきた。

そんな従来の教育（教育学）には《緊箍咒》を。反面、人を憂い、優しさを語る教育（教育学）には《金箍棒》を。

二つめに伝えたいこと。従来の教育（教育学）は、依存から自立への過程を説くことに主眼を置いてきた。この思考は過っている。自立も大切ではあるが、「依存」こそが人間の生き方にとって緊要であるかを訴えたい。例えばとして、沖縄の養護施設での場合を再現してみよう。

手足が不自由でオシメの外せない一七歳の車椅子生活の女性がいた。保母さんがこの女性に七夕祭りで「みんな願い事を書いてつるそうね」と声をかけた。女性ははじめは断わり続けたが、やがて動かない右手で保母さんの手をたたいて、「先生、どんなことでも書いてくれるの?」と尋ねた。そして、

『私をお母さんより、一日早く死なせて下さい』

と書くよう依頼された。女性は、「私は親孝行は出来ないけれど、一日早く死んだら、母さんが私のことを何も心

配しないで生きられる。そんな一日がプレゼント出来るのかな」と予期しない言葉を洩らした。保母さんは女性の願い通りに「お母さんより一日早く死なせて下さい」と短冊に書き七夕祭に掛けた。

そこに女性の母親が仕事から帰られ、「私にも何か一言書かせて下さい」といわれた。そして

もし神様がいらっしゃるなら『娘より一日長生きさせて下さい』お願いします。

と短冊に書いて掛けられた。親子は意味の違う同じ願いごとの二つの短冊を仰いで拝んでいた。美しい涙が頬を伝わっていた（石川洋「わが手紙人生〈大法輪〉二〇〇八年一〇月）。

手足の不自由な女性にとって、われわれの社会は安心して依存して暮らせる社会ではないことを証明しているではないか。母親も、娘が「お母さんより一日早く死なせて下さい」という願いを受け容れざるを得ない悲しい現実をわれわれはどのように理解すればよいのであろうか。女性にとっても母親にとっても心から依存し得る世の中が存在しないことへの訴えではないのだろうか。短冊の話は、たしかに美しい涙にちがいない。しかし、女性が「お母さんより一日早く死なせて下さい」と願うより、「一日でも長く生かせて下さい」という希望が叶えられるような依存可能な社会の実現に心したいものである。

そんな経緯から、私は〈わたしのDeath Education〉第一〇周年記念号の巻頭言に「依存学のすすめ」を発表した。

フーコーの後を継ぐように、最近ではアガンベンが生権力に関連してホモ・サケル（homo sacer）を主張している。人間観をめぐる歴史の情況は、自己との対峙においてその興味は尽きない。

ところで世界史的観点から、人間観の転換をもたらしたと思われる主要な改変点を三つあげてみたい。第一は、天動説から地動説の影響である。コペルニクス的転換と云わしめたものである。第二は、ダーウィンの進化論の発表である。これも誰も疑問を起こす余地のないところである。

さて第三はルネサンスに求められようか。イタリアに端を発しやがて全欧を風靡した芸術上並びに文化上、ひいては学術・政治・宗教上の革新運動として近代への端緒をもたらしたもので、学術復古とか文芸復興とかに表現されている。ルネサンスの功業については誰しもが肯定するものであろう。とくに自分たちの生き方に疑の眼を向けたルネサンスの重みは大切な財産にちがいない。

およそ三世紀ちかくにも及ぶルネサンスを数行で語るのは極めて無謀であることは自明である。そのことを承知のうえでルネサンスのある部分について、あえて大胆に専断してみよう。

たとえば知について考えてみよう。知は二分され、「神知」と「人知」になった。神知から人知への移行も意味するところとなった。神知から人知への移行の知は、「叡智」、「学知」、「思慮」、「知性」、「技術」、「科学」が配置されるようになった。ホモ・サピエンスの登場はその典型であろう。ここに人間の知優先の傲慢さがあるのではないか。一六五〇年没のデカルトの有名な言説〈私は思う、ゆえに私はある〉は二元論の代表である。明らかな知優先の省察である。

紙幅の関係もあり、うんと短絡的に論をすすめれば、この知優先の思想は自立優先の思想と結合をする。自立優先の結末は依存概念の疎外につながってしまったのである。ここにルネサンスのとても大きな「臨界」を感じるのだ。

近代のこの世では、依存をすっかり忘れてしまった。この世のありようは人間を理性をもった自立的人間を前提としてしまった。人間が人間であることの根拠を、知や理性や自立に求めてしまった。ゆえに依存は周縁に追いやられてしまった。

一九五四年、京都大学では「造林学」講座を「森林生態学」に改組した。造林学は人間が近代知により人間が主役となって森林を育てる方法を意味する。対して森林生態学は木々と多様な生物が主役となり人間は脇役に位置する。

「造林学」はルネサンスの学問である。

「森林生態学」は共生の学問であり、依存の学問である。

ここに記した〈わたしのDeath Education〉とは、「Death Education（死と向き合って生きる）」講座受講生有志の論文集である。同誌では毎号「序」をしたためさせてもらっているが、毎号必ず最後の三行は決まった言葉で結ぶことにしている。

〈死と向き合って生きる〉思いから

〈生と向き合って生きる〉思いへ、さらに

〈お互いが仲間として向き合って生きる〉へ

なお、タンザニアで実際に聞きとった話であるが、「真っすぐ」を表す言葉は、スワヒリ語で「カマ・ニョカ」である。「カマ・ニョカ」とは、直訳すると「蛇のような」の意味となる。日本人は蛇といえば、トグロを巻いた曲線か、地面を這い進む曲線を連想するであろう。しかし東アフリカの人々からみると、蛇は人を襲う時の「真っすぐ」に一直線に伸びる形状を想起するのであろう。生活の拠りどころにより、蛇を観る眼がちがって面白い。

とくにお断わりをしなかったが、本書のテーマである「依存」についても同じようなことがいえるかもしれない。一般に「依存」から想起されるのは、アルコール依存、ギャンブル依存、スマホ依存などであろうが、それらの場合と本書の依存とは次元の異なる芯でとらえている点を改めて補足しておきたい。

本書の依存は教育論である。発達・発展、自立を錘としてきた従来の教育論への反逆である。こんな「端ッコ」の「依存」が、教育論が、ほんの少しでも光にあたれば嬉しいかぎりです。

本書の上梓に際しては、早稲田大学出版部の武田文彦さんの多大なお力添えを頂戴した。記して御礼申しあげたい。

お読みいただきありがとうございました。

本書が〝生きる〟ことへの「支点」の一つになれば、とても嬉しいです。米寿を一年前にして。

二〇二〇年八月

大槻 宏樹

著者紹介

大槻 宏樹（おおつき　ひろき）

1933年生まれ。故郷は長野県上伊那郡。
2011年，瑞宝中綬章受章。
早稲田大学名誉教授。文学博士。
（著書・論文省略）

「依存」の思想
「生きる」ための支点

2020年9月25日　初版第1刷発行

著　者……………………大槻 宏樹
発行者……………………須賀 晃一
発行所……………………株式会社 早稲田大学出版部
〒169-0051　東京都新宿区西早稲田1-9-12
TEL03-3203-1551　　http://www.waseda-up.co.jp
装　丁……………………笠井 亞子
印刷・製本………………シナノ印刷株式会社

ISBN978-4-657-20010-5